Dylan van Eijkeren

Ik zag een aap

REISBRIEVEN UIT HET NIEUWSTE ZUID-AFRIKA

DE GEUS

Omslagontwerp Riesenkind
Omslagillustratie © Raymond Oberholzer
Drukkerij Haasbeek BV, Alphen a/d Rijn

Dit boek is gedrukt op FSC-gecertificeerd papier

ISBN 978 90 445 1319 6
NUR 500/300

to G., my sweet love

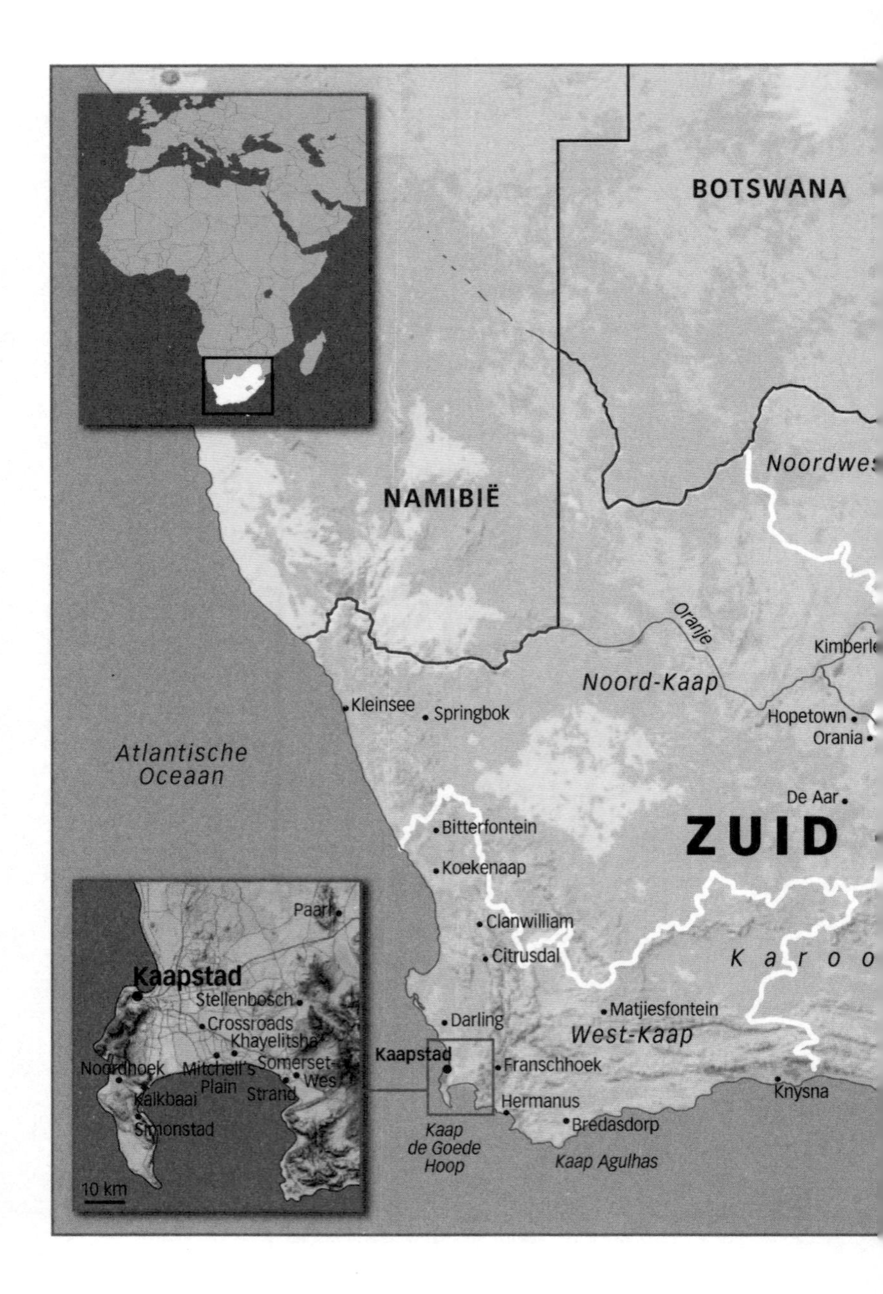

BOTSWANA
NAMIBIË
Noordwes
Oranje
Kimberle
Noord-Kaap
Kleinsee
Springbok
Hopetown
Orania
Atlantische
Oceaan
De Aar
ZUID
Bitterfontein
Koekenaap
Clanwilliam
Citrusdal
Karoo
Matjiesfontein
Darling
West-Kaap
Kaapstad
Franschhoek
Knysna
Hermanus
Bredasdorp
Kaap
de Goede
Hoop
Kaap Agulhas
Paarl
Kaapstad
Stellenbosch
Crossroads
Khayelitsha
Noordhoek
Mitchell's
Plain
Somerset-
Wes
Strand
Kalkbaai
Simonstad
10 km

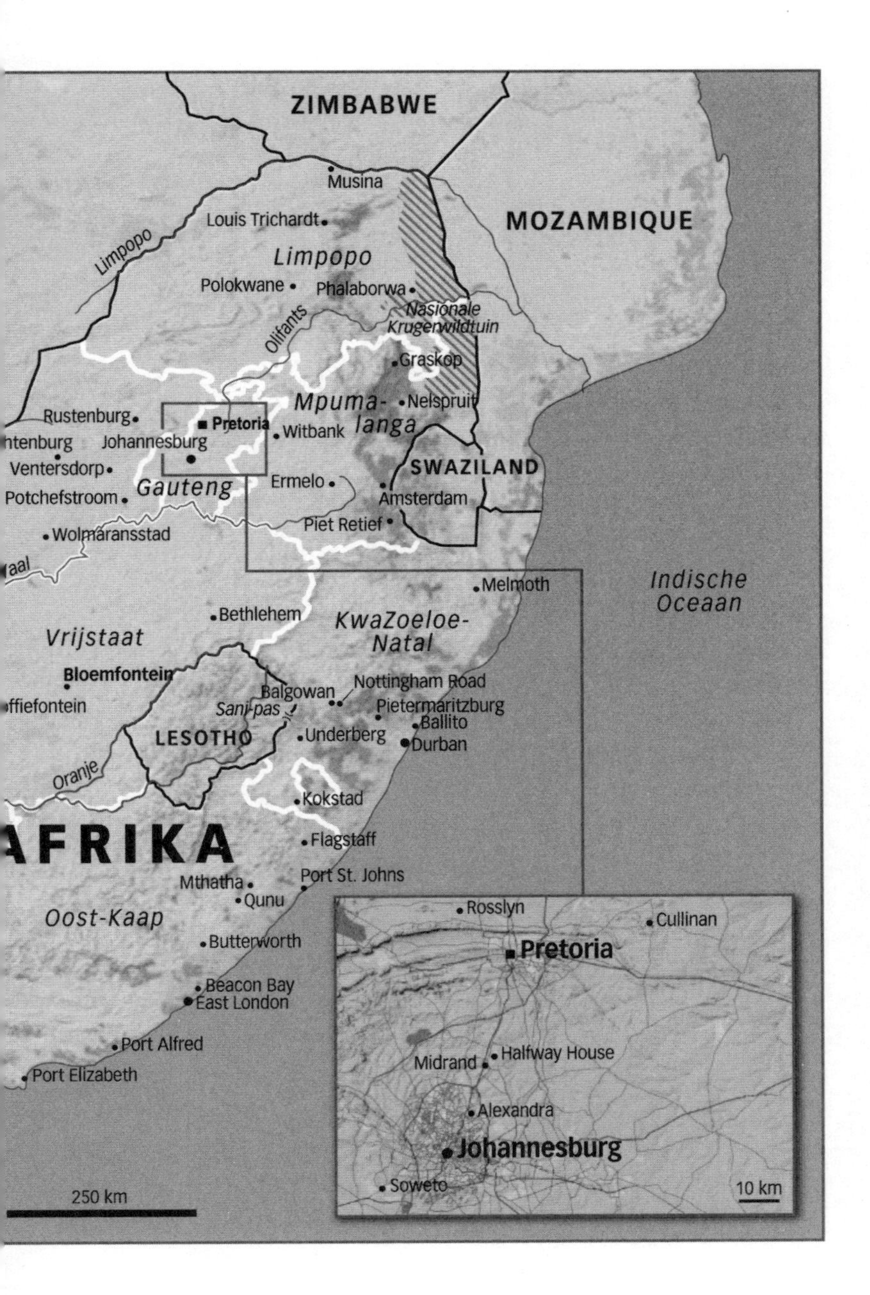
ZIMBABWE
MOZAMBIQUE
Musina
Louis Trichardt
Limpopo
Limpopo
Polokwane
Phalaborwa
Nasionale Krugerwildtuin
Olifants
Graskop
Mpuma-langa
Nelspruit
Rustenburg
Pretoria
Witbank
ntenburg
Johannesburg
Ventersdorp
SWAZILAND
Ermelo
Gauteng
Potchefstroom
Amsterdam
Piet Retief
Wolmaransstad
aal
Melmoth
Indische Oceaan
Bethlehem
KwaZoeloe-Natal
Vrijstaat
Bloemfontein
Nottingham Road
Balgowan
ffiefontein
Pietermaritzburg
Sani-pas
Ballito
LESOTHO
Underberg
Durban
Oranje
Kokstad
AFRIKA
Flagstaff
Port St. Johns
Mthatha
Qunu
Rosslyn
Cullinan
Oost-Kaap
Pretoria
Butterworth
Beacon Bay
East London
Port Alfred
Midrand
Halfway House
Port Elizabeth
Alexandra
Johannesburg
Soweto
250 km
10 km

Inhoud

Brief over de mooiste vrouw ter wereld

Honeysuckle Cottage, Mount Nelson Hotel,
de Moederstad, januari 2008

Beste Hunter,

Waarom is het mijn lot, waar ook ter wereld, nooit kalmpjes een kopje koffie te kunnen genieten in het zonnetje, maar altijd in groezelige bars te worden besprongen door uitheemse hoeren?

Dit keer zou alles anders zijn, nam ik me voor, en meteen was alles hetzelfde. Dit keer zag ik mezelf voor een paar kwartjes een flesje Windhoek Lager drinken in het luidruchtige jazzcafé Jo'burg in Langstraat, terwijl een dikke prostituee het nodig achtte om elke keer als ze me op weg naar de wc passeerde mijn kruis te bepotelen.

Hoe dat zo? Zeg jij het maar.

Nog voor ik die even elementaire als levenslustige vraag aan iemand kon stellen, sloeg een bezoekster met een volle fles Castle tegen het voorhoofd van het heelheelheel erg leuke meisje dat naast me aan de bar zat (en met wie ik tot dat moment zat te babbelen). Uit een wenkbrauwwond spoot subiet een golf bloed, zo, flops, op de bar. De aanvalster vluchtte, rende naar de deuropening, waar ze nog net bij haar lurven werd gegrepen door de portier, die daarvoor niet eens van zijn barkruk afkwam. *Pluk.* Ik liep door Jo'burg naar voren – druk was het er niet – naar de straatkant. Men is verslaggever of men is het niet.

De portier hield de jonge vrouw vast, hij wenkte de surveillerende politie, waarop de politiemensen uit hun wagen stapten (wagens die hier achterop steevast een arrestantenhok hebben, een soort *bakkies* met opbouw). De aanvalster draaide zich om, rukte zich los en rende weg. Dat frappeerde me. Helemaal goed wijs kan ze niet zijn geweest, maar ze zag haar kans schoon. Vijftig meter verderop werd ze alweer klemgereden door het bakkie van een particuliere bewakingsdienst. De agente haalde haar zodoende in en pakte haar arm vast. Aan de barvrouw vroeg ik, tegelijkertijd mimend met mijn wenkbrauwen: 'Is dit normaal?'

'Dat doet ze nou altijd als ze hier is.'

'Waarom laat je haar dan binnen?' De jazzband op het podiumpje was niet gestopt met spelen en zette, vraag de Heer waarom, 'Son of a Preacher Man' in.

Op mijn vraag kwam geen antwoord; vragen zijn in Zuid-Afrika wel te stellen, maar antwoorden zijn dikwijls niet voorhanden.

Met wc-papier stelpten het barmeisje en ik de wond van het slachtoffer; precies voor de geopende deur werd de naar de plaats delict teruggevoerde aanvalster op de stoep toegesproken door de agente. Er kwamen nog wat meer fluorescerend geklede beveiligingstypes kijken; de aanvalster deed nog een uitbraakpoging of wat; het bloeden viel te stelpen, al ging het niet een-twee-drie; ik bestelde twee Windhoekies – een voor het slachtoffer, een voor mij.

Zo liep het af. Er was geweld, er vielen gewonden, het was schandalig en het tartte het rechtvaardigheidsgevoel, maar vergelding, genoegdoening of wraak bleef uit – het was, al wist ik dat toen nog niet, typisch Zuid-Afrikaans (ja, het was natuurlijk in de eerste plaats een kroegruzie).

Het slachtoffer, en dat zal je zeker interesseren, bleek een Zambiaanse kapster, genaamd Lili Malenga. Ze had een goede, gulle lach ('haw-haw', diep uit haar buik) en vertelde me met haar donkerbruine stem dat ze 'vely appy' was dat ik haar wonde en haarzelf zo goed had verzorgd. Daar komt neuken van, zou jij hebben gezegd, en inderdaad, daar kwam neuken van. Alhoewel. Daar kwam eigenlijk helemaal geen neuken van.

Kapster is in deze contreien klaarblijkelijk een synoniem voor kroeghoertje, en ik moet je zeggen: dan was Lili wel het mooiste kroeghoertje dat ik ooit zag. Een brutaal, rond gezicht, grote, donkerbruine ogen – zo donker dat het verschil tussen iris en pupil niet was te zien – en lange zwarte haren, een huid zo bruin als mokkadrab en zo glad als kipfilet, een lichaam dat zowel frêle als voluptueus was. Stiletto's, strakke spijkerbroek, zwart truitje. Niet ordinair, wel maximaal aantrekkelijk.

Hoe ik erachter kwam dat Lili op haar kapitaal zat? Mijn theorie is dat mannen na een bepaalde leeftijd, zeg vijfendertig, niet meer hoeven te rekenen op spontane vrouwelijke belangstelling in buiten-Europese horecagelegenheden. Dan gaat de spontane belangstelling over in zakelijke interesse. Mijn leven was tot mijn vijfendertigste een dolle boel, een pretje, maar die avond zat ik in Jo'burg met een triestig gevoel. Nooit meer zou ik zomaar aanspraak hebben. Echt ongezellig, als je het mij vraagt. Dus ik vermoedde het al toen Lili me een half uurtje eerder had aangesproken aan de bar. Ze zat achter mijn geld aan, of liever gezegd: achter de mogelijkheid die 'that side', die Europa en mijn nationaliteit haar boden. Geef haar ongelijk.

Ze vertelde me over haar vlucht uit Zambia (die niet echt een politieke vlucht kan zijn geweest, de situatie in Zambia is de laatste jaren niet bijzonder gewelddadig geweest), haar barre leven in Kaapstad (kapster zonder werkvergunning in een eng township genaamd Nyanga, 4 rand* per beurt), een kind van wie ze de vader één avond heeft gekend en dat bij haar zuster in Lusaka woont. De levensverwachting in Zambia is 39 jaar, in Zuid-Afrika 42, in Nederland 80. Tel uit je winst.

Het bloeden stopte. Van de barvrouw had ik een doorzichtige pleister gekregen. Die plakte ik op Lili's voorhoofdje. Daarna gaf ze me, heel zacht, een kus op mijn wang, precies daar waar mijn lippen beginnen. Van de weeromstuit bestelde ik nog twee Windhoekies, en op een gekke manier voelde ik me thuis. Niet thuis, maar op mijn gemak. Ik was hier, ik was nergens anders, en het kwam ook niet in me op ergens anders te willen zijn. Da's best thuis, op je eerste avond tienduizend kilometer van huis.

Lili rookte een Peter Stuyvesant Extra Mild. We praatten wat, en ineens lag haar hand daar, op mijn linkerdij. De hand kneep een klein beetje in mijn dij. Ik schreef haar naam en telefoonnummer achter in mijn donkerblauwe notitieboekje. Ik kreeg een kus op mijn mond. De onderhandelingen waren geopend. Twee Windhoekies om het onvermijdelijke nog wat uit te stellen. Deze avond leidde tot niets anders dan een vraag van mij. Zoals het er nu uitzag, zou die vraag positief worden beantwoord, en daarna zou ik iets moeten doen. Op een gekke manier voelde ik daar niet zo'n lust toe. De span-

---

* De koers van de Zuid-Afrikaanse rand schommelde in 2008. In januari ging er bijna 10 rand in 1 euro, in mei ruim 12, in november bijna 14, en de rest van het jaar hing de koers van de rand ergens daartussenin.

ning aan de bar was me groot genoeg.

Al hoefde het niet, de vraag floepte twee minuten later natuurlijk toch uit mijn mond – misschien was het gepast. Toen ze op mijn uitnodiging inging, wist ik het zeker. Althans, zeker? Ik hoopte tegen beter weten in dat ik eindelijk nog eens spontane belangstelling had gewekt. Nou, echt niet.

'The Mount Nelson', zei ik.

'The Nelson Mandela!' zei Lili. 'Dat is een mooi hotel.'

'Ken je het?' Met prijzen vanaf 300 euro leek me dat stug. Mijn zelfbedrog verkeerde kortom in een gevorderd stadium, want waarom zou zo'n prachtig mooi kroeghoertje nooit in dat hotel zijn geweest? Lili ontkende er ooit binnen te zijn geweest.

Ik rekende af en even later liepen we door Langstraat. Dat is een straat vol hostels, cafeetjes, restaurants, reisbureaus afgewisseld met boekwinkels, slijterijen, antiquairs. Veel rugzak- en slippertoerisme.

We liepen langs de enorme Windhoekreclame op de driesprong van Lang-, Kloof- en Oranjestraat, gingen Kloofstraat in, goed steil omhoog, in de richting van de Tafelberg, en vooral in de richting van de achteringang van het Mount Nelson. Dat was een wandeling van tien minuten, misschien een kwartiertje. Lili sleepte met het staal van haar hakken over de stoep. Het was een wat ordinair maar niet onsexy geluid.

Het ging niet om de 800 rand waar ze direct op de drempel van Honeysuckle Cottage om vroeg. Of om precies te zijn: daar ging het wel om. Die 800 rand was alles wat ik niet had gewild, wat ik niet had gehoopt van deze avond. Ik gaf haar, de Heer mag weten waarom – alsof ik gireerde aan de Hartstichting – 550 rand. Dat was alles wat ik nog in mijn zakken had, en ik zette haar aan de deur. Hoeren en ik, we zijn nooit een gelukkige combinatie geweest.

Het kan altijd erger. Ik had geweld gezien en mij was wat geld ontfutseld, maar zoals Breyten Breytenbach in zijn nieuwe boek *Woordvogel* over het huidige Zuid-Afrika schrijft: 'Tot staan gebrachte automobilisten werden beroofd, doodgeschoten of gestoken nog voor je "Nelson Mandela" kon zeggen.'

Een goeie grap. Dat was vast en zeker mijn voorland; dit was pas mijn eerste avond geweest.

Hunter, vriend, net als drie weken geleden zit ik ook nu in mijn villaatje van het Mount Nelson Hotel – het ligt aan het zwembad, het is een heel huisje, groter dan mijn eigen huis thuis. Ik zit aan het bureau, op een aardige draaistoel, ik ben voorzien van een heel zachte bank en een leunstoel met verlengd zitgedeelte, naast me staat een zak biltong van gezinsformaat, en in een ijsemmer staat een fles Sauvignon Blanc van Vergelegen klaar. Hunter, ik zal je schrijven tot ik in slaap val. Hopelijk is dat morgen pas, in het vliegtuig. Tijd om een glaasje Vergelegen in te schenken.

Dank voor je e-mail. Ik ben louter in afwachting van mijn vliegtuig naar huis. Nog een volle dag en drie uur heb ik voor ik word opgehaald door mijn vaste chauffeur Robert le Roux, en ik zal je, je opgewekte, vaste openingsvraag 'Wat is er gaande?' indachtig, tijdens de komende zevenentwintig uur vertellen wat ik de afgelopen weken heb gezien, meegemaakt en geleerd. Dat doe ik ouderwets, per post, want ik kan moeilijk zevenentwintig uur lang in het businesscenter van mijn hotel achter een computer gaan zitten. Ze zien me aankomen met mijn fles wijn.

Om te antwoorden op je vraag: wie zich verveelt en eenzaam is, moet iets doen. Je kunt toch niet eeuwig op je krent blijven zitten, je vele centen tellen, de beurs volgen, misantropisch uit het raam kijken en hopen dat het geluk (32 jaar, blond, 1 meter 70, Christian Louboutins aan haar ranke voetjes) bij je komt binnenzeilen? Dat zal niet gebeuren. Onderneem iets, neem zwemles, ga oudjes helpen, begin voor mijn part een goed bordeel, maar dóé iets. Na je dood kun je nog genoeg niksen. We kunnen het er later eens uitgebreider over hebben. Vanuit Kaapstad vind ik het lastig om je van advies te dienen. Je leest het: ik heb ook mijn zorgen.

Ga desnoods op reis. Net als ik. Je kunt van reizen zeggen wat je wilt, je bant je problemen er niet mee uit, maar het houdt je wel van de straat. Althans, van de Keizersgracht.

Om te beginnen bij het begin – je houdt van orde en chronologie, je krijgt orde en chronologie – vloog ik hierheen. Om je eeuwige gemopper op de KLM van munitie te voorzien: in die oeroude 747 draaiden de films buiten mijn zicht, werkte mijn leeslampje niet en was de steward zo vervelend dat ik hem wilde aangeven bij zijn meerdere (ware zij niet nog vervelender geweest).

Hoelang vliegen met KLM ook mag duren, ooit begint de landing. Diep onder ons zagen we de eerste lichtjes van het land van aankomst. Wé? Ja, ik praatte onderweg urenlang met Gerard Siegers, een getaande tachtiger die naast me zat. Sinds drieënvijftig jaar woonde hij in Zuid-Afrika, hij deed in pompen en woonde inmiddels in een ommuurd bejaardendorp.

'Ha, de bewoonde wereld', zei hij bij het zien der Kaapse lichtjes. Wat hij bedoelde: de rest van Afrika is een negorij, urenlang zagen we niks. Na acht uur over het zogenaamde zwarte continent te hebben gevlogen, hingen we eindelijk boven Zuid-Afrika.

Siegers' opmerking introduceerde me in de denkwereld van de trotse Zuid-Afrikaan, althans, diens blik op de rest van Afrika. Zuid-Afrika is het rijkste land van Afrika, Zuid-

Afrika heeft met Johannesburg de rijkste stad van het continent, Zuid-Afrika is sinds 1994 politiek stabiel, Zuid-Afrika is voor de rest van zuidelijk Afrika een voorbeeld, een raadgever, een steun en een toeverlaat. Zuid-Afrika is het land van Nelson Rolihlahla Mandela, een man wiens statuur voor elke Afrikaan zo groot is als de Heer.

'Het licht brandt in de Moederstad,' zei de bijdehante Siegers, 'het geluk is met ons. U weet dat het licht tegenwoordig vaak uit is? Sinds we alle townships van stroom zijn gaan voorzien, is er te weinig stroom. Natuurlijk, we gaan gewoon door met exporteren naar wanbetalers als Zimbabwe en Mozambique. Anders zit het hier binnen de kortste keren helemaal vol met vluchtelingen. Maar zelf hebben we al niet genoeg stroom. Dus wat doet onze elektriciteitsmaatschappij, Eskom? Ze sluiten hele buurten tegelijkertijd voor twee uur af om stroom te kunnen leveren aan de kaffers. O, sorry, ik bedoel: aan de zwarten.'

Ik weet zeker dat Siegers' 'kaffers' niet kwaad bedoeld was, of hij moet een verrekte goede acteur zijn geweest. Hij was van een andere generatie. En hij praatte rustig door: 'Dat afsluiten doet Eskom heel democratisch, geloof ik. Zowel het centrum van Johannesburg als de townships worden op aangekondigde tijden een paar uur afgesloten.'

Ik keek uit het raam naar de lichtjes en herhaalde mompelend: 'De Moederstad.' Dat klonk goed, al wist ik niet wat het te betekenen had.

Hunter, mijn vriend. Niets wist ik. Dit keer wist ik niets.

Nu weet ik meer. De naam de Moederstad, vertelde Siegers, verwijst simpelweg naar de plaats van aankomst van de blanken in 1652, van de Nederlanders, van de VOC, van Jan van Riebeeck. Een haven, een baken, een thuiskomst. Van Riebeeck bouwde een fort aan de voet van een 'taffelbergh'.

De Moederstad zelf werd in 1679 gesticht door Simon van der Stel (de man die Stellenbosch naar zichzelf noemde en als commandeur de opvolger werd van Van Riebeeck; Van der Stel schopte het later tot de eerste gouverneur van de Kaap).

Siegers en ik stapten uit de moorddadige oude 747-Nairobi, we groetten elkaar. Hij ging naar huis, ik ging op stap.

Van Riebeeck, die een VOC-risee was – hij had voor eigen gewin gehandeld vanaf VOC-schepen, zijn bazen gaven hem een laatste kans: vind een verversingspost – ontmoette in 1652 al snel de inheemse Kaapse volken Khoikhoi en San. Het bleken nogal kleine, dunne mensen met een lichte huidskleur. De Culemborger noemde hen respectievelijk Hottentotten (stotteraars, omdat ze klikten met hun tongen als ze spraken) en Bosjesmannen (lafaards, omdat ze zich angstig ophielden in het struikgewas). In zijn dagboek noteerde Van Riebeeck: 'Ze zijn in geen geval te vertrouwen, want het is een wreed volk zonder geweten. Ze zijn dom, dwaas en kwalijkriekend. Het zijn zwarte, stinkende honden.'

Juist. In Van Riebeecks voordeel pleitte dan weer dat hij subiet Duitse wijnstokken liet overkomen naar de Kaap, omdat het gebied hem zo warm leek dat druiven er vast prima zouden gedijen. Die VOC'ers kon je om een boodschap sturen.

Veel Khoikhoi – Hottentotten is inmiddels een scheldnaam geworden – zal ik het komende jaar niet tegen het lijf lopen. Ze zijn nagenoeg uitgestorven doordat ze aan wrede slavernij werden onderworpen, werden verdreven en vanwege een pokkenepidemie werden getroffen in het begin van de achttiende eeuw.

De enkele resterende Khoikhoi houden zich volgens Afrikakenner Adriaan van Dis (in zijn verhaal *Onder de Bushmen* uit 1993) vooral op in Botswana, waar ze stug blijven geloven dat vuur uit de oksel van een struisvogel ontstaat, dat mensen ooit rotsen waren en waar ze met 'getatoeëerde kerven' in leren schaamlappen lopen. (Goeie help.)

Voor Nederlanders is Zuid-Afrika sinds driehonderdzesenvijftig jaar een plek van aankomst. Waren er in de zeventiende eeuw nog veertien tot zestien weken voor nodig om lijdend onder gruwelijke eczemen, tuberculose en scheurbuik naar de Kaap te varen, in 2008 duurt de reis twaalf uur (met als enige ongemakken geen cinema of leeslampje). Dat is een versnelling met een factor tweehonderdvijftig; de VOC voer gemiddeld 3,2 kilometer per uur, nog geen twee knopen.

De moderne reiziger kan zich, net als de bikkels van de VOC, amper een voorstelling maken van waar hij naartoe reist: dat andere klimaat, andere zeden, andere ziekten, het wereldkampioenschap voetbal van 2010, de negentigste verjaardag van Mandela, geweld, armoede, de onmenselijke natuur. Welnee, men stapt in, men kletst wat met Gerard Siegers, men stapt uit. Dat is dat. Acclimatiseren, ho maar.

Ik beschuldig – ik hoop beticht – jou ervan geen plan te hebben. Dus ik zal je, voor ik verderga over mijn belevenissen, allereerst mijn plan voorleggen.

De geest der Vereenigde Oost-Indische Compagnie indachtig zou ik op avontuur gaan. Ik reserveerde niets, ik zou wel zien (dat is wat men noemt een vastomlijnd plan). Ik nam geen elektronica mee, op mijn mobiele telefoon na. Men wil toch weten wanneer het tijd is voor warm eten.

Ik was alleen en ik zou alleen reizen. Ik zou alle kilometers die tussen Kaapstad en Musina, op de Zimbabwaanse grens, liggen, solo beleven, en daarna zou ik geheel alleen van Durban naar Springbok rijden.

Musina, het voormalige Messina, zal ik pas later dit jaar zien. Ik zal dit jaar een paar keer van Schiphol naar Zuid-

Afrika vliegen. Een aaneengesloten reis mag romantischer klinken en praktischer zijn en me op minder kosten en gevlieg jagen, ik wil het hele jaar 2008 in Zuid-Afrika zijn. Al is het dan met tussenpozen.

Mijn intuïtie zegt me dat het een beslissend jaar wordt voor het land. Al weet ik er weinig van – er komen presidentsverkiezingen aan, Mandela zal stokoud worden, de economie siddert en trilt (al is het compleet onduidelijk of dat groeistuipen of laatste stuiptrekkingen zijn), het WK voetbal is aanstaande en daarover blijkt iedereen superopgewonden.

Dit zou mijn eerste etappe worden, er zouden er in 2008 twee of drie of vier volgen. Wat nodig was, zou blijken, en daarna zou ik het uitvoeren. In zekere zin ben ik de afgelopen weken mijn eigen vooruitgeschoven verkenner geweest.

Dit keer maakte ik een reisje over de Kaap, drie luttele weken lang. Gedurende die weken zou ik praten, kijken en lezen, en mijn plan trekken voor de rest van het jaar.

Ik las als jochie over een land waarin veertig miljoen mensen zuchtten onder apartheid (maar die zich gelukkig gesteund wisten door Ed van Thijn), en later zag ik Mandela vrijgelaten worden, en nog later zag ik dat er een nieuwe Nederlandse kleine trek naar dat verre, verre zuiden ontstond.

Zuid-Afrika en Nederland hebben de afgelopen vier eeuwen altijd wel iets en soms veel met elkaar te maken gehad. Op die erfenis en op dat heden ga ik een paar maanden parasiteren.

Om het met het jou vertrouwde aplomb te brengen: ik ga alleen, maar ik sta in een traditie.

Toen eerdergenoemde Robert le Roux me van het vliegveld haalde, was ik benevens *bleu* vanzelfsprekend duf. Ik kikkerde flink op van het uitzicht vanaf de achterbank van de Toyota Corolla.

Eerst zag ik townships, dan de Tafelberg met zijn lift, de Leeukop en de Seinheuwel, het Grote Schuurziekenhuis, dan zag ik een Ferraridealer, vervolgens het parlement. Het was een stoomcursus Zuid-Afrika: arm, rijk, een discriminerende kleurling achter het stuur, de locatie van de eerste harttransplantatie, bevochten democratie, bedwongen natuur. Al wist ik van niks, ik herkende alles.

's Avonds had ik puf voor mijn antropologische queeste in jazzcafé Jo'burg gehad, ik had Lili het kroeghoertje ontmoet. Dat avontuur had voor mij veel Zuid-Afrikaanse elementen bevat: een vluchteling, enig geweld, wat drank en een oplossing die bestond uit een pleister. Mijn echte eerste dag, mijn tweede in Kaapstad, moest nog beginnen.

Het glas wijn van Vergelegen smaakt me schitterend, je zou het ook eens moeten proberen. Dat ter zijde.

Terzijde twee: ik ben weer gaan roken. Weliswaar niet veel – ik rookte al nooit zo veel – maar hier rookt iedereen. Het lijkt Parijs in 1955 wel. Ik rook dus een sigaret – gewoon een Marlboro Light. De droge lucht en de temperatuur zorgen dat de rook me goed smaakt. Als ik voor me kijk, zie ik mezelf in de spiegel die boven het bureaublad hangt: een gozer die niet al te gezond leeft, met een sigaret in zijn ene en een pen in zijn andere hand. Ik ben verdomd net Dylan Thomas. (*'Sir, you're no Dylan Thomas'*, om geheel buiten deze orde eens Lloyd Bentsen tegen Dan Quayle te parafraseren.)

Halverwege de ochtend van mijn tweede dag in Kaapstad liep ik naar het station (*stasie*, in het Afrikaans), op weg om de stad uit te gaan. Het station ligt op een half uurtje lopen van het Mount Nelson, ik deed er ruim anderhalf uur over.

De pinautomaat van de AbsaBank bood de keuze uit alle elf officiële landstalen. Dat ik er daar tien niet van beheerste, vond ik opwindend. Evenzeer was het een van die onpraktische verworvenheden van een land dat discriminatie definitief had willen uitbannen. En het was rabiate onzin. Drie weken later heb ik nog geen mens ontmoet die geen vloeiend Engels spreekt.

Ik dronk koffie op een terrasje aan een pleintje waarop een toeristische markt aan de gang was, er liep een neger rond die zich als telefoon had verkleed, ik vergaapte me aan politie te pony, ik kocht een *Cape Argus*. Op de voorpagina stond in kapitalen geschreven: 888 DAYS TO KICK OFF. Het stond er wat lukraak, men moest weten waar het over ging. Het was zonnig en goed warm, de plaatselijk beroemde zuidooster waaide flink. Lekker hoor. Ik knabbelde aan een bosbessenmuffin.

Na de muffin nam ik de trein. In Noordhoek woont Hans de Ridder. Hij bezit de voormalige villa van John Kraaijkamp, via via werd ik op zijn bestaan gewezen.

In de zeventiende eeuw waren het Denen, Pruisen, Vlamingen en Hollanders die de Boeren vormden – hun geuzennaam pur sang. Aan die grote trek was een einde gekomen gedurende de apartheid: het was politiek correct noch sociaal aantrekkelijk om de Steenbokskeerkring definitief over te steken.

Direct nadat de apartheid was afgeschaft, haastte een lading nieuwe Nederlanders zich naar de Kaap. Onder hen was een aantal halve en hele emeriti-BN'ers: radiomakers, zangers, potsenmakers. Ze kochten grond en huizen voor een prikkie. In bladen en kranten vertelden ze trots over hun wijngoederen, hun bed and breakfasts, hun villa's op de Kaap. De Kaap werd door hen onveranderlijk als hun persoonlijk paradijs beschreven. Ze snoefden alsof ze de Kaap zelf gecreëerd hadden – wat in zekere zin ook wel zo is, al zaten er vijftien generaties tussen. Toen werd het stil. Dat John Kraaijkamp op de Kaap was gaan wonen, haalde de roddelkolommen, tegen de tijd dat de acteur heimwee kreeg en zijn villa verkocht aan Hans de Ridder, was het nieuwtje er af.

Tegelijkertijd, rond het jaar 2000, begon de echte nieuwe, grote trek. Geen krant die er iets over opmerkte, hoe opmerkelijk het ook was. Nederlandse gepensioneerden kochten voor een euroton een landhuisje, vutters betaalden de helft daarvan voor een appartement aan zee, jonge echtparen met kleuters vestigden zich in het wijnbouwgebied – want welke rechtgeaarde, hoogopgeleide Nederlandse dertiger wil nou niet weg uit dat xenofobe, steeds benauwder wordende Nederland, om aan de kim van de wereld zijn eigen druiven te planten, te telen en zijn zelfgemaakte wijn te drinken? Een eigen bedrijf te beginnen? Ruimte te hebben? Uit, en toch een beetje thuis te zijn? Juist dat zo veel Nederlanders voor de Kaap kozen, was opvallend. Ik denk dat het misschien wel wat voor jou zou kunnen zijn, Hunter.

De treinreis vond ik opwindend. Je weet dat ik in mij onbekende oorden nergens zo van houd als van supermarkten en treinen: ze leren je meer over een land dan reisgidsen en excursies.

Mijn Amerikaanse collega Paul Theroux duikt tegenwoordig meteen een seksshop in om de landsaard te leren kennen, schrijft hij in zijn nieuwe boek, *Ghost Train to the Eastern Star*, dat voor driekwart over hoeren gaat. Kennelijk gaat iedere reiziger op zoek naar het buitenissige. Als ex-katholiek zocht Theroux het verderf, als NS-reiziger zocht ik een rijdende trein.

Een kaartje kopen was niet simpel. Ik verstond geen lettergreep van de lokettiste, die heus de beste bedoelingen had. Uiteindelijk schreef ik mijn bestemming op en legde geld neer, waarop ze in perfect Engels brulde: 'Ja, dat begreep ik al. Maar wilt u een enkele reis of een retour?'

Ik was vooringenomen geweest, ik had gedacht haar niet te zullen verstaan, en zodoende verstond ik haar niet. Afrikaans is voor een Nederlander lastiger te verstaan dan je zou denken als je het leest, en al is het Engels van Zuid-Afrikanen niet accentloos, het is prima te volgen.

In de stationshal werd biltong verkocht. Ik bestudeerde de verschillende soorten. Er was biltong van koedoe, van impala, springbok, rund en van krokodil, van struisvogel en van ezel.

Elk perron had twee bewaakte toegangen. De dreigend uitziende controleurs hadden meer oog voor mijn witheid dan voor mijn kaartje.

De trein was een soort metro en heette Metrorail. Het was een echte forensentrein met louter hardplastic banken aan weerszijden, in de lengte van de treinstellen. Het was midden op de ochtend. Erg druk was het niet. De mensen die om me heen zaten, waren allemaal blanken – al leken ze niet bijzonder rijk. Sommige mensen hadden vieze voeten, andere geklitte haren, en weer andere – of soms dezelfde – zagen eruit alsof ze kinderen waren van een man en zijn zuster. Een in deze context haast academisch uitziende mevrouw las het boek *The World's Greatest Sex Scandals.*

We passeerden stationnetjes als Woodstock, Salt River, Observatory en Mowbray: Kaapstadse buitenwijken. Een pelotonnetje zwarte mannen in gevechtstenue stapte in, allemaal bewapend met pistolen en in kogelwerende vesten gehuld. Ze controleerden kaartjes. Zwartrijden leek hier geen goed idee.

Rosebank, Rondebosch, Nuweland, Claremont, Harfield, Kenilworth, Wynberg, Wittebome, Plumstead, Steurhof, Diep River, Heathfield, Retreat (weer stapte een horde veiligheidslui in, en weer waren zij de enige zwarten), Steenberg, Lakeside, Valsbaai (ik zag de Atlantische Oceaan), Muizenberg, St. James (waar de Tip Top Caferette goede zaken leek te doen), Kalkbaai, Vishoek. Daar stapte ik uit. In een cafetaria kocht ik een *snoek and chips*, watertje erbij. Terwijl ik at wachtte ik op De Ridder, die ik moest herkennen aan het busje waarin hij reed: een donkerblauwe Volkswagen Caravelle. Hij daagde even later op, en stelde me voor aan zijn echtgenote, Dale Thomas.

Je weet het: nieuwe mensen leren kennen, ik ben er niet dol op. Jaja, ik vind het een bezoeking, wat jij wilt. Noem me eenzelvig, moreel kapot of eenkennig, ik heb genoeg vrienden. Wat moet ik met meer vrienden? Daarbij zijn de meeste mensen zo saai als een pak meel. Je snapt het: Hans de Ridder en ik bleken het prima te kunnen vinden. Met Dale kon ik ook goed door een deur: ze houdt van wijn.

Dale en Hans bewonen een idylle zoals een idylle bedoeld is. Ze hebben vrij uitzicht op brede duinen (waar paard wordt gereden) en op de Atlantische Oceaan ('er zitten wel haaien', lachte Dale), er ligt een zwembadje in de tuin, er is een terras om te loungen of te barbecuen – te *braaien*. Alleen braaide Hans de Ridder niet zo vaak, zei hij toen ik terloops informeerde of er heden gebraaid zou worden: 'Zo'n gedoe, dat duurt zo lang.'

Ik vroeg of we wel buiten konden gaan zitten – aan de kleding van Hans en Dale te zien vermoedde ik dat ze het wat frisjes vonden, al was het vierentwintig graden. 'Vooruit. Omdat je helemaal uit Holland komt.'

Dale schonk een glas Sauvignon Blanc van Spier in. Dat smaakte daar prima. Zon, uitzicht op zee, op een landtong in de verte een vuurtoren. Dit was zo paradijselijk als ik me een huis kon voorstellen, al sloeg er zo nu en dan ergens een hond aan.

In 2001 was Hans – die zestig is – met vakantie op de Kaap.

‘Ik was meteen helemaal weg van Noordhoek. De natuur, de goede wegen, de Nederlandse plaats- en straatnamen, de zee, het eten. Alles. Ik zat hier in Noordhoek in de Farm Village te eten, en zei tegen de eigenaar van het restaurant: “Je moet me eerlijk zeggen wat er hier niet deugt.” Hij waarschuwde me alleen voor de criminaliteit. Die heeft me inmiddels nog nooit belemmerd om te doen wat ik wil doen. Daarbij hebben we veiligheidscamera’s, een wachter, zelfs een bewakingshokje. Dit is net Paleis Soestdijk.’

Hans was aan het bezichtigen geslagen. ‘Toen zag ik dat ik vanaf dit terras een vuurtoren kon zien. Kijk, daar staat-ie.’ Ik had ’m al gezien: een heel echte, rood-met-witte vuurtoren. ‘Dat deed het ’m. Ik mijn pensioentjes opgeteld, mijn AOW’tje, en voor 160.000 euro plus een digitale camera was het huis van mij.’

Die digitale camera – ‘toen de allernieuwste’ – is in het verhaal van belang, zei Hans, omdat hij ‘een mannetje is dat erg van nieuwe spulletjes houdt’. Hij maakte inmiddels voor makelaars internetfilmpjes van te koop staande huizen rond Kaapstad. Daarmee verdiende hij een centje bij. ‘Plus, zo kom je nog eens ergens. Kasten van huizen, Dylan.’ Wat hij zeggen wilde, denk ik: een digitale camera had hem aan dit huis geholpen, en nog steeds hielp een digitale camera hem om hun huis te onderhouden.

Had Hans nooit twijfels omtrent de toekomst van Zuid-Afrika? ‘Natuurlijk is de volgende president, Jacob Zuma, een boef. Maar er zit hier te veel buitenlands kapitaal om een grote omwenteling te bewerkstelligen, het buitenland zal nooit toestaan dat het hier uit de klauwen loopt. Ik geloof voor 100 procent in dit land. De spirit van de mensen is ongelooflijk goed.’

Dale haakte in. ‘Ik hoor al twintig jaar dat hier ellende

komt, dat het allemaal erger wordt. Maar het grootste gevaar dat ons zou hebben bedreigd, is al voorbij. Dat viel erg mee. Ik ben helemaal niet bang voor de toekomst. Ik kan precies doen, denken en zeggen wat ik wil.'

De Kaapse sfeer is goed, zei Hans. 'Ze noemen het niet voor niks *lazy Cape Town*. In tegenstelling tot Johannesburg, daar wordt vooral keihard gewerkt. Daar wonen ook veel meer *black diamonds*, zwarten met nieuw geld.'

En de arme zwarten in de townships, merkte Hans weleens iets van het leven daar? 'Onze meid woont hier vlakbij in een townshippie. Die halen we doordeweeks gewoon daar op, geen probleem. Dat doet iedereen, want die mensen hebben zelf natuurlijk geen auto's. En let wel: Kaapse armoede is luxe in vergelijking met de rest van Afrika. We hebben echt een voortrekkersrol.'

Hans trok zich terug in de keuken om een salade te maken. Met Dale praatte ik over het recente verleden van haar land. 'Twintig jaar geleden was het verschrikkelijk', vertelde ze. 'Waar ter wereld ik ook kwam, nooit durfde ik te zeggen dat ik uit Zuid-Afrika kwam. Ik zei altijd dat ik uit Kaapstad kwam, in de hoop dat dat niet meteen in verband zou worden gebracht met apartheid.'

Nog steeds wilde ze eigenlijk geen Afrikaans spreken, al was dat haar moedertaal. 'Dat is de taal van het conservatieve deel van de bevolking.'

Dale schonk een glas vonkelwijn, zoals Kaapse bubbelwijn wordt genoemd. Ik vroeg welk merk het was. 'Een Krone Borealis vintage 2003', zei Dale.

Hans, die net uit de keuken terugkwam, gnuifde: 'Dan kun je dat aan je dokter vertellen.'

Wat een lol, wat een leven, wat een optimistische mensen – maar niettemin zat Hans op tienduizend kilometer van zijn thuis, van zijn familie. 'Dat is waar. Dat is de rekening die ik betaal voor dit schitterende leven. Ik zie mijn dochters en kleinkinderen niet vaak. Gelukkig is er de webcam.'

Hans vond me zo aardig dat we in de Caravelle stapten: hij zou me terugbrengen naar Kaapstad. Ik vond hem overigens ook heel aardig: hij was enthousiast, welbespraakt en hartelijk. Hij zei: 'Er is nogal een mooie route van Noordhoek naar Kaapstad. Die zullen we misschien maar meteen nemen, nu de zon begint te zakken.' Die route heet de Chapman's Peak Drive en is inderdaad verrukkelijk – een rustiger Côte d'Azur, intiemer dan de Twelve Apostles in Victoria, een verzorgder Dalmatië. De kustweg ligt op de flanken van een berg: 9 kilometer lang, 114 bochten, 26 rand tol. Het was duizelingwekkend prachtig, en toen de zon in zee begon te zakken, riep ik vanaf de achterbank oe en aa.

Onderweg kregen we, van de emoties maar vooral van al het drinken van vanmiddag, best een beetje dorst. Behalve Hans, want die drinkt geen alcohol. 'Al zou een rock shandy er wel in gaan.' Een wat? Een cocktail van 7Up, limoensap en angostura, zei Dale.

We legden aan bij het Victoria & Alfred Waterfront, aan zee in Kaapstad. Het V&A is een grootscheeps complex dat men best een winkelcentrum zou kunnen noemen. Ook zijn er chique restaurants en vijfsterrenhotels en me dit en me dat, maar het is toch vooral winkelen geblazen. Het positieve is dat dat gedeeltelijk onoverdekt gebeurt (het is geen zogeheten *mall*, bedoel ik) en de ellende is dat iedereen geld uitgeven aan zee klaarblijkelijk aangenaam vindt: het V&A Waterfront is de drukst bezochte toeristenattractie van Zuid-Afrika. Daar ga je met je Tafelberg, je Robbeneiland, je Krugerpark, je wijnlanden en je bloemenroute.

Primi Wharf was een eindeloos groot restaurant. Dale

dronk er een stuk of wat Baileys, Hans legde de ober uit wat precies een rock shandy is, en ik dronk wijn (een van mijn doelen gedurende deze reizen, het zal je niet verbazen, is zo veel mogelijk Kaapse wijnhuizen te 'leren kennen').

Dale en ik praatten verder over apartheid en segregatie. Ik moest weten, zei ze, dat er grote verschillen tussen Zuid-Afrikaanse blanken zijn. Dat werd een apologie, dacht ik, dus zei ik: 'Nogal wiedes. Zo zijn de mensen, overal een beetje anders.' Nee, dat bedoelde Dale niet precies. De reden dat zij Engels praat en geen Afrikaans legde ze al uit. Er loopt nog een grens door haar land: het *droëworsgordijn*.

'Het wat?' Ik nam een slok van mijn Vergelegen Mill Race (die ik een 8- geef) en moest lachen. Wat het ook was, koddig klonk het.

'Droëwors is gedroogde worst, wat een gordijn is, weet je. Een soort IJzeren Gordijn, alleen dan gemaakt van koedoe. Boven het droëworsgordijn spreken de blanken Afrikaans, eronder Engels. Erboven begint het platteland, wij zien onszelf als stadsmensen. Zij zijn conservatief, wij progressief. Weet je, in de jaren zestig en zeventig maakten de boerenboys uit Stellenbosch de studenten in Kaapstad uit voor communisten. Dat was geen gering verwijt, want het ANC werd natuurlijk ook als communistisch beschouwd, en het ANC was destijds verboden. Die tweedeling is altijd gebleven: wie in Stellenbosch studeert, is reactionair, een Kaapstadse student is vooruitstrevend. Ergens tussen de stad en Stellenbosch ligt het droëworsgordijn.'

'In Stellenbosch eet iedereen droge worst, en jij eet het niet?'

'Zij maken droëwors, en ik eet het niet', zei Dale. 'Je zult het later nog wel merken, ook boerewors en biltong zijn echt specialiteiten van het platteland. Elke boer maakt zijn eigen variant, en trots dat ze erop zijn.'

'Maar jij moet het niet?'

'Net zomin als ik Afrikaans praat. Geef mij maar een stukje cheddar.'

Via die opmerking, haar Britsheid en enige aanmoediging van Hans, kwamen we op Dales familiegeschiedenis.

Toen generaal Montgomery de aanval op de Duitsers van Rommel in Noord-Afrika wilde openen, was Dales grootvader ter plekke als cartograaf aanwezig. Monty vroeg zich, vertwijfeld, af hoe hij die zaak zou aanpakken. Lastig, aanvallen in een woestijn waar je heg noch steg kent en die zo veranderlijk is als de wind. Wel, zei Dales opa, geen probleem. 'Ik heb El Alamein al in kaart gebracht. Ga uw gang.' Monty sloeg, zoals je weet, zijn slag.

Terwijl de lucht nazinderde van dit verhaal, bestelden we nog wat te drinken ('de laatste'). Dale nog een Baileys, Hans een colaatje-light, ik een Pinno van Graham Beck (een 6-).

'Wel moet je eens bobotie eten', adviseerde Dale me. 'Ook heel Afrikaans, maar dan echt Afrikaans, als je begrijpt wat ik bedoel.'

Hunter, je zult me niet geloven als ik je zeg hoe vaak ik vanaf die dag op menukaarten heb gekeken en obers heb ondervraagd. Toch zeker een keer of vier. Nergens bobotie – dat een soort currygehaktschotel schijnt te zijn.

Dale en Hans brachten me naar het Mount Nelson Hotel. Hun Caravelle over de statige oprijlaan: dat was leuk, alsof je met een Datsun Y120 bij het Amstelhotel voorrijdt. Niemand keek er vreemd van op, ik werd uit de bus geholpen (met een trapje zelfs, als een versleten staatshoofd).

Daar, onder de luifel van het hotel, namen we afscheid. Hans bezwoer me dat, mocht ik nog eens in de buurt zijn, ik opnieuw bij hen langs moest komen. Ik zei dat ik dat zou doen. De beloftes van de reiziger zijn wellicht de enige beloftes die inhoudslozer zijn dan de beloftes van politici. Of van hoeren, zou Paul Theroux schrijven.

In mijn bed (met een televisiescherm dat in het voeteneind verzonk), bedacht ik hoezeer mijn belevenissen van mijn eerste en tweede dag verschilden, en dat het allebei goeie, Zuid-Afrikaanse avonturen waren geweest.

Hunter, ik zei het je al, ik wist werkelijk van niks.

Het ontbijt in het Mount Nelson werd geserveerd op het terras, in een mooi zonnetje, met uitzicht op de kabellift van de Tafelberg. Ik at me misselijk aan meesterlijke oeufs Florentine, dronk een mooie cappuccino en las de *Cape Times.* De krant bood moord en doodslag en anders niets.

Gisteren, in dat restaurant bij het V&A Waterfront, was me iets opgevallen. Het waren de schichtige blikken waarmee tafelende blanken de blik van een andere tafelende blanke ontweken (ik zie er heel erg niet-Zuid-Afrikaans uit. Wat dat is, weet ik niet, maar ik zie dat de mensen meteen zien dat ik niet van hier ben).

Wat was dat? Alsof deze blanken wisten dat ik iets weet dat zij ook weten, maar dat zij die wetenschap niet durven erkennen. Achterdochtig keken ze uit hun ooghoeken, of ze keken snel weg als ze voelden te worden bekeken. Of zag ik wat ik wilde zien? Jaloezie, angst, benauwdheid, deemoed? Stond men op de uitkijk voor een vijfde colonne? Was het xenofobie of schaamte? Om het duidelijker te stellen, openlijk te vragen: was dat schaamte over de apartheid? Was dat de blik die zegt: ja, ik ook? Is dat Zuid-Afrika? Of zag ik een idee in mijn eigen, effen, Nederlandse hoofd: hoe was het mogelijk te leven in een land waar je kleur meer over je zei dan je persoonlijkheid? Zag ik, wellicht, spoken?

Ik las verder in de krant, vol nieuws om naar van te worden. Boven me scheen de zon, de lucht was blauw, het licht was helder, de Tafelberg lag er onbekommerd bij. De natuur weet niets en gaat gewoon haar natuurlijke gang, onbewust van drama's.

Maar onder de zon, de lucht en de berg was het hommeles, aldus *Die Burger*, de Afrikaanstalige krant die ik opensloeg. Goed, de Springbokke hadden een nieuwe *afrigter* (het nationale rugbyteam had een nieuwe trainer), maar voor de rest was het allemaal kommer en kwel. Roof, moord, verkeersongelukken, corrupte politici, schietpartijen, diefstal, hoererij en werkloosheid. Vrolijk werd men er niet van. Zelfs de verse afrigter Peter de Villiers werd meteen met de grond gelijkgemaakt: hij was het nieuwste voorbeeld van de bevoorrechting van gekleurde Zuid-Afrikanen boven witte Zuid-Afrikanen. Kwalificaties zouden moeten tellen, vond deze krant, niet huidskleur.

Overigens stonden er nogal wat advertenties in de krant van bedrijven die emigratie naar Nieuw-Zeeland, Australië en Canada verzorgden. Daarvoor bleek weinig vereist te zijn. Een diploma of een eigen huis of vakkennis of een kapitaaltje volstond. Voor velen zal dat toch te veel gevraagd zijn, las ik af aan het droge feit dat er voor overheidsdiensten geadverteerd moest worden.

Blank Kaapstad had ik een beetje gezien, met als duidelijkste exponent het Victoria & Alfred Waterfront. Dat was opvallend schoon geweest. Hans de Ridder had gezegd: 'Ga vooral naar de wc. Schitterend mooi.' Echt mooi vond ik het niet, maar schoon was het wel. Waren de V&A-wc's té schoon, bestaat zoiets? Naar mijn idee wel. Het was er zo opgeruimd en netjes dat het niets met Afrika te maken leek te hebben; het was steriel, het was uit de lucht komen vallen, het had overal kunnen zijn (behalve misschien in Nederland). Van Afrika verwacht men toch, al is het aan de horizon, wat rommeligheid.

Tijdens mijn wandelingetjes door Kaapstad op weg naar het station en naar Jo'burg, zag ik op veranda's van de koloniale binnenstadspanden allerhande uitspanningen, drinkgelegenheden en cafés die zo te zien één ding gemeen hadden: rommeligheid.

En ze werden door louter zwarten bevolkt. Het spijt me te moeten bekennen dat ik een racist ben; ik vond die cafés meteen onguur. Zoals je weet vind ik ongeveer elk café onguur dat niet de bar van Hotel De Crillon aan het Place de la Concorde is. Maar desalniettemin. Ik zag negers en ik dacht: help. Ze schreeuwden wel heel hard, zeg ik er ter mijn eigen verdediging bij, en ze waren erg dronken bovendien.

Die vaststelling was onaangenaam. Had ik in de liefde niet altijd zonder discriminatie op leeftijd, kleur, afkomst of ras geopereerd? Uitsluitend in sekse maakte ik onderscheid. Ik, een racist? Echt niet. Dus ik liet het niet bij die plotseling verschenen, onaangename vaststelling.

Ik hees me in een spijkerbroek en een wit shirt en ik ging op die cafés af. Ik had weleens vaker met een dronken en schreeuwende neger van doen gehad – ik woonde vroeger nogal multicultureel zoals je weet en in Paramaribo is ook niet iedereen de hele dag broodnuchter. Louter het feit dat het hier een paar honderd negers betrof en dat zij toevallig een thuiswedstrijd speelden, zou mij er niet van weerhouden in hun midden een flesje bier te drinken. Racist, ik? Laat me niet lachen. Zeg.

In Loopstraat vond ik de eerste van die gelegenheden die ik gezien had terug, de Saracens Pub. Het was happy hour, zodat mijn Hansa Gold (hier geen Windhoekies) 6 rand kostte. Ik zette me aan de bar, keek mee naar het obscure voetbal op televisie, en na een half uur dacht ik: waar ben ik? Gebeurt er nog wat? Nee, zo bleek. De negers waren mij heel overtuigend aan het negeren. Hm. Ook de bediening was niet je dát, althans, wanneer ik trachtte te worden bediend. Voordat ik aan een nieuw Hansaatje werd geholpen, controleerde de barvrouw of er echtechtecht helemaal niemand anders iets wilde bestellen. Dan was ik aan de beurt. O nee. Daar kwam in de verte toch nog een neger aan die misschien wat bestellen wilde.

Zo was de lol er snel af. Televisie kijken kon ik in het Mount Nelson beter, scherper, sneller.

Ik liep naar de volgende bar, niet veel verderop. In Midnight Groove stonden drie biljarts waarop druk werd gebiljart. Ik werd er bekeken alsof alle, een stuk of tachtig, zwarte aanwezigen nog nooit een blanke hadden gezien. Dat kan niet waar zijn geweest, hoewel men had kunnen afvragen of op deze specifieke plek ooit een blanke was geweest.

Om nog zo'n avontuur aan een bar door te maken, was ik te zeer ontmoedigd geraakt. Die biljarts gaven het geheel wel een soort sfeer, al was het de sfeer van een gevangenis in Noord-Korea ofzo. Haveloos, zou je kunnen zeggen. Of anders: verwaarloosd, versleten, leeg, kaal. Niemand leek zich er iets van aan te trekken. Sommige mensen hingen zwijgend aan bartafeltjes, andere luidkeels aan de bar, in van die *diner*-achtige zitjes hing men onderuit of zat romantisch op elkaars schoot, een enkele vrouw waagde een danspas en lazerde dan op de grond of diende steun te zoeken bij een paal, en men verdrong zich om te bestellen aan de bar – ook hier was het happy hour. Ik posteerde me buiten op de veranda, op één hoog, en keek naar de straat.

In Loopstraat sloegen mensen elkaar al dan niet vriendschappelijk hard op de schouders en in het gezicht. Er zwalkten opvallend veel dronken vrouwen, zeg maar alcoholistes, en verslaafden op de stoepen. Men hing tegen auto's. Men gilde in het wilde weg. Voor loketwinkeltjes – waar men sigaretten, drankjes en gefrituurde deegwaren kon betrekken – vormden zich ordeloze rijen waarin hard (maar gericht) werd geschreeuwd, luid werd gelachen en overtuigend werd gekibbeld.

Het geval wil dat ik mijn aansteker was vergeten, en onderhand trek had gekregen in een Marlborootje. Aan de neger die naast me op de veranda stond, vroeg ik een vuurtje. Had-ie niet. Zijn buurman evenmin, en de derde hond in het kegelspel keek me aan alsof-ie nog nooit van vuur had gehoord. Aangezien ze alle drie driftig stonden te roken, voelde ik me een beetje in de maling genomen.

Net toen ik bedacht dat het wel wat vroeg gedurende mijn reis was om te capituleren en huiswaarts te keren, dook een heel lief negerinnetje op met een doos lucifers. Die waren niet echt van Zweedse makelij – er moeten in de wereldgeschiedenis brandbommen zijn ontwikkeld die minder vuurkracht hadden dan deze lucifers – maar nu was ik een tevreden roker op een veranda in een avondlijk, zoel Kaapstad. Midden in de actie. Niks aan de hand. Ik, racist? Zie me hier staan, tussen de negers.

Na twee flesjes Hansa Gold – niet te drinken trouwens – werd het eens tijd om de wc te bezoeken. Er zijn ideeën die gebaat zijn bij belet, en dit was er een van. Op het moment dat ik de ruimte binnenstapte, besloten zes negers op stel en sprong en tegelijkertijd de ruimte te verlaten en dat nog voordat ik de deurpost had ontruimd. Anders gezegd: ze trachtten dwars door me heen te lopen.

Na een kluwen geduw bevond ik me in een toiletruimte die het voorkomen had van een rudimentair idee van een wc in de jaren vijftig in Bulgarije. Ofzo. De bakken hingen half uit de muur, gebarsten tot en met, een pot tussen schotten was door gewelddadig gebruik gedesintegreerd tot een soort kokertje. Dat was al geen fris gezicht. Je weet dat ik helemaal niet van dit soort vieze verhalen houd, maar het moet even. Bijt op je tanden, Hunter.

De wc-ruimte was geheel geïnundeerd met een niet al te verse mix van voedsel dat via de antiperistaltische weg het lichaam had verlaten, en met fecaliën en urine. Dat nam al mijn lust om te plassen weg. Ik vond het er niet fris. Anders gezegd: godsamme, wat een smerigheid. Dat besloot ik nog voordat er een achtergebleven neger uit het tweede wc-hokje kwam gevallen. Zijn hele neus werd aan het zicht onttrokken door wit poeder. Deze wc's waren, jawel, heel anders dan die in het V&A Waterfront.

Op de veranda werd na mijn wc-bezoek minder schimmig op me gereageerd. Nacht en nevel getrotseerd hebbend, was ik na dat initiatieritueel kennelijk een van hen. Men vroeg me vrijelijk om bier en om beltegoed ('airtime'), men consulteerde me in voetbaltechnische kwesties ('zal Bafana Bafana in 2010 wereldkampioen worden?' 'Nee'), men vroeg of het erg moeilijk was om een visum voor Nederland, Denemarken of Faeröer te krijgen ('vast wel') en men deelde mij mede (al was dat maar één persoon) dat men bij Ajax Cape Town speelde, geblesseerd was geraakt, daardoor geld noch optimisme bezat, en men vroeg mij of ik daar iets aan kon doen. Dit vroeg men ladderzat, en rokend. Zo ik er allemaal niets aan kon doen, was een nieuwe Nokia ook goed.

Het was middernacht geweest, het was mooi geweest. Te midden van het gekrakeel, de politiesirenes en in Langstraat van de rondzwalkende toeristen, wandelde ik terug naar het Mount Nelson. Ik had vast iets opgestoken van deze excursie. Ik moest later bedenken wat precies.

Op mijn vierde dag las ik de *Cape Times*, *Cape Argus* en *Die Burger* bij een koffiebar die zo hip is dat ik 'm meteen zou durven franchisen in Nederland. Vida e Caffè. Op dat terras stelde ik vast dat ik me erg op mijn gemak voelde in Kaapstad. Het duurde zelfs even tot ik opmerkte dat er meteorologische omstandigheden waren (het was vierentwintig graden, zonnig, een windje: zo prettig dat ik er niet bij nadacht, bedoel ik). Ik merkte ook nog iets anders.

Tijdens mijn andere lange reizen had ik me altijd min of meer verloren, verplaatst, ontheemd gevoeld. Niet waar ik hoorde. Ik had altijd exotische afleiding genoeg gehad, evenzeer leed ik steeds aan heimwee. Vanaf de eerste dag, meestal, want wat men echt mist, mist men onmiddellijk. Niet dat ik er zwaar aan tilde: het hoorde erbij. Al weet ik niet of heimwee het juiste woord is voor wat ik voelde. Ik besefte doorlopend *elders* te zijn. Dat was het.

Hier had ik dat niet, ik miste niks. Ik dronk een kopje koffie bij Vida e Caffè in Kloofstraat en ergerde me op gezonde Hollandse wijze aan de surftypes met pilotenbrillen – omdat ze mij negeerden. Ik las mijn krant, niks aan de hand. Ik had geen moment het idee elders te zijn, ik zat daar op mijn dooie gemakkie, al was het met een iets verhoogde bloeddruk vanwege die gebloemde kortebroekendragers met hun voorspelbare Vespa's.

Ik heb weleens geschreven dat het bij reizen allemaal gaat om de reis en niet om de aankomst. Dat schrijven alle reisschrijvers altijd, en ik voelde dat precies zo als ik onderweg was. Ik meende dat het er allemaal om draaide in beweging te blijven. Soms is dat natuurlijk zo: wie een boek schrijft over een treinreis is niet gebaat bij spoorwegstakingen, wie de wereld rondreist in een luchtballon moet in de lucht zijn.

In Kaapstad was dat allemaal anders. Ik was op mijn bestemming – althans, in het juiste land, ik zat goed – en ik wilde en ik kon en ik zou hier blijven. Ik was bezig met míjn leven, niet met een ander leven of met andermans leven. Ik hield de schijn niet op, er was niets gemaakts aan, ik deed me niet groter voor dan ik was, dit was precies wat ik wilde van een reis. Ik had het gevonden. Ik nam nog een koffie en wapperde met mijn krant wat brommeruitlaatgassen uit mijn persoonlijke lucht.

Ik huurde een autootje – een Volkswagen Citi, die in Europa bekend is als de eerste Golf en die hier nog gewoon wordt gebouwd. Ik dronk een biertje in Jo'burg, waar het dit keer rustig was en met de mooiste vrouw ter wereld niet in zicht; ik pakte mijn spullen. Ik koerste oostwaarts.

Buiten de stad miste ik meteen de Kaapstadse politiemannen, bewakers, veiligheidsdiensten, alarmcentrales, noodhulpen, beveiligers, uitsmijters, parkeerhulpen, parkeerchefs, gemeenschapsdienders, buurtvigilanten, rondwaggelende huismoeders in fluorescerende vestjes, controleurs, portiers, politie te pony.

In Kaapstad waren er zo veel van geweest dat ik me er onveilig door was gaan voelen, maar in de provincie, achter het biltonggordijn, zag ik amper nog daadwerkelijke beveiliging. Ik zag alleen waarschuwingsbordjes: ARMED RESPONSE.

Ik reed naar Stellenbosch. Dat is een kippeneindje. Een kilometer of vijfenveertig, maar onderweg zag ik wel weer een paar townships. Die zien er, als men ze voor het eerst ziet, heel gek, bijna decoratief uit. Golfplaten, stukken hout, kartonnen dozen, ouwe deuren, motorkappen van auto's, oliedrums, pallets en piepschuim worden gebruikt om de hutjes te bouwen. Staketsels, hutten in aanbouw: houten frames van dunne latjes. Zoals Gerard Siegers me in het vliegtuig vertelde, hebben de hutjes elektriciteit – er stonden elektriciteitspalen. Riolering of stromend water was er hier niet, er werd gesleept met jerrycans en emmers water dat het een aard had.

Snel hielden de townships op, al waren ze onvoorstelbaar uitgestrekt, en reed ik tussen de groene wijnranken van de Kaapse wijnlanden. Zoals overal ter wereld zijn die ook op de Kaap een teken van vruchtbaarheid, van een mondain idee, van geld en van smaak. Wijnbouw is niet iets voor de derde wereld, want wijn is geen eerste levensbehoefte. Waar wijn is, is voorspoed.

Stellenbosch zelf, wereldberoemd als het is, vond ik niet per se meevallen. Ik bestelde er een kop koffie bij Vida op het dorpsplein. 'Kan niet, *master*,' zei een van de jongens achter de bar, 'de stroom is uitgevallen.'

'Wanneer gaat-ie weer aan?'

'Minuut of tien, denk ik, master.'

Ik rookte een sigaret en speelde wat mijn nieuwe titulatuur. Master. Dat klonk VOC-achtig, slaafs.

De slaaf bracht me na een kwartier mijn koffie, en eigenlijk had ik toen al redelijk tabak van het centrum van Stellenbosch. Doordat ook de verkeerslichten waren uitgevallen, ontstond er een schreeuwpartij bij een oversteekplaats, en verder was het een dooie, landerige plattelandsboel. Superdeluxe, daar niet van: zebravellenwinkels, moderne restaurants, dure meubelzaken, banken, me dit en me dat, een leuke boekwinkel, maar oprechte Afrikaanse gezelligheid, ho maar. Wel was het er smoorheet. Tien minuten later was mijn koffie nog niet op drinktemperatuur.

Stellenbosch is zo uitgestrekt dat het onmogelijk bleek om naar de wijnboerderijen buiten het stadje te lopen. Zo zag ik op mijn weg erheen wijngoed Spier langs de weg liggen. Dat leek een soort Efteling, zo groot. Ik had er aangelegd om een fles te kopen van de soort die ik met Dale Thomas dronk. Het wás de Efteling.

Spier bleek een themapark te hebben waar bussen vol witte toeristen onder boomhutten, rond allesbranders, met 'levende muziek' zaten te eten en te drinken, bediend door negers in folklorekledij. Ik holde er weg. Er is daar een hotel, er zijn minstens drie restaurants, allerhande snuisterijenwinkeltjes en met wat moeite kon ik er uiteindelijk een fles wijn kopen.

Met mijn autootje reed ik in het begin van de middag naar Franschhoek. Dat is een idylle, en veel mooier dan Stellenbosch.

Er zat een bedelaartje op een muurtje. Ik gaf hem een vol, ongeopend flesje vanillesmaakmineraalwater dat ik bij aanschaf in Woolworths per ongeluk had aangezien voor normaal water. '*For you*', zei ik bij deze geste, hetgeen hem er niet van weerhield van zijn muurtje te springen en het flesje in de dichtstbijzijnde afvalbak te gooien. Aan mijn gevoel voor ontwikkelingshulp moest ik werken.

De weg naar Franschhoek – alleen die naam al – was misschien veertig kilometer lang, en loopt door dalen, langs grote, witte boerderijen, en door meticuleus onderhouden wijngaarden. De zon scheen, de lucht was blauw, de hemel open, de lucht rook naar zand en plant. Niks minder dan schitterend. Het leek er verdomd veel op de beelden uit de dramaserie *Stellenbosch*, die even eerder door de Nederlandse publieke omroep op televisie was uitgezonden. Dat het zo leek, kwam wellicht omdat de serie er precies een jaar eerder, precies op die plek was opgenomen.

Franschhoek is een oord waar zich in het spoor van de Hollanders en Vlamingen aanvankelijk vooral hugenoten vestigden. Het bleek een dorp te zijn dat zich geheel op de betere restaurants en hotels had toegelegd. Toeristisch, zeker, maar zeer, zeer duur. Iedereen die hier aanlegde was in mijn ogen een soort miljonair.

De hoofdstraat was prachtig. Omzoomd met eiken, brede stoepen, de Kaapse huizen strak in de verf. Het zag er totaal niet uit als Afrika, het leek inderdaad nogal Frans. Zuid-Frans. Maar ik was in Afrika.

Het beste restaurant van heel Afrika zit aan die hoofdstraat van Franschhoek – de Huguenot Road. Het heet Le Quartier Français en ik reserveerde er een tafel voor dezelfde avond.

Ik wandelde wat rond. Het was er goed heet. Aan het einde van de Hugenotenweg stond een monument. Waartoe het er stond, werd nergens vermeld, en evenmin waarnaar het verwees, maar ik ging ervan uit dat het een hugenotenmonument moest zijn. Het was niet erg mooi, wel groot. Het was netjes bijgehouden, bloemen bloeiden er in het perk en aan de horizon rees een van die vele, wat dreigende zwarte bergjes op waarin deze buurten grossieren. *Koppies*, in het Afrikaans.

In een ander dorp had op de plek van het monument vast en zeker een voetbalveld gelegen, of een krakkemikkig sportstadionnetje misschien. Hier stond dat stenen, witte gevaarte. Het bestond uit pilaren en een beeld van een vrouw met een bijbel en een gebroken ketting in haar handen. Ze stond op een wereldbol. Eromheen liep een galerij, à la het Vaticaanse Sint-Pietersplein, maar dan een slag kleiner.

Ik achtte deze constructie niet echt beter dan een voetbalveld, en amper interessanter. Wel was het weer eens wat anders. Het was eigenlijk een nogal groot monument voor zo'n dorp.

Wat hadden die hugenoten gepresteerd dat ze zichzelf een mastodont van een monument hadden toebedacht? Ze waren toch op uitnodiging van de Boeren hierheen gekomen (die hen daarna vliegensvlug Nederlands leerden, want Frans, daar hielden Boeren niet van, dat was bourgeois).

Ik rookte een sigaret. Hugenoten waren Fransen, en blonken Fransen niet vooral uit in het bouwen van nogal grote monumenten voor hun hele, halve of dubieuze prestaties? Dat moest het zijn. Dit was Frans, al was het Afrika. Om me heen kijkend, drong het tot me door dat ik me het platteland van Afrika anders had voorgesteld. De tuinen waren geknipt en geschoren, alles wat kon bloeien bloeide, huizen waren fris wit geverfd, en op het bedelnegertje na kon ik geen spoor van armoede ontdekken. Het was een beetje raar, losgezongen en totaal niet rommelig. Was Afrika misschien toch niet altijd rommelig?

Le Quartier Français bleek de naam van een hele uitspanning, niet alleen van een chic restaurant. Het geheel omvatte een hotel, appartementen, losse suites, een bar, een bistro, een vijver, een tuin en The Tasting Room: het restaurant van chef Margot Janse dat vijf keer achtereen tot een van de beste restaurants van Afrika was uitgeroepen. Het reserveringssysteem had vanmiddag al voor wat gedoe gezorgd; het was zo ingewikkeld dat het een poosje duurde tot me in dat haast lege restaurant een tafeltje kon worden toegewezen.

Het menu bood Namibische oesters – uit Walvisbaai en Lüderitz – met een glas Môreson-vonkelwijn, een terrine van springbok en eend, en een gegrilde langoest met een glas The Auction Crossing uit de Hexriviervallei. Die namen vond ik stuk voor stuk geweldig: een halve wereld van huis sloegen Germaanse talen de klok en toch herkende ik nop.

Oesters uit Walvisbaai en Lüderitz in Franschhoek, et cetera, en morgen zou ik naar Hottentotsholland rijden – ik moest in het taalkundig paradijs zijn beland. Wist ik veel dat ik dat pas twee dagen later zou treffen.

Er waren mensen binnengekomen, aan hen werden de mij belendende tafels toegewezen. Onder hen was een Nederlands echtpaar waarvan de man zweeg en de vrouw gedurende een heel uur zeven woorden sprak, en dat was tegen mij in het Nederlands. Of ik wist waar de wc was. 'Zag u dat ik Nederlander ben?' vroeg ik. Ze knikte.

Een tafeltje verderop zat een ander stel. Ze waren allebei mismaakt. De man woog wellicht honderdvijftig kilo bij een lengte van anderhalve meter, en dronk tot aan de rand gevulde glazen whisky leeg. Hij droeg een korte broek en klompen. Zijn manier van eten had veel weg van een neanderthaler met een spierziekte, hij hakte, stak, duwde, propte en smakte. De vrouw was nabij de twee meter lang en miste haar halve gezicht. Het was er gewoon niet. Ze zoop bier als een losgeslagen Viking, door een rietje. Vikingen waren ze niet, waar ze wel vandaan kwamen kon ik niet raden. Ze kwamen me zo vreemd voor dat het wel Zuid-Afrikanen moeten zijn geweest.

Een groep Indiërs – Zuid-Afrikaanse Indiërs, ze spraken Afrikaans – bestond uit zeven knapperds en een oma. Deze oma, dronken of niet, ontstak om de hap in een aanstekelijk slappe lach. Zo aanstekelijk was haar lach dat al haar tafelgenoten tegen hun wil uiteindelijk meelachten, waardoor ook ik in de lach schoot.

Ik was een eenzame eter in het beste restaurant van Afrika, zo langzaam mogelijk drinkend en om niets in proestlachen uitbarstend. Hunter, je had erbij moeten zijn.

Het eten was best lekker. Maar het was niets wat je in Amsterdam niet zou kunnen vinden. Maar Amsterdam ligt tienduizend kilometer verderop. Ik zat hier, op mijn gemak op het gelukkige af.

De nachtrit Stellenboschwaarts was de moeite. De mensen hadden me gewaarschuwd voor het Zuid-Afrikaanse donker. 'Stop nergens', 'vergrendel je portieren', 'blijf binnen'. Er waren rode stoplichten, de weg was onverlicht, ik was buiten.

Ik wist hoe mooi het landschap was, al zag ik er niets van, en het was moeilijk om me voor te stellen dat vanuit die nette wijnranken woeste rovers zouden opduiken. Hoe donker het ook was, dat gebeurde niet – de avond daarna zou me in Stellenbosch pas echte angst worden aangepraat.

Hunter, dat schrijven over eten maakt me hongerig. Ik knabbel van de biltong, rook een sigaret, ik zet koffie. Nog twaalf uur te gaan voor mijn vertrek, ik zal voortmaken met mijn verhaal.

Een dag later maakte ik mijn Hottentotshollandrondje. Hottentotsholland is een natuurpark, en vormt de scheiding tussen Kaapstad en de zuidkust van de Kaap. Over die fantastische naam – die letterlijk strijdig is omdat Culemborger Van Riebeeck de Khoikhoi omlegde, zoals ik je al schreef – kon ik etymologisch, vreemd genoeg, nergens iets vinden.

Die arme Hottentotten. Ver na de massamoord op hun volk werden ze in deze samengetrokken naam, die op zich dus al beledigend was, in één woord geassocieerd met hun moordenaars. In Zuid-Afrika werden, las ik bijna elke dag in *Die Burger*, dezer dagen veel Jan van Riebeeckstraten hernoemd (dikwijls ten faveure van Peter Mokaba, een ANC-jeugdleider die in 2002 was overleden aan aids, na zich onsterfelijk te hebben gemaakt door aidsmedicijnen 'vergif' te noemen), en veel van de naar Voortrekkers genoemde straten en steden moesten wijken voor hele en halve ANC-leiders. Hottentotsholland heette nog precies zo, het had geen Afrikaanse naam gekregen.

Door die uitzinnige naam had ik er veel van verwacht. Ik zag niks. Het was er mediterraan wat betreft de begroeiing, de textuur van de grond en de warme, vriendelijke zon. Uiteindelijk trof ik de Sir Lowry's Pass, die culmineerde in een afdaling van jewelste die me recht in het hart van Kaapstad lanceerde. Ik roerde in de versnellingsbak van de Citi alsof ik sabayon klopte; links rijden vond ik geen punt, maar dat schakelen met mijn linkerhand ging me niet soepel af.

Bij de Shell in Stellenbosch gooide ik de Citi vol. Bij de pomp naast me stond een meniekleurige Kever geparkeerd. Ik keek mijn ogen uit. Ik besef dat Keverrijders geen normale mensen zijn – al is een Kever in Zuid-Afrika iets gewoner dan in Nederland – maar *menie*kleurig? Wat was dat voor een biovriend?

Tanken in Zuid-Afrika verloopt op de ouderwetse wijze, zonder zelfbediening. Naast elke benzinepomp staat een mannetje klaar. 'Y'elloow baas, *full*?' Hij tankt, zodat des bestuurders handen niet vies worden. Dat mannetje – dikwijls zijn het er twee, waarvan er dan een stagiaire is – wast ook je ruiten. Dat kost niks extra, of de bestuurder geeft het mannetje een paar rand. De hele auto kan handmatig worden gewassen voor ongeveer 2 euro. En dan glimt-ie. Tenzij de auto met menie is behandeld.

Voor ik kon zien wie er in deze aparte Kever reed, waren mijn ruiten gewassen en was mijn tankje vol. Ik ging ervandoor. Het was goed heet en ik had zin in een dutje. Maar van de menie-Kever had ik het laatste nog niet gezien.

Bij restaurant De Volkskombuis, op vijf minuten lopen van mijn hotel, stond de Kever een paar uur later alweer.

Over het eten bij dat restaurant heb ik niks te vertellen; het was toeristenvoedsel. Wrattenzwijn, springbok, struisvogel – ik kon me niet voorstellen dat Zuid-Afrikanen elke avond dat soort exotica op de braai gooiden. Ik bestelde het, al vond ik het interessanter om te zien dat ik de enige gast was die niet met een zaklantaarn, toorts of een Maglite van een meter lang op het terras aanschoof.

Sommige mannen zetten de apparaten zo dicht naast zich neer – een legde een Maglite zelfs naast zijn bord – dat het me deed vermoeden dat zij slechte service direct zouden afstraffen. Ik was alweer verdiept in mijn studie van Kaaps-Hollandse woningbouw – waarvan dit restaurant een fraai voorbeeld was – toen de ober om mijn tafel bleef drentelen.

Ik vroeg of ik iets voor hem kon doen. 'Nou, misschien kunt u snel dooreten.' Dat was eigenaardig, ik had op dat moment nog geen eten gezien en had hem even eerder gevraagd de spijzen zo langzaam mogelijk op te dienen.

'Wat bedoelt u?' vroeg ik.

'Over vijfenveertig minuten begint het *load shedding*.'

'Het wat?'

'De stroomonderbreking.'

'U hebt vast wel een kaars voor me.'

'Nou nee, sir. U mag wel binnen komen zitten, maar buiten eten kan dan niet meer. Bent u met de auto?'

'Ik slaap vijf minuten verderop. Ik vind mijn hotel wel, ook in het donker.'

Terwijl ik dat zei, twijfelde ik even. Donker kon in een plaats als deze weleens heel erg donker zijn. Ooit liep ik in de Ceausescutijd in het Roemeense gehucht Ban toen daar het licht uitviel. Ik zag niets meer, stootte steeds mijn tenen en schenen, wandelde tegen een ezel op, en bleef uiteindelijk, volslagen gedesoriënteerd, een uur lang ergens in een berm zitten tot de enige straatlantaarn – een kwiklamp – van Ban weer aansprong.

Maar hier zat ik op het terras van een prima restaurant, ruim voorzien van goede, lokale wijn, tussen allemaal nette mensen met zaklampen (en geen ezel in zicht).

'Toch?'

'They will come out.'

Daarop verslikte ik me toch even in mijn Bergkelder Fleur du Cap, Unfiltered Limited Release Viognier Chardonnay Semillon Sauvignon Blanc 2006. *They will come out.* Het lijkt me een onvertaalbare opmerking, en niet alleen dat. Ik snapte het echt even niet. Wat, *they will come out?*

Het bezonk. Stond er een neger aan mijn tafel te beweren dat andere negers mij op zijn terras te grazen zouden komen nemen? Was ik niet de enige racist onder ons tweeën?

Ik vroeg: 'Wat bedoelt u?'

'De rovers weten dat de stroom wordt onderbroken. Ze zijn al op weg naar de stad.'

'Waar komen ze dan vandaan?'

'Uit de townships, sir.'

Mijn argumentatie kan nogal dommig zijn overgekomen: 'Maar ik heb mijn eten nog niet op. En mijn wijn ook niet.'

'Sir,' zei de ober – nu streng – 'we brengen het meteen. Dan eet u vlug door, en dan bent u nog net in uw hotel voor het licht uitgaat. Door het donker lopen is echt geen goed idee, sir, dat is gevaarlijk. U hebt geen auto?'

'Kan ik dan niet blijven tot het licht weer aangaat?' Nee, dat kon niet. Had hij dan geen auto? Jazeker wel, hij wees 'm aan. Inderdaad: de Kever. 'Dan brengt u me toch even?' Als de elektriciteit uit zou vallen, moest hij op zijn vroegst tot twaalf uur werken, dus dat was geen goed idee. Brommend ging ik akkoord met de culinaire spoedservice. Een paar minuten later zat ik aan het vlakvark – het wrattenzwijn.

Het licht viel niet uit, alles bleef goed branden en ik vroeg de ober of hij straks, nu hij toch wat eerder klaar zou zijn, me niet wilde vergezellen naar een lokaal knijpje. Dat bleek geen enkel probleem. We hadden tijdens onze strategiebespreking een band gekregen. Ober Fabian was student Grondkunde aan de 'fakulteit Agriwetenskappe' van de plaatselijke, bekende universiteit. Wellicht kon hij me – tijdens dit academisch reces waardoor Stellenbosch nagenoeg studentloos leek – wat vertellen over het studentenleven in Stellenbosch.

Tegen tienen liep ik naar café Den Anker, op drie minuten gaans. De muziek stond er luid, en verder was het gewoon een bruin café zoals een bruin café moet zijn: er werd gerookt en bier gedronken. Soms viel er iemand van een kruk, die dan fluks terugklauterde. Fabian volgde na een half uurtje. Om te beginnen bracht ik de meniekleurige Kever ter sprake. 'Mijn vaders werk', verzuchtte hij lachend. 'Hij zou mijn auto oplappen. Ik had 'm zelf gekocht voor bijna niks, maar dat bijna niks was wel al mijn spaargeld.'

We namen allebei een slok Windhoek. Ik stak er een sigaret bij op. Fabian vervolgde zijn verhaal. 'Mijn vader had nog wel een pot lak staan. We hadden over het hoofd gezien dat hij kleurenblind is. Mijn moeder was niet thuis toen hij aan de slag ging. Toen ze thuiskwam, heeft ze hem eerst bedreigd met een mes.'

'En toen?'

'En toen met een scheiding.'

'Zo erg is menie toch niet?'

'Roesten zal-ie niet,' grinnikte Fabian vreugdeloos, 'maar iedereen lacht me uit.'

Wat me meer interesseerde dan de meniekwestie in huize Fabian – al vond ik het een leuk verhaal – was de gang van zaken op de Universiteit Stellenbosch (US).

Het is een omstreden universiteit vanwege de taal waarin wordt gedoceerd. Na de afschaffing van de apartheid in 1994 is de US goeddeels gewoon doorgegaan met lesgeven in het Afrikaans. De opeenvolgende ANC-regeringen hebben de US daarom gekort op subsidies, waarop het bestuur weliswaar – eerst mondjesmaat, toen volledig – het Engels heeft ingevoerd als tweede taal. Maar het stigma van blanke universiteit kleeft de Universiteit Stellenbosch aan. Sterker: Afrikaners sturen hun kinderen bij voorkeur naar de US, liever dan naar de Universiteit van Kaapstad.

Ik bracht Dale Thomas' opmerking ter sprake: de boerenboys van Stellenbosch vonden de Kaapse studenten allemaal communisten. Interessant vond ik vooral dat Fabian gekleurd was. Liep hij daar tussen reactionaire Boeren rond?

'Dat valt allemaal wel mee,' zei hij, 'mijn Afrikaans is prima, en we leven in een land waar iedereen gelijk is.'

'Volgens de wet', zei ik.

'Precies.'

'Maar in de praktijk?'

'In de praktijk laten ze gekleurden toe omdat ze anders helemaal geen overheidsgeld meer krijgen. Ik heb voor deze universiteit gekozen omdat het onderwijs er hoogwaardig is. Maar het is erg duur. Juist doordat er zo weinig geld van de overheid komt, is het collegegeld hoger.'

'Heel veel zwarten zullen er niet op de campus rondlopen.'

'Juist,' zei Fabian, 'en dat is probleem nummer twee. Omdat er zo weinig zwarten komen, neemt de behoefte aan Afrikaanstalig onderwijs er eerder toe dan af. Er komen ook veel Afrikaanstalige Namibiërs, en dus komt er nog minder geld, en wordt het collegegeld nog hoger, enzovoorts.' Fabian vertelde me dat hij zonder zijn baantje – hij werkte zes dagen per week in het restaurant, of er nou wel of geen colleges waren – het collegegeld en de verblijfskosten onmogelijk kon opbrengen. Totaal kostte zijn studie hem ongeveer 2.500 euro per jaar – vijf maal een gemiddeld Zuid-Afrikaans maandsalaris.

'Moet je geen sponsor zoeken?'

'Veel studenten hebben dat, die hebben een mecenas. Ik niet.'

'Hoe kom je aan een mecenas?'

'Door een biertje met iemand te drinken', opperde hij – lachend maar serieus. 'Veel sponsors zijn buitenlanders, vrienden of familie, want voor hen is het relatief weinig geld.' Ik trakteerde op nog maar een Windhoekie.

's Ochtends rukte ik vroeg uit; ik had zin om naar Paarl te gaan.

Elke dag had me tot dusver iets nieuws gebracht, elke dag iets anders, en spannend was het bovendien. *They will come out.* Dat ik nog leefde moest een half wonder zijn.

Ik sprong in de Citi en reed meteen de verkeerde, rechterkant van de straat op –door een achtpersoongezinsterreinwagen werd ik toeterend terechtgewezen. Van alle mooie plaatsnamen stond Paarl hoog in mijn tussenklassement, bovendien had Paarl me twee andere zaken te bieden. Ten eerste wordt er, naar mijn idee, de beste brandy buiten Spanje gemaakt bij – en nu komt het – de voormalige coöperatieve wijnmakerij KWV, ten tweede staat net buiten Paarl het Afrikaanse Taalmonument.

De weg naar Paarl was een pretje; ik betwijfel of het ergens ter wereld zo leuk rijden is als in deze zogeheten wijnlanden van de Kaap – de *route nationale* rondom Aix-en-Provence is drukker en commerciëler, de wegen in Istrië zijn zo veel slechter, de Afsluitdijk is zo veel rechter. Het was een uitje, zij het een uitje met een missie.

Paarl-Centrum bleek niet veel soeps. In opzet en constructie was het weinig anders dan het kleinere Stellenbosch. Paarl werd intensiever gebruikt, er werd minder aan onderhoud gedaan, het was er godsammes heet. Ik was niet direct dol geweest op de zebravellentoeristenwinkels in Stellenbosch, maar in het centrum van Paarl zaten louter textielwarenhuizen, supermarkten en elektronicawinkels (waartoe ik vooral mobieletelefoonwinkeltjes reken, daar had ik er inmiddels vele honderden van gezien).

Ik was niet voor het centrum van Paarl gekomen, en ik zou er niet langer blijven dan strikt noodzakelijk was. Ik kocht een flesje water en een *steak and kidney pie*, en wandelde daarmee naar de Citi. De parkeerneger vroeg om 4 rand. Ik gaf hem er 5.

Op de Kaap zijn de afstanden gering. Het ringweggetje rondom Paarl bracht me in een paar minuten naar de enorme complexen van KWV – Koöperatieve Wijnbouwers Vereniging van Zuid-Afrika Beperkt, anno 1918. Die lagen aan de rand van het stadje, terwijl ze een heel rurale indruk maakten. De hallen, silo's, loodsen, kantoren, tanks, vrachtwagens, lanen, wegen, leidingen, paden en mensen van KWV gaven de indruk van een internationaal opererend bedrijf – wat het uiteraard is – dat midden in het platteland is gevestigd – wat inderdaad zo is. De coöperatieve buitenissigheid van het bedrijf zat duidelijk in mijn hoofd, daardoor liet ik me niet weerhouden om het geheel raar te vinden. Een zo uitgestrekt bedrijf op die plaats, centraal in een stad: dat kende ik uit de Elzas niet, zal ik maar zeggen.

KWV is enorm uitgestrekt, al heeft het maar zeshonderdvijftig werknemers. De geschiedenis is een Zuid-Afrikaanse parabel. Het werd ooit opgericht om de wijnoverschotten in te dammen en druivenziekten te beheersen. KWV kreeg het gedurende de apartheid lobbyend voor elkaar wijn aan bruine en zwarte Zuid-Afrikanen te mogen verkopen. Tot die tijd was wijn een 'white man's liquor'. In 2004 werd het bedrijf 'black-empowered', wat zoveel zegt als dat het een doorslaggevend aantal zwarten in dienst heeft. Daardoor kan het rekenen op flinke overheidsteun.

Black Economic Empowerment (BEE, inmiddels op officieel niveau 'reverse racism' genoemd) is een strategie die in 2007 is opgezet door de Zuid-Afrikaanse regering. BEE geeft 'zwarte' bedrijven en mensen onevenredig veel steun. Dat laatste leidde er dit jaar toe dat de Zuid-Afrikaanse Chinezen zich door een rechtbank 'zwart' hebben laten verklaren: ze werden gediscrimineerd tijdens de apartheid, maar nu kregen ze minder voordelen dan de zwarten? Ze stapten naar de rechter en kregen gelijk. Zuid-Afrikaanse Chinezen zijn dus negers.

Leuk aan de apartheid was dat Japanners geen 'zwarten' waren, zelfs geen 'non-whites'. Ze waren blanken. De Japanse regering had het apartheidsregime laten weten dat indien Japanners tot kleurlingen zouden worden verklaard, de Japanners de westerse boycot zou steunen tegen Zuid-Afrika. Zo zie je dat er met de racisten best te praten viel.

Over BEE valt veel te vertellen. Het is een systeem dat zo ingewikkeld is dat het constant wordt aangepast – het bestaat uit tientallen wetten, honderden regels en duizenden amendementen. BEE is vooral, maar niet alleen, op bedrijven van toepassing, en het discrimineert op elk mogelijk niveau. Bedrijven moeten een bepaald percentage zwarten, witten en bruinen in dienst hebben, afhankelijk van de bevolkingsopbouw in de betreffende regio. Het eigendom moet etnisch eerlijk gedeeld worden, er is bijscholing voor voorheen achtergestelden, er wordt positief gediscrimineerd bij de wilde beesten af (ondergekwalificeerde negers krijgen voorrang boven gekwalificeerde bruinen of witten), en – al is het zo niet bedoeld – BEE vernietigt de Zuid-Afrikaanse economie.

Hoe dat zo? BEE zorgt toch voor rechtvaardigheid? Nee, het zorgt er vooral voor dat bedrijven met mensen moeten werken waar ze helemaal niet op zitten te wachten. Positieve discriminatie is één ding, want daarbij wordt in ieder geval gelijke geschiktheid verondersteld. Iets heel anders wordt het als niet-gekwalificeerde mensen ineens in aanmerking komen voor banen die hun petje te boven gaan.

Ik sprak van de week een man in Kaapstad die vertelde tachtig werknemers te hebben, waarvan er tien totaal nutteloos rondliepen. 'Moet,' bromde hij, 'anders krijg ik boetes.'

'Dan laat je ze de vloer zwabberen', zei ik.

'Nee,' zei hij, 'dat kan niet. Ze zijn er nooit. Altijd ziek. Langzaam. Doen niks, obstrueren de boel. Ik heb zelfs liever dat ze er niet zijn.' Ik veronderstelde dat het allemaal zo erg nog niet was: ze zaten tenminste niet in zijn bedrijfsleiding.

'O jawel,' zei hij, 'ik had vijf mensen in de directie, nu negen. Moest. Qua verhoudingen. Niet dat die vier iets toevoegen, maar ik kon moeilijk mijn staf ontslaan, iedereen functioneerde uitstekend. Dus mijn winst is met een kwart gedaald. Wat kan ik doen?'

'Ze onderbetalen', zei ik.

'Alles wordt gecontroleerd. Ze moeten hetzelfde verdienen als anderen, soms zelfs meer – als ze ouder zijn.' Hij zuchtte. 'Daarom vertrekken we naar Canada en Australië. Daar heb je zulke idiote regels niet.' Wé, dat waren de geschoolde, witte Zuid-Afrikanen.

Deze Kaapse ondernemer wilde trouwens niet bij naam worden genoemd.

Ik begreep de advertenties die ik in de kranten had gezien, die werk- en verblijfsvergunningen voor die landen aanboden. Zuid-Afrika lijkt het paradijs, maar onder het plaveisel het moeras, zal ik maar zeggen. De afgelopen weken sprak ik geen enkele witte of hoger opgeleide Zuid-Afrikaan die geen familie in een welvarend buitenland had. En meestal waren degenen die emigreerden toch al de rijksten en de slimsten – zo vertelden hun achtergebleven familieleden.

Dat was dan nog alleen maar het economisch perspectief. Zuid-Afrika was verder ook niet direct een sjabloon van stabiliteit of burgerlijke gehoorzaamheid. Er vinden vijfenvijftigduizend verkrachtingen per jaar plaats, er worden drieënvijftig moorden per dag gepleegd, en per jaar wordt een op de acht mensen in de buurt van het eigen huis overvallen.

Waar was ik? Bij KWV te Paarl.

Witte hoofdgebouwen, okeren productiehallen – onafzienbaar uitgestrekt in dat dal waarin Paarl ligt. KWV was ruim, rustig, aangeharkt – en maakte dus die alcoholische producten van topkwaliteit. Zoals bij Spier in Stellenbosch was het hier bepaald niet. Er was een kelderachtige wijnwinkel en er was een koffieshop, maar daarmee hield het op. Geen tierelantijnen, geen fratsen, geen massatoerisme. Hier ging het om de wijn. Ik at een broodje biltong, ik kocht een paar flessen wijn en gooide die achter in de Citi. Op ging ik, naar mijn volgende excursie: het Afrikaanse Taalmonument.

Dat uitstapje was makkelijker voorgenomen dan uitgevoerd. De vierbaansrondweg van Paarl bood me richtingtechnisch weinig houvast. Om de parallelweg te bereiken moest ik het tegemoetkomende verkeer kruisen, en waar ik de berg op zou moeten rijden om het monument te bereiken, bleef me duister. Toen ik de spriet van het monument zag, was ik er een eind van verwijderd; toen ik hem niet meer zag, was ik er weliswaar dichter bij maar kon ik er niet op afkoersen. Had ik maar een cabriolet gehuurd.

Na een poosje een bord. Bergop, haarspeldbocht of vier, parkeerplaats. Er waren geen andere bezoekers in zicht, in de schaduw van een boom zat slechts een aquarellist die zo te zien zijn meest mislukte werk had uitgestald. Er was een winkeltje met alleen een caissière. Ik liep de heuvel op, naar de spriet, en opeens was daar louter spriet, geen boom meer, geen wolk, niks hogers. Een betonnen ondergrond, en een even betongrijs monument dat elliptisch was. De omgekeerde, heel tapse trechter leek een uitgeschoten boog, hemelhoog, en de zon stond precies boven het uiteinde van de spriet, als een Spaans uitroepteken. Mijn mond moet zijn opengevallen. Ik vond het verbluffend.

In de spriet stroomde een watertje (als symbool van bewatering van de taal, om de taal te laten groeien), en toen ik aan de rand daarvan ging staan, kon ik turend in de eindeloze hoogte, bijna omkukelend door een gebrek aan visueel evenwicht, de blauwe hemel door het tuutje van de trechter zien (een open einde, als symbool van voortdurende groei). Buiten was het niks minder indrukwekkend.

Zoals dat bij monumenten, wereldwonderen en dat soort aangelegenheden gaat, was het des te indrukwekkender doordat ik er alleen was. Elke menigte mensen heeft op mij het effect me te veel te voelen. Een menigte zal het zonder mij ook wel redden. Erger: menigtes geven me het idee dat wat ik zie niet erg bijzonder kan zijn, omdat zo veel mensen het zien. Ik weet dat er meer mensen zijn die het Heilige Marcusplein in Venetië hebben gezien, maar toen ik er ooit op een dinsdagavond in februari stond, in de sneeuw, was ik er alleen. Ik had me voorbereid op het ergste, ik kreeg het mooiste.

Hunter, je kunt opperen dat het Afrikaanse Taalmonument minder druk wordt bezocht dan dat Venetiaanse plein – dat is zo. Toch voelde ik me even gelukkig als al die jaren eerder (al stond het geluk toen haakser op mijn gemoed, ik was destijds tamelijk liefdesongelukkig). Ik had het hele ding voor mij alleen en dat maakte het, hoe ik het ook bekeek, bijzonderder.

Het Afrikaanse Taalmonument dient een aantal doelen en

eert de verschillende stamtalen van het Afrikaans; in 1975 was het hoofddoel ervan geweest om het Afrikaans definitief los te maken van het Nederlands. DIT IS ONS ERNS, stond er met grote, ingelegde letters op het toegangspad. Ik rilde even, al kon dat ook door de zon komen, die op deze hoogte, uit deze wolkenloze lucht, scheen alsof-ie het persoonlijk op mijn kruin had voorzien.

De jaren zeventig was geen makkelijke periode geweest voor Zuid-Afrikanen. De boycot van de wereld had hen getroffen, er waren rellen en opstanden, de apartheidsregels werden steeds strenger. Toch was die tijd voor het goeddeels geïsoleerde land een vruchtbare tijd geweest. Zonder in platitudes en clichés te vervallen, hadden de Zuid-Afrikanen vrijwel autarkisch en autonoom openhartoperaties bedacht, atoombommen gebouwd (en als enige democratie ter wereld zelf besloten tot ontmanteling ervan), uitgedokterd hoe je uit kolen olie kunt winnen, en de Pratley Putty-lijm ('de enige lijm die ooit op de maan is geweest') uitgevonden. Ze moesten wel. Maar ze deden het ook.

Na de Pratley Putty-lijm volgde het Taalmonument – hun taal was natuurlijk hun eigen uitvinding geweest. Men roept altijd maar dat 'apartheid een Nederlands woord' is, dat is zuivere onzin. Apartheid is een Afrikaans woord. Ik keek naar boven, de zon grilde me, ik rilde.

Ik vond het prachtig. Dit was mijn taalkundig paradijs, ik ging er prompt een *Die Burger* van kopen.

Ik kachelde terug naar de Citi en kwam een gekleurd gezin tegen: moeder, vader, kleuter. Verder zag ik geen mens in de drie kwartier die ik bij het monument heb stukgeslagen. Dit gezinnetje bestond uit mensen die fluisterden waar verder niemand was, op een plek gewijd aan cultuur. Het kind hield zijn mond. Ik kon wel janken van geluk.

Dat deed ik niet. Wat ik deed, was de ramen van de Citi

opendraaien, de ergste stoom laten ontsnappen, en terugrijden naar Stellenbosch.

Op mijn laatste dag in Stellenbosch besloot ik een rit te maken, die me uiteindelijk naar Hermanus zou voeren.

Hermanus is op de Kaap een plaats die bekend is om zijn walvissen. Waar het me echt om ging, was het echte Zuid-Afrika. Onderweg, meende ik, zou ik dat wel tegen het lijf lopen. Het zou althans een flink eind rijden zijn.

Via Somerset-Wes, Gordon's Bay, Steenbrasmont, Boskloofpunt, Blousteen, Rooiels en Betty's Bay reed ik bij toeval langs de pinguïnkolonie bij Stoney Point.

Pinguïns zijn, zoals je weet of niet weet, mijn favoriete dieren. Sinds ik ze ooit op de Zuidpool zag – alleen een pinguïn en ik in een baaitje – heb ik het vastomlijnde idee dat de pinguïn speciaal voor mij bestaat. Ik bedoel: dat was een ontmoeting zoals met het Afrikaanse Taalmonument, maar dan met een diertje. We waren samen en alleen. Daarna zag ik nog duizenden adelie- en stormbandpinguïns op de pool, ik rook de zwartvoetpinguïns als ik voorbij Artis fietste, ik zag dwergpinguïns aan de Australische zuidkust. Ik moet een van de leken ter wereld zijn die de meeste wilde pinguïns heeft gezien. (Snoefde hij.) Alleen al daarom – alleen daarom, eigenlijk – ben ik gek op ze.

Deze Afrikaanse pinguïns waren halfwild, want ik diende aan een slaperig typje in een houten hokje 10 rand te betalen voor ik de houten vlonder mocht betreden waaromheen de vogels stonden. Veel meer deden ze niet.

Pinguïns zijn inerte dieren, hoewel de Zuidpoolsoort die ik zag relatief actief was en veel zwom – waarschijnlijk is voedsel zoeken in de zuidelijkste wateren lastiger dan in warmere golfstromen. Ze stonden. Af en toe knipperde er een met zijn oogjes. Sommige lagen. Er was er zelfs een die voorzichtig te water gleed. Ze stonken zoals pinguïns stinken, op hun heel eigen, zuurpenetrant milde wijze.

De weg naar dit pinguïnbaaitje was een vreemde. Vanaf Stellenbosch was het aanvankelijk een mooie route geweest, de weg ordentelijk. Toen werd het landschap bergachtig en wild, maar de weg was nog steeds netter dan Zwitserland, vervolgens werd de omgeving telkens verlatener – al bleef het vooral een toeristische route. Ik tankte, ik rookte een Marlborootje, ik dronk een watertje, ik reed verder na kaart te hebben gelezen.

Ergens, ik meen in Betty's Bay, werd een gozer bijna doodgereden toen hij onoplettend de weg over slenterde en een rood Nissan-bakkie hem dreigde te scheppen. Ik stond geleund tegen de Citi een kopje koffie te drinken en zag het nakende gevaar. Mijn schreeuwend toedoen redde zijn lijf; erg dankbaar leek hij me niet.

Hij had wel wat weg van jou, Hunter.

Terug naar Stellenbosch reed ik opnieuw over Somerset-Wes en kreeg ik een inval. Als ik eens wat wijn zou inslaan? Natuurlijk had ik dat bij KWV al gedaan. Mijn grootmoeder zaliger zei om het kwartier 'beter mee verlegen dan om verlegen' en zij had er kijk op. Ik bestudeerde de kaart.

Wijnboerderij Vergelegen ligt net buiten Somerset-Wes, de zon was aan het zakken, en voor ik het wist reden de Citi en ik dwars door een townshippie. Dat viel me alles mee. Aan de aanblik was ik inmiddels wat gewend geraakt, en de doorgaande wegen langs de 'informele nederzettingen,' zoals het ANC de townships noemt, leken niet per se onveilig. Bij een voorrangskruising buiten Somerset-Wes werd ik althans niet uit de Citi gesleept en in brand gestoken.

Vergelegen was Simon van der Stels hoofdkwartier geweest in Hottentotsholland. Hij kocht de grond van een Khoikhoichef en meende als een destijdse Rem Koolhaas de landerijen, boerderijen, huizen en tuinen te kunnen ontwerpen. Van der Stel had een nogal sterk zelfbeeld, zacht gezegd. Zo noemde hij Stellenbosch hoogmoedig naar zichzelf. Raar maar waar: zowel Stellenbosch als Vergelegen is nog steeds prachtig.

Men kan over de VOC-mannen veel zeggen – zo was humanisme niet hun sterkst ontwikkelde kant – maar het waren wel *uomini universali*. Ze konden navigeren, ze waren cartografen, ze wisten van plant en dier, ze waren diplomaten en krijgers, ze hadden lef, en zo'n Van der Stel was ook nog eens een man die klaarblijkelijk half architect, half ingenieur was. Bovendien was hij gezegend met een goede, beschaafde, zij het wat traditionele smaak die bijna een half millennium gewaardeerd is gebleven.

Hoe blank de gebouwen ook waren, ook het ANC erkende de historische schoonheid van Vergelegen. Direct nadat de partij werd toegestaan in 1990, beraadde de ANC-top zich in de gebouwen van Vergelegen op onderhandelingen met de hervormers van de regering van F.W. de Klerk. Er bestaat een foto waarop Nelson Mandela, Thabo Mbeki, Joe Slovo en Oliver Tambo staan te babbelen op de stoep van het hoofdgebouw.

Nog steeds was Vergelegen in goede handen, want het was inmiddels een van de beste Kaapse wijnhuizen (en het lag dus gelukkig niet in dat verrotte Stellenbosch. Hoe meer ik van de Kaap zag, hoe meer ik Stellenbosch overschat achtte. Elke avond zocht ik er vertier; wat ik vond waren toeristenrestaurants, studentenpubs en arrogantie. Het was er mooi maar mooi is zelden genoeg; het was er decadent).

De wijnen van Vergelegen werden gemaakt door keldermeester André van Rensburg. Hij won er prijs na prijs mee, vooral voor zijn 'vlaggenschip', een Cabernet Sauvignon, die simpelweg V heet.

Ik kwam Vergelegen niet in. Te laat. Het was vijf voor vijf. 'Ja,' zei ik, 'maar het is geen vijf uur.' De slagboom was dicht en de slagboombediende was niet van plan daar verandering in te brengen. Ik hield aan, mopperde een beetje, ik keek de wachter doordringend aan. In Europa zou het niet in me zijn opgekomen een man zo te behandelen; dit land vroeg erom.

Ik had het gezien bij de mensen die ik sprak, ik zag het in restaurants, ik merkte het in winkels: personeel behandelde je als personeel en niet als je superieuren. Je zei wat je wilde en dan werd het zonder mokken of omhaal gedaan. *Yes sir. Yes master. Yes baas.* Kortom, ik zei: 'Ik wil nog snel wat flessen wijn kopen, dus doe die slagboom even open.'

Hij moest bellen en dat duurde een poosje. Ik mocht erin. *'Make it quick, please, chief.'*

Vergelegen was een plaatje. Misschien zelfs een beetje te mooi, te verzorgd, te toeristisch. Er bleken nog een paar busladingen dagjesmensen rond te hangen. Ik nam de tijd. Men mocht er proeven. Ik nam een slok. Iets anders mocht men ook proeven. Dat smaakte goed, ik nam een paar slokken. Hapje biltong erbij? Hapje biltong erbij. Slokje nog? Waarom niet. Ik kocht er een paar flessen Sauvignon Blanc Reserve en een fles Mill Race. Hunter, net dronk ik een van die eerstgenoemde, ik neem de andere twee flessen voor je mee. Mocht deze brief je niet overtuigen dat het hier te doen is, dan doet Vergelegen dat wel.

Achter me, nee, naast me werd flink getoeterd. Wat was dat?

Zuid-Afrikanen zijn geen beste chauffeurs. Ze rijden maar wat, proberen uit alle macht links te houden, sommige rijden enorm hard en andere supersloom. Bakkies buigen door onder grote aantallen zwarten in de bak, kreupele taxibusjes blazen je aan alle kanten voorbij, BMW's houden steevast louter rechts. Maar asociaal kun je de Zuid-Afrikaanse chauffeurs niet noemen en veel getoeterd werd er bepaald niet. Kortom: wat was dit iele getoeter?

Verhip, het was Fabian! In zijn menie-Kever! We zwaaiden uitgebreid naar elkaar (vanuit de pols, de arm gestrekt voor je uit, zo hoort dat hier), riepen over en weer 'y'elloow!' We deden zelfs dat allerergste: even naast elkaar rijden en door opengezwengelde raampjes bij elkaar informeren of alles in orde was. Dat was het. Biertje vanavond? Nee, hij moest werken. En ik wilde vroeg op. Ik wilde vroeg weg uit Stellenbosch.

Na een kleine week in Stellenbosch keerde ik terug naar de Moederstad.

Ik reed terug via de parallelweg die door de Cape Flats voert, de wijken waar kleurlingen en zwarten tijdens de apartheid heen werden getransporteerd – geïnterneerd, als het ware.

Ik reed dwars door de townships Mitchell's Plain en Crossroads. Het eerste is een gekleurd township, het tweede een zwart. Het was zondagochtend en ik was verbijsterd door de aanblik van de nederzettingen.

Het waren geen krottenwijken zoals ik die vanaf de wegen gemeend had te zien, met hun knullige hutjes. Het waren steden op zich, met een eigen karakter, infrastructuur en organisatie. Ik zag reguliere busdiensten, ik zag politiebureaus, mensen maakten een ommetje met parasols boven hun hoofden – wacht even, het was zondagochtend. Die lui waren op weg naar de kerk.

Terwijl ik daar over de hoofdweg van Crossroads reed,

dacht ik: niemand vertelt je ooit iets. Ik was toch al een paar weken op de Kaap, ik had interesse gehad in van alles en nog wat. De mensen hadden achteloos gewezen naar de townships: daar heb je niks te zoeken, dat is te gevaarlijk, het is er achterlijk. Nu zag ik het zelf.

Zwegen de mensen die ik had gesproken opzettelijk tegen me? Of wisten ze van niks?

Het was een andere wereld, duizend keer kleurrijker, honderd keer beschaafder en veel en veel groter dan ik had geweten. Ik vond het er meteen geweldig – al voelde ik niet de aandrang er een paar uur te gaan slenteren.

Ik zag op de stoepen (stoepen!) prachtige vrouwen lopen, op-en-top opgetut en schitterend uitgedost; er liepen oude echtparen in hun zondagse kleding, ik rook het wasmiddel bijna; eigenaars van kleine winkeltjes openden geeuwend hun deuren; ik zag een paar *shebeens* – kroegjes; op een hoek stond een groot politiebureau met doodgewone politieauto's voor de deur. Ik zag kapsalons, bandenreparatieplaatsen, bushaltes, accuwinkeltjes, en dat alles was uitgevoerd in de vrolijkst denkbare kleuren: okergeel, gifgroen, bloedrood, hemelsblauw.

Op deze zondagochtend – ik was niet eens goed wakker toen ik Stellenbosch uitreed – had ik niet kunnen hopen dat mijn dag zo opwindend zou beginnen. Toen ik in de townships was, wilde ik er blijven. Maar in mijn hoofd gonsden de waarschuwingen van de mensen die ik had gesproken. Een hotel zag ik ook niet zo een-twee-drie. Ik besloot door te rijden naar Kaapstad, en later in het jaar terug te gaan. Het was laf, al was het beredeneerd laf. Wel dacht ik: een man die overweegt in een township te logeren, is die man een racist?

Zondag, museumdag. Midden in Kaapstad, direct tegenover de toegangspoort van het Mount Nelson Hotel, ligt de Kompanjiestuin. Het is een park dat op last van Van Riebeeck werd aangelegd als groentetuin. Hij had de Kaap als ververversingspost ingenomen, dus diende hij vervolgens te voorzien in groenten en fruit. Hij liet citroen- en sinaasappelbomen in de tuin planten. Later volgde een perk met medicinale planten.

Mijn favoriete VOC'er Van der Stel omzoomde de centrale ader van het park, die de Regeringslaan heet en precies een kilometer lang is, met eikenbomen. Alweer zo'n goeie Van der Stel-*move*, want dat zag er nu nog altijd statig en regentesk uit.

De Kompanjiestuin is een fijn, rustig wandelpark en vanuit mijn hotel was het bovendien de snelste weg naar het stadscentrum. De randen van het park werden bezet door de stadsbibliotheek, een synagoge, verschillende scholen, een planetarium, de presidentiële residentie met de eufemistische naam Tuynhuis, en een flink aantal musea. Voor een van die laatste was ik er. Die ochtend wilde ik naar de South African National Gallery, ofwel het Nasionaal Museum.

Een toegangskaartje kostte 15 rand.

De klassieke afdeling hing stampvol leerlingen van Rembrandt van Rijn, met Nicolaes Maes, Gerard van Honthorst, Gerard ter Borch jr., Caesar van Everdingen, Pieter Saenredam, Adriaen van der Werff en Emanuel de Witte. Het was net alsof ik door het Rijksmuseum in Amsterdam liep.

Mooier, veel nieuwer, vond ik een muurgroot doek van James Ford: *Holiday Time in Cape Town in the Twentieth Century*. Het perspectief was nogal vervormd: de hele stad stond erop, een knoert van een regenboog plus de hele Tafelberg, en ook nog eens een paar duizend mensen, stuk voor stuk karaktertjes. Op het doek was het een zomerse zondag, of een feestdag in het begin van die eeuw. Iedereen ging op zijn paasbest gekleed.

Het geheel was in dezelfde vrolijke kleuren geschilderd als de huisjes en winkeltjes in Crossroads die ik vanochtend had gezien. Dat moest toeval zijn, al waren die kleuren in beide gevallen door Afrika ingegeven.

Was de oude afdeling al mooi, de afdeling moderne kunst was superopwindend. Daar was Willie Bester. Zijn *Trojan Horse III* was een uit schroot bijeengelast, levensgroot paard dat louter uit wapens leek te bestaan. Het was zo indrukwekkend dat het me een beetje zenuwachtig maakte (en dat ik wilde gaan paardrijden, maar dat had weinig met het kunstwerk van doen). Zenuwachtig, van het apropos gebracht – een mooier compliment kan men een kunstenaar niet maken. Ik werd er hebberig van.

Zoals het gaat, Hunter: denkt men eens een kunstenaar te hebben 'ontdekt' (er geheel aan voorbijgaand dat hij exposeert in het belangrijkste kunstmuseum van een heel continent): Bester was al beroemd. Er stonden veel meer werken van Bester, er hingen portretten en schilderijen van hem. Ik voelde de aandrang om subiet een werkje van hem aan te schaffen.

's Middags, op mijn weg terug naar het Mount Nelson, liep ik een internettentje binnen en zocht de website van de kunstenaar op. Nou, hij was beroemd genoeg, honderden sites verwezen naar hem. Ik zocht waar zijn werk te koop was. Dat stond niet op internet. Wel viel zijn huis in Kuilsrivier er te zien – dat vanzelfsprekend een autonoom kunstwerk was, en kon men de artiest een mailtje sturen.

Het bezoeken van musea had nooit hoog op mijn lijstje gestaan als ik reisde. Ik zag liever het leven zelf aan me voorbijtrekken dan de werken van een stoet dode (of levende) kunstenaars. Bester, en de in een zaal verderop hangende werken van fotograaf Ernest Cole brachten me echter precies wat ik verlangde: kennis over Zuid-Afrika.

Cole deed dat door zijn bekende zwart-witfoto's uit de apartheidstijd. Die spraken voor zich. Schrijnend, angstaanjagend, helder.

Bester was een ander verhaal, al was zijn kritiek op zijn land niet malser. Uit zijn werk sprak het geweld en de ellende, ik zag de Afrikaanse natuur en de Afrikaanse geest, het borrelde van armoede en van trots. Het was relevante kunst, kunst die ergens uit voortkwam. Niks losgezongen nonsens, geen feministische prietpraat, geen remakes of barre retroshit, nee; dit was het echte leven gestold. Het was prachtig en ik draalde er twee uur lang rond; ik was in een museum dat me meer leerde dan het straatbeeld.

Eerder was ik in het District Six-museum geweest, elders in het centrum van Kaapstad. Dat museum liep werkelijk over van de goede bedoelingen. Daar bleef het tegelijkertijd in steken. Het was ongetwijfeld indrukwekkend voor mensen die in die vanwege apartheidsmotieven door de overheid afgebroken Kaapstadse wijk hadden gewoond (en inmiddels veelal op de Flats woonden). Mij zei die schanddaad, stijlvol en kleurrijk gebracht door middel van foto's, verbodsbordjes, plattegronden en tekeningen, amper iets. Een ritje door de Cape Flats, een gesprek met een bedrijfsdirecteur, een blik op een veel te vol bakkie: dat vertelde me meer over Zuid-Afrika dan zo'n District Six-museum.

In dit kunstmuseum, waar de geschiedenis per definitie abstract is, keek ik rechtstreeks naar de realiteit. Het zal mijn aberratie wel zijn.

De bonus in de vorm van Hollandse meesters daarbovenop nam ieder gevoel van ontheemdheid bij me weg. Je zult zeggen dat bijvoorbeeld de Hermitage in Sint-Petersburg ook zat Hollandse meesters heeft hangen. Voelde ik me daar ook meteen zo thuis? Nee. Het gevoel in Rusland te zijn zal in

Rusland altijd overheersen. Deze oude polderboys pasten hier simpelweg perfect. Ze hoorden hier zoals de gebouwen van Van der Stel, zoals het park van Van Riebeeck, zoals ik. Het verbaasde me niet langer dat Nederlanders zich zo thuis voelden, en voelen, als ze in Kaapstad landen.

Simonsstad, bekender als Simonstown, was de marinebasis waar aan de haven een Engelse hond als standbeeld stond – de wereld is een flauwiteit. Het eufemistische gevoel van Albion is erg aan me besteed, een hond als standbeeld gaat me te ver. Het eufemisme moet vluchtig zijn, niet van graniet.

Vanuit Simonsstad had het Engelse wereldrijk eeuwen zijn nautische belangen behartigd, vandaag lagen er wat schepen van de Zuid-Afrikaanse marine. Simonsstad was de eindhalte van de Metrorail, al reed ik er in de Citi heen. Het ligt helemaal onder aan de Kaap, het is de eerste nederzetting vanaf Kaap de Goede Hoop gezien.

Daarom was ik er gekomen, maar er was meer. Ik kon er pinguïns zien. Dat vond ik machtig: meer pinguïns. Deze kolonie heette Boulders Beach en voorzag in een luxe plankier – luxueuzer nog dan waarop ik op Stoney Point had gelopen. De pinguïns kon ik aanraken als ik had gewild, ze schuilden onder de bosjes die doorliepen tot aan de wandelroute. Ze stonken flink, mijn zwart-witte makkers.

Ik reed naar Kaap de Goede Hoop. Toeristen betaalden daar een nominaal bedrag om met hun ene been in de Indische Oceaan en met hun andere been in de Atlantische Oceaan te kunnen staan. Dat vond ik onzin, hoewel ik het leuk vond de plek te zien. Leuker vond ik de *Kaapse bobbejane*, de plaatselijke bavianen, die op hun gemakkie langs de weg zaten.

Hunter, ik zal je vertellen dat de zuidelijkste punt van Afrika Kaap Agulhas is. Dus niet de Kaap waar ik die dag was.

Agulhas ligt een kleine tweehonderd kilometer oostwaarts en iets zuidwaarts. Toen de wereldkaart werd ingetekend besloten de Hollanders dat Kaap de Goede Hoop het zuidelijkste puntje Afrika was. Dus scheiden de oceanen daar en niet bij Agulhas; ik dacht dat jij zo'n weetje boeiend zou vinden. Wellicht ga ik daar later dit jaar met twee benen in de Indische Oceaan staan.

Ter hoogte van de Deutsche Evangelisch-Lutherische St. Martini Kirche in de Kaapstadse Langstraat kocht ik een stapeltje kranten. De *Cape Times*, *Die Burger*, de weekkrant *Mail & Guardian* en de tabloid *Kaapse Son* ('die son sien alles'). Ze rapporteerden zo divers als je van kranten wensen kunt. Ze vlogen de regering in de haren, lachten president Mbeki uit en zetten Robert Mugabe van Zimbabwe voor lul, ze waren het nergens mee eens en al zeker niet met elkaar.

Zuid-Afrika mag de facto een eenpartijstaat zijn, de kranten boden meer diversiteit dan ik me uit enig land kon herinneren.

Echter: door alle sportredacties werd schande gesproken van het optreden van Bafana Bafana, de nationale voetbalploeg. Er was een trainingskamp belegd maar een kwart van de spelers was niet komen opdagen. De bekende smoesjes, schreven de voetbalverslaggevers: ziek, zwak en misselijk. Hoe moest het ooit goed komen met dit elftal van hansworsten, zodat het op het wereldkampioenschap in eigen land niet zou afgaan? Ze wisten het niet. Het moest anders, zeker. Maar hoe?

Ik dronk mijn koffie bij de Seattle Coffee Company tegenover de Vida e Caffè in Kloofstraat. De steil naar de Tafelberg oplopende Kloofstraat was een meer beschaafde versie van Langstraat. Er zaten mooie interieurwinkels, dure restaurants, chique kappers, er was een ecowinkelcentrum met daarin een uiterst groot ecowarenhuis, en er waren dus die koffiewinkeltjes. Bij Seattle was het minder druk dan bij Vida, de mensen die er kwamen waren minder hip (tot helemaal niet hip), de koffie was er perfect, en de zon scheen voor iedereen. Ik bestelde er een banana split (een *piesangroomysnagereg).* Waarom? Omdat het kon. Omdat ik honger had.

'Sir! Sir!' klonk het naast me. Ik hoefde niet op te kijken om te weten wie het was. Het was mijn kompaantje Odwa Pani.

Ik heb hem in deze brief nog niet genoemd, al ken ik hem al bijna drie weken. Hij had steeds op Langstraat omgehangen als ik daar wat te drinken of te eten zocht, en hij had me steeds 'sir' genoemd op een wijze die deed vermoeden dat hij mijn beste vriend was. Odwa was een haveloos zwervertje dat toeristen lastigviel. Hij emmerde maar door, tot ze hem wat gaven of tot hij, aan het eind van het blok, afgelost werd door een andere zwerver. Ik bood hem de rest van mijn piesangroomysnagereg aan. Dat ging erin.

Ik was me om deze Odwa, die woonde in township Khayelitsha, steeds bezorgder gaan maken. Had ik hem aanvankelijk enigszins als een lastige vlieg weg gewapperd, hij was me steeds weer, altijd opgewekt, achternagelopen. Geld hoefde hij niet. Eten wilde hij. 'Mijn maag, sir! Mijn maag is leeg, sir.'

Op een dag liet ik de resten van mijn maaltijd in een tentje in Langstraat inpakken, gaf ze aan hem, en kocht bij een kiosk een flesje fruitsap en een mueslireep voor hem. Vanaf dat moment was de beer los.

De dertienjarige Odwa hing elke dag in Langstraat rond, ik wandelde er elke dag. We praatten soms wat, ik vroeg hem over zijn huis. 'Een hut, sir.' Ik vroeg hem over zijn ouders. 'Mijn vader is dood, sir. Mijn moeder is werkloos. Ik heb geen broers of zussen, sir.' Over zijn vervoermiddel – klaarblijkelijk kwam hij elke dag helemaal uit Khayelitsha naar

Kaapstad-Centrum, een forse rit. 'In een bakkie, sir.' Wat kost dat? 'Een rand, sir. Soms twee.' Had hij ambities? 'Geen honger meer hebben, sir.'

Die Odwa, mager als een aar, tanden als stalactieten, stal mijn hart. Zijn ogen stonden doorgaans vrolijk, behalve als hij huilde. Op een late, lome namiddag werd hij in elkaar geslagen door een iets oudere medebedelaar, waarop ik hen scheidde. Dat waardeerde Odwa matig, al liepen de tranen over zijn toet. 'Het was tussen ons, sir.' Zijn belager stond ons een paar meter verderop uit te lachen.

'O,' zei ik, 'maar je wordt toch niet graag geslagen?'

'Het is maar een spelletje, sir.' Of-ie niet liever voetbalde? 'Ik heb geen bal, sir.'

Gekkigheid allemaal. 's Nachts lag ik soms wakker en dacht aan Odwa. Zo'n klein ventje dat elke middag en avond op die koude straat rondliep, dat zonder vader, zonder een behoorlijk huis en met louter rafels aan zijn lijf opgroeide. Dat was zorgelijk als men het mij vroeg.

Op een andere avond – Odwa liep te jengelen aan het hoofd van een reus van een Duitser – wenkte ik hem. Wilde hij geen colaatje met me drinken in een kroegje? 'Ik mag nergens naar binnen, sir.' Roken had ik hem niet zien doen, wel had hij een snottebel aan zijn neus hangen.

Ik haalde colaatjes voor hem en mij. Samen zogen we buiten op de stoep door onze rietjes. Hij werd er helemaal vrolijk van. Odwa Pani begon voor de deur van Jo'burg te heupdansen, wiegde met zijn achterwerk en voerde een Afrikaanse variant op de horlepiep uit. Het was onverwacht, het was kostelijk; ik lachte zo hard dat de tranen over mijn wangen biggelden.

Ik gaf hem vanavond, voor ik aan deze brief begon, mijn lichtblauwe jasje, een broek, een vaal T-shirt, wat overgeschoten geld (euro's, een op straat gevonden Brits pond, wat resterende rands), mueslirepen voor een week en uiteindelijk ook nog een sjaaltje en een blauwe badhanddoek. 's Avonds was het goed fris in Kaapstad – die zuidoostenwind.

Nadat ik in Jo'burg wat had gedronken, liep ik Odwa opnieuw tegen het lijf. Hij had alles wat ik hem aan kleding had gegeven, en zelfs de handdoek, over elkaar aangetrokken en zag eruit als een slecht ingerolde mummie, alleen zijn grote tanden en brede grijns waren nog hetzelfde. Hij zag er kouwelijk uit.

'Zul je je best doen op school?' vroeg ik hem om maar wat te zeggen. Een dooddoener van een zeldzaam gratuite niksigheid, toegegeven. Wat moest ik anders?

'Waarom, sir?'

'Omdat je dan later president van Zuid-Afrika kunt worden.' Dat zag Odwa Pani duidelijk niet voor zich. Ik ook niet. Wat moest ik dan zeggen?

'U komt toch wel terug, sir?' vroeg Odwa. Ik beloofde het hem, en het zal ook zo zijn. In april ga ik weer.

Op mijn eerste avond in Zuid-Afrika, dezelfde avond dat ik Odwa voor het eerst had gezien, ontmoette ik natuurlijk ook Lili Malenga, het even mistroostige als bloedende als mooie kroeghoertje. Op een heel andere manier dan voor Odwa heb ik de afgelopen weken ook voor haar een zwakje ontwikkeld. Ik zag haar niet nogmaals.

Ik bezocht Jo'burg vaak genoeg, en door haar afwezigheid begon ik haar te missen. Haw-haw, had ze gelachen, gul en Afrikaans, voor ze me mijn geld aftroggelde. Geloof me, Hunter, ze is de mooiste vrouw ter wereld, al heeft ze nog zo'n oud beroep. In april zal ik haar eens bellen. Horen hoe het kappen verloopt.

Er staat me nog veel te doen in Zuid-Afrika. Vooral dien

ik uit te zoeken of een racist compassie kan hebben met een dertienjarig zwerfnegertje.

Hunter, nu ga ik tienduizend kilometer vliegen. De gekleurde chauffeur Robert le Roux ('The blacks are God's worst creation') komt me zo ophalen.

Hou je taai,

je vriend
Dylan

Brief over een treinreis

Brooklyn, Pretoria, april 2008

Beste Hunter,

Als je me zoekt: ik logeer precies tussen de Shell in Muckleneuk en de Ethiopische ambassade.

Brooklyn is een rustige en chique buitenwijk van Pretoria; op tien minuten rijden van het centrale Kerkplein. Pretoria is de hoofdstad van Zuid-Afrika. Niet dat het parlement hier zit, want dat zit in Kaapstad, of dat het Hooggerechtshof hier is, want dat is in Bloemfontein, of dat hier geld wordt verdiend, want dat gebeurt in Johannesburg.

Kortom: Pretoria heeft een heel hoog Den Haaggehalte. Er gebeurt geen moer, hoe statig het er ook uitziet. Allicht resideert de president in de persoon van de zwijgende nietsnut Thabo Mbeki op de heuvel boven de stad in de prachtige, zandstenen Union Buildings. Dat is het dan wel zo'n beetje, en dat maakt Pretoria een tamelijk leuke stad. Een beetje deftig, uiteraard veel achterbuurten en veel studenten, veel ambtenaren. Op het centrale Kerkplein zie je dat allemaal om elkaar heen zwerven. Bedelaars en mannen in pakken, schorriemorrie en politie; er zijn evenveel hip bedoelde koffietentjes als treurigstemmende hasjverkopers.

In Brooklyn zijn de huizen ommuurd, staat het scheermesprikkeldraad onder stroom en wordt er niet gewandeld behalve door beveiligingsmensen. Dat klinkt niet vrolijk, maar ik heb het heerlijk. Vanmiddag kocht ik een fles Klein Constantia-Sauvignon Blanc van 2007, met 14 procent wat hoog in zijn alcohol (maar verder geen probleem, ik gok dat ik 'm in een uur leegdrink). Die zit ik te drinken, met lekkere vellen wit Hermèspapier voor mijn neus, en vier scherp geslepen potloden. Hunter, vriend, ik ga je kond doen.

Overigens heb ik het getroffen aan Charles Street in Brooklyn: ik verblijf bij de zorgzame familie Borstlap, die bestaat uit moeder Liza, zo christelijk als de jaartelling, zoon Gerhard, student, en dochter Katrin, scholier.

Dat gedoe met die kruizen en vastgenagelde Christussen kan me gestolen worden, van dat zemelige, weeïge geglimlach word ik kregel en dat bidden voor het eten bederft mijn honger. De Borstlapjes, die menen dat ze van Duitse afkomst zijn, vielen mij er niet mondeling mee lastig. Ze voorzagen me van tips. Zoon Gerhard droeg wollen mutsjes bij dertig graden Celsius, Katrin, de dochter des huizes (zoals dat heet wanneer er een fotomodelmooiachtig meisje opduikt) had op mijn eerste dag hier blond haar en was de volgende dag een donkerkopmeissie (Afrikaans voor brunette) geworden. Dat stond haar ook niet slecht.

Bij de Borstlapjes verblijf ik dagenlang. Ze hebben me op uiterst gastvrije wijze ontvangen in hun fijne huis aan die chique hoofdstraat van Brooklyn. Daar, hier dus om precies te zijn, aan Charles Street 333 zit ik al een paar etmalen te mijmeren (je lacht me uit, terecht, en ja, toegegeven, ik knapte soms een klein uiltje), te schrijven (wat? mijn aantekeningen) en te lezen op de patio, steeds door Liza voorzien van sterke rooibosthee en droge kaakjes. Ik rook er lustig op los; ik weet dat ik mezelf tot een paria maak maar de rook smaakt me goed in de milde warmte en de droge zon van Afrika.

Gerhard onderbreekt elke dag zijn studie, soms een uur, soms twee, om met mij op de patio te praten over de wereld in het algemeen en Zuid-Afrika in het bijzonder. Voor een student weet hij heel wat, al was het bestaan van Liechtenstein, Andorra en Luxemburg aan zijn oplettendheid ontsnapt.

We praten vooral veel over Zuid-Afrika. Zijn vader woont in Kaapstad – 'er is daar een vrouwenoverschot, niet normaal'; zodra ik 'Nelson Mandela' zeg, schiet Gerhard bijna vol; hij is enorm vriendelijk tegen de tuinman en de keukenmeiden – zo vriendelijk dat het paternalistisch lijkt. Zoals de Kaapstadse schrijver Damon Galgut in zijn nieuwe roman, *Het bedrog*, schrijft, ik parafraseer: dat hij Xhosa en Zoeloe sprak maakte hem niet minder racistisch. Het is niet dat ik Gerhard een racist vind. Hij is alleen wel erg prozwart.

Pretoria is honderd keer meer Afrika dan Kaapstad ooit zal zijn. De oceaan in Kaapstad daar, al die Europeanen, het blanke stadsbestuur en Jan van Riebeeck die te pas en onpas genoemd wordt, zorgen ervoor dat men zich er steeds een uitheemse Europeaan voelt.

Dan Pretoria. De lucht en de hoogte daar geven een mens direct het gevoel elders te zijn. Ik voel me ontheemder dan in Kaapstad, verder weg, minder thuis. Let wel: nog altijd voel ik me meer op mijn plaats dan op Saba of in Antwerpen. Toch, hier ben ik in Afrika.

Wat las ik op mijn patio in Pretoria, naast Galgut? Ik las het achthonderdachtentachtig pagina's dikke boek over Thabo Mbeki van journalist Mark Gevisser: *The Dream Deferred*. Ik hoef echt niet elk kuchje van Mbeki beschreven te lezen, noch zijn relatie met zijn ouders of welke kleur ondergoed hij draagt, maar als dat boek dan toch iets duidelijk maakt, is het dat een revolutionair nog geen politicus is, dat een rechtvaardigheidsactivist niet per se op zijn plaats is in het machtscentrum.

Dat is een van die zaken die de Zuid-Afrikanen veel beter begrijpen dan de rest van de wereld. Ze hebben een nieuwe maatschappij, ze hebben een jonge grondwet, ze lopen binnen de kortste keren tegen problemen aan die in andere landen al spelen sedert 1789 en nog steeds niet zijn opgelost.

Dat Mandela het als president zo goed deed, was een wonder. Zijn bewind was niet zo'n succes als het de niet-Afrikaanse wereld toescheen. Weliswaar werd hij door zowat iedereen geaccepteerd: er viel net na afschaffing van de apartheid nou niet echt veel te verwerpen door de blanken. De zwarten vonden alles allang mooi en prachtig.

Mandela en vooral zijn van Argentinië geleende vondst, de Waarheids- en Verzoeningscommissie, waren een doorslaand succes. Al bestond het succes van die commissie vooral dankzij de voorzitter, aartsbisschop Desmond Tutu. Tutu's idee van het Zuid-Afrikaanse begrip *ubuntu* was: 'Mijn menselijkheid is verweven, is onlosmakelijk verbonden met die van jou.'

Zo hoort men inmiddels: wat deed *madiba* (papa, in zijn stamtaal), wat deed Mandela eigenlijk zo goed na de afschaffing van de apartheid? Ja, hij hield het land bijeen, hij stichtte de regenboognatie, maar of dat nou uiteindelijk zo'n goed idee was?

Scepsis heerste, ten aanzien van alles, zelfs de vader des vaderlands ontkwam er niet aan. De economie, die geheel en al was geoutilleerd om de concurrentie aan te kunnen, liep aanvankelijk aardig, maar zakte snel weg.

Discriminatie nam eerder toe dan af. De Waarheidscommissie mocht een prachtdiefstal zijn geweest, niet alle ressentimenten werden erdoor weggenomen. Voelden aanvankelijk de zwarten zich achtergesteld, het waren daarna de kleurlingen, en nu zijn het de witten. En de integratie lijkt amper op gang gekomen, stelde ik de afgelopen weken vast. Zwart is zwart en wit is wit, en de twee hebben geen enkele intentie elkaar waar dan ook, hoe dan ook te ontmoeten.

Mbeki, die eigenlijk altijd al de adjudant-op-afstand van Mandela was geweest, volgde de Nobelprijswinnaar op als president van de jonge republiek. Vijf jaar eerder droeg-ie nog witte sokken onder vloekende ensembles, ineens speechte de aimabele man uit Transkei, van huis uit Xhosaspreker, voor vijfenveertig miljoen mensen in maatpakken en glimmende instappers, in het Engels. Whoepa.

Als dat maar goed ging. Helaas. In zijn poging een even groot pacifist en weldoener van het Zuid-Afrikaanse volk te worden als Mandela, deed Mbeki eenvoudigweg niets. Dat is ook een idee, maar het was geen idee waar de Zuid-Afrikaanse samenleving of economie op zat te wachten. Zijn partij liet alles op haar beloop – het ANC was allang blij aan de macht te zijn, het leek (en lijkt) er vooral op uit die macht te consolideren. Hoe, dat kon en kan niet schelen.

Mbeki's gammele leiderschap ontbond wat Mandela had proberen te lijmen. Bevolkingsgroepen waren niet met elkaar verzoend, ze waren louter gepacificeerd. De infrastructuur van de economie sleet ondanks de miljarden die buitenlandse bedrijven haastig waren komen investeren. Het ANC zelf, of althans de heersende vrouwen en mannen, bleken veel weg te hebben van de spelers van Bafana Bafana: ze blonken uit door hun absenteïsme, alcoholisme, hun arrogantie.

Zuid-Afrika, het land dat van alle Afrikaanse landen het meest Europees was, was niet langer per se de lieveling van het industriële Westen. Mozambique bleek ook een optie, Tanzania, en boven de Sahara lag het plots acceptabele Libië – men hoefde in een queeste naar een stabiel investeringsklimaat niet noodzakelijkerwijs naar Kaapstad of Durban.

Want was Zuid-Afrika eigenlijk wel zo stabiel? Hoe boos waren de zwarte massa's eigenlijk? Een man in Kaapstad zei me, starend naar de Kaapse *flats*, het platte gebied aan de rand van de stad, waar zovelen tijdens de apartheid naartoe zijn gedeporteerd: 'Ze weten niet hoe machtig ze zijn als ze met z'n allen de stad binnenvallen.' Dat was pure angst. Ik kon het bijna ruiken.

Over Pretoria later meer, eerst vertel ik wat ik de afgelopen anderhalve week beleefde. Ik vertel het je zoals je het graag hebt, in chronologische volgorde.

Dit keer vloog ik bijna als forens naar Kaapstad, en dat voelde goed. Althans, dat vliegen was afschuwelijk. Waarom is het zo dat het cabinepersoneel van deze vooraanstaande, Franse luchtvaartmaatschappij meent passagiers zo denigrerend te moeten behandelen dat je na tien uur alleen nog maar 'tata' kunt zeggen? Gelukkig kwam ik voor een trein. Die trein zou pas over een paar dagen vertrekken – ik wilde wat tijd hebben om in Kaapstad mijn in januari gemaakte kennissen op te zoeken.

Ik sliep, voor de verandering, niet in het Mount Nelson. Een psycholoog van de koude grond zou zeggen dat ik dichter bij Odwa en Lili wilde zijn; jij zult zeggen dat ik niet zo vaak van smaak moet wisselen; in ieder geval huurde ik een appartement in de drukke Langstraat. Daar was het me in januari goed bevallen.

Ik was in Langstraat wat aan de oude kant, tussen de rugzakkers, skaters en surfers. Daar maalde ik niet om. Over een paar jaar zal ik in dat soort straten gehoond worden: wat doet die oude man hier. Nu kon het nog. Net an. Daarbij was het in Langstraat niet zo druk als het in januari was geweest. In april vierde het zuidelijk halfrond geen vakantie.

Het appartement heette, iets te hip, Daddy Long Legs. Het was een fijn, zij het aan de straatzijde luidruchtig tweekamerding. Smaakvol, pseudo-Afrikaans ingericht.

Wat schrijf ik daar? Mijn theorie is dat alles in Afrika altijd Afrikaans is, zoals alles in Nederland Nederlands is, en alles in de Verenigde Staten Amerikaans. De praatjes dat er in de VS steden zijn die Mexicaanser zijn dan in Mexico, dat er buurten zijn in Amsterdam die Marokkaanser zijn dan in Marokko, die praatjes vallen niet in mijn smaak. Per definitie is alles in welk land ook typischer voor dat land dan de plek van referentie waarmee het wordt geassocieerd. Ik bedoel: een erg Mexicaans aandoende stad in Californië is nog altijd een Amerikaanse stad en zegt meer over de huidige staat van de VS dan over die van Mexico. In Mexico zijn er steden die Amerikaans aandoen, wel, dat zijn dan Amerikaans aandoende Mexicaanse steden, en per definitie nooit Amerikaanse steden. Is Miami Cubaans? Is Bari Albanees? Is het Westland Pools?

Het zijn wellicht steden die zich open hebben gesteld voor invloeden van buiten, en juist daarin zit 'm de crux. Die steden en gebieden hebben door hun karakter, of dat nou Amerikaans, Italiaans of Hollands is, buitenlanders aangetrokken. Die buitenlanders hebben zich aangetrokken gevoeld tot die gebieden, hetzij het uit edele motieven, hetzij om economische redenen. Nooit, echter, kan men zeggen dat Keulen op zaterdagmiddag een aardige Nederlandse stad is – het is dan hooguit een stad die aantrekkelijk blijkt voor de Nederlandse hoi polloi om er te gaan winkelen. Al wonen er louter Turken in Zaanstad, Surinamers in Almere, Ghanezen in de Bijlmer of Molukkers in Tiel: het zijn en blijven puur Nederlandse plaatsen. Zo is de wereld – gevormd door migranten en altijd in verandering. Wie dat ontkent, of denkt dat immigranten een heel land met zich meebrengen, die heeft ze niet allemaal op een rijtje. De wereld is wat hij is: dynamisch. Is het platteland van Canada Nederlands? Zijn de oostelijke VS Iers? Ik denk dat je me begrijpt.

Mijn appartementje in de Langstraat was dus op-en-top Afrikaans. Hoe nep-Afrikaans het ook mocht lijken.

De schoonmaakster wachtte 's ochtends met schoonmaken tot ik in staat was mijn bed te verlaten, hetgeen door een gemiste nacht slaap vanwege de speciale KLM-luchtzakken de eerste twee ochtenden wat duurde. Wie trof ik dan beneden aan, zittend in een gangkast? Welja, een uit de kluiten gewassen poetsvrouw, in Afrikaner kledij gehuld, lezend in Gevissers boek over Mbeki. Ik bedoel: ben jij ooit in een land geweest waar de werksters dikkere boeken lazen dan Nederlandse intellectuelen? Ik nu wel. Ik vroeg deze Zanele – ze had nota bene dezelfde voornaam als Mbeki's vrouw – wat ze met dat boek van plan was.

'Lezen', zei ze. Ze lachte een luide lach, een lach die me enigszins aan Lili het kroeghoertje deed denken, al had deze schoonmaakster een postuur waar Lili drie keer in paste.

'Waarom?'

'Omdat hij uit mijn provincie komt.' Ik knikte. Ze keek me aan en lachte. 'Welnee. Omdat het de president is. Omdat ik graag lees. En omdat iemand het hier heeft achtergelaten.' Ze lachte – ze lachte me een beetje uit, denk ik.

Wat een vrouw. Met een stamboom, geïnteresseerd, en eerlijk bovendien: kom er maar eens om.

Daddy Long Legs bood me meer voordelen. Ik had uitzicht op de Langstraat en daarmee op het al dan niet verschijnen van Odwa Pani.

Hunter, hoewel je me nog nooit een persoonlijke vraag hebt gesteld anders dan of mijn website goed werkt en of mijn BMW naar behoren functioneert, ga ik je toch eens iets persoonlijks vertellen. Het gaat over Odwa Pani, mijn jonge kompaan uit de Langstraat in Kaapstad, het zwervertje dat ik vorige keer bijna wilde adopteren, de schooier die als het aan mij lag, in het op mijn maat gemaakte, Napolitaanse, lichtblauwe Isaïajasje rond zou struinen.

Exact die Odwa Pani.

Nou, die Odwa Pani viel nergens te bekennen. Jij zou zeggen: *weirde shit, makker.* Ik zeg: ik was er niks gerust op. Hij dook ook niet meer op. Het leek me stug dat-ie zich heeft kunnen pensioneren door middel van mijn giften. Waar was-ie dan gebleven? Had hij zijn werkterrein verlegd? Was hij omgelegd? Opgepakt? Verhuisd? Ik maak het spannender dan het is; ik zocht, ik keek althans om me heen, ik vond niet. Mijn bekentenis is dus: ik maakte me steeds meer zorgen om hem.

De voorkant van Daddy Long Legs was gehorig. Tegenover mijn balkonnetje stond een ruig cafeetje waar de pret pas tegen middernacht begon. Marvel, heette het, en het was de antiartistieke variant van het even verderop gelegen Jo'burg. Op een nacht, mijn laatste in Kaapstad voor ik de trein nam, besloot ik er een kijkje te gaan nemen. En nu komt het.

Meteen na aankomst had ik een Zuid-Afrikaanse mobiele telefoon gekocht. Plus *airtime.* Daarmee had ik een doel gehad: in Kaapstad zou ik Lili, de mooiste Zambiaanse kapster

ter wereld, kunnen bellen. En met haar afspreken. Ik schreef haar naam en telefoonnummer vorige keer, net nadat ze tot bloedens toe was geslagen, achter in mijn donkerblauwe notitieboekje, en dat bleek niet voor niets te zijn geweest. Je kunt van mijn intuïtie zeggen wat je wilt: goed is ze wel.

Ik belde. Ze nam niet op en ze belde me niet terug. Ik vond dat vreemd. Ze kon dat niet bewust doen, aangezien ze geen idee had van wie dit nummer was, en haar telefoon leek gewoon te werken, althans over te gaan. Je kunt zeggen: zo belangrijk is het toch niet, en dat was het ook niet. Ik vond dat hele bellen nogal een stom idee van mezelf. Wat kon ik eraan doen? Ik had in de maanden in Nederland vaak aan haar gedacht en dan bedoel ik niet strikt op seksuele basis. Meer op een soort Odwa Panibasis. Een groot medelijden met de zielige Zuid-Afrikaan annex Zambiaan was me overvallen. Ik weet dat je nu schuddebuikend een glaasje oude Filliers voor jezelf inschenkt, prevelend: 'Hij weet het mooi te brengen, die oude viezerik.' Zo was het niet.

Lili was ook al verdwenen; mijn Zuid-Afrikaanse kennissenkring kromp behoorlijk snel.

Tot ik tegen middernacht Marvel binnenstapte, me een weg naar de bar vocht, een Windhoekie bestelde, 8 rand afrekende en in de spiegel achter de bar staarde om te zien wie mijn mecliënten waren. Daar zat Lili. Alleen haar haar zat helemaal anders. Was het Lili? Was het niet een andere schoonheid? Ze leek wel erg op Lili en van die schoonheid zijn er niet veel, en dat nieuwe haar, nou ja, ze was tenslotte kapster.

Zat ze daar met een man? Nee, ze zat daar zo te zien met een collega-kapster. Zag ze me? Nee, nog niet, maar zodadelijk wel, gokte ik.

Ik grijnsde als een idioot, zag ik in de spiegel, volledig anticiperend op haar ontdekking. Ze was misschien wel een beetje dronken. Ik grijnsde ijzerenheinig door. Aha, daar zakte haar mond open. Daar fronste haar ooit gekwetste voorhoofdje, daar stond ze op, daar strekte ze haar armen uit, daar was ze, en ze zei: '*O dalling, to see you, I am so appy.*' Ze tongzoende me. Ik tongzoende mee.

Hunter, ik ga je niet weer met die hele klaagzang opzadelen over spontane belangstelling en echte liefde. Dit, echter, had daar verdraaid veel van weg; ik herkende het zelfs. Ze hield mijn zij de hele tijd vast. Door de muziek heen probeerden we te praten. Dat lukte maar amper. Haar collega zag het van een afstandje glimlachend aan, wees naar buiten, op haar pols, zwaaide en verdween. Het *platejoggie* (dj, in het Afrikaans) draaide Hugh Masekela's *Chileshe.* Dan blijft men even hangen.

Ik maakte Lili duidelijk dat ik niet in het Nelson Mandela logeerde, maar een luttele vijftien meter van de Marvel vandaan, precies aan de overkant van de straat, en dat ik daar een koele fles Simonsig Brut Rosé had staan. *'Can I come over to that side?'* vroeg ze, en ik zei ja, laten we gaan.

Als mijn liefde voor het Afrikaanse continent in het algemeen en Zuid-Afrika in het bijzonder zich moest sublimeren in de vorm van een transactie die mijn papiergeld in het jurkje van een Zambiaanse kapster deed belanden, dan moest dat maar. We staken over. Op het voetgangerslichtbordje stond: DRUK KNOPPIE – WAG TOT VERKEER STAAN – STAP VINNIG OOR.

Lili bedoelde helemaal niet dat ik haar mijn geld moest geven, zo bleek aan de overkant terwijl we voor de openslaande deuren van mijn Franse balkon in Daddy Long Legs de roze vonkelwijn dronken. *That side*, het was me ontschoten, betekende Europa. Of ze in Amsterdam kon komen wonen?

Hunter, op die vraag was ik niet helemaal bedacht. We

zoenden, ze sprong tegen me op en aan – waarbij ik, heel charmant, een keer vrij hard op de grond belandde – en we dronken. Ze rookte nog steeds Peter Stuyvesants. *So appy*, was ze. Maar ook heel ongelukkig. In het township waar ze woonde, Nyanga, werden buitenlanders opgejaagd, in elkaar geslagen, ontslagen. Hoezo, vroeg ik, wat bedoel je, buitenlanders? Dat ik er niet heen kan? 'Jij bent geen buitenlander,' zei Lili, 'ik ben een buitenlander.'

In Zuid-Afrika is semantiek beladen. Daar had de apartheid voor gezorgd. Steeds was hier de vraag welke kleur iemand had, en die kleur zei alles over iemands sociale status. Kleur was vaak meer een woord dan een kleur, zoals de Chinezen hadden bewezen: zij waren inmiddels zwarten. En wie was kleurling, wie was niet-wit? Ook nu gold dat woorden zwaar wogen: een *foreigner* kon geen blanke zijn, want foreigners waren armoedzaaiers en gelukzoekers en vluchtelingen uit andere Afrikaanse landen, de intracontinentale immigranten. Je kunt ze makkelijk herkennen, zei ze met een stalen gezichtje: we zijn zwart. 'En Zoeloes dan?' vroeg ik. 'Die zijn toch ook zwart?'

'Maar dat zijn Zoeloes. Die zien er heel anders uit. Wij zijn dun.'

Ze was ontslagen in de kapsalon, ze had geen cent meer, haar was de huur opgezegd, ze wist zich geen raad. 'De situatie is moeilijk. Angstaanjagend', zei ze, en ik gaf haar, net als vorige keer, al het geld dat ik bij me had. Tien minuten later belde ze haar vriendin, de collega, en weer tien minuten later was ze verdwenen. Hoe ga jij regelen dat ze zo snel mogelijk in Amsterdam kan komen wonen? Ze is echt helemaal jouw type.

Dat was voorlopig mijn laatste nacht in Kaapstad. Ik zou er pas terugkeren om weg te gaan, meer dan een maand later. Ik sliep als een roos en droomde over Lili op jouw bank in

Amsterdam. Ze keek naar je televisie, klagend over de Nederlandse ondertitels. Ongelogen.

Ik zocht Hans de Ridder en zijn Dale op, of liever gezegd: ze kwamen me in hun Caravelle ophalen in Langstraat. We werden halfhysterisch van geluk toen we elkaar zagen. Voor mij was het leuk, en ook Hans maakte de indruk het leuk te vinden om een Nederlander zo ver buiten Nederland te treffen. Dale bleef er rustig onder. Ik gaf haar twee flessen Steen op Hout 2007 van Mulderbosch (een 7,5 bleek later). Ik zou een nacht bij hen overblijven, en dan mijn trein nemen.

Hans had niet stilgezeten. Hans Vonk, de beroemde doelman van Ajax Cape Town en het Zuid-Afrikaanse elftal, had aan Hans gevraagd om zijn columns te schrijven voor de *Mail & Guardian*. Daar hoorde ik van op, hoewel het nog niets was in vergelijking met de bijverdienste die Dale zich plots had verworven. Ze was van restpartijen kralen, die ze her en der op de kop tikte, sieraden gaan maken. Ze verkocht ze, met succes, aan boetieks op chique plaatsen. De bedoeling was dat ook een van de winkels op het Spierwijnland ze zou gaan verkopen, vertelde ze.

In hun schitterende huis was alles even schitterend als voorheen, en vooral dat uitzicht. Ik had het me herinnerd als magnifiek, het was nog veel weidser dan ik me het had herinnerd – alleen was het nu winter. Hunter, dat zal je misschien zijn ontgaan, maar de Zuid-Afrikaanse winter was begonnen. In Kaapstad had ik daar weinig van gemerkt. De zuidooster waar ik de vorige keer wat last van had gehad als ik de krant las op een terrasje, was gaan liggen, de zon scheen fel. 'Uitzonderlijk,' zei Dale, 'daar heb je heel veel geluk mee.'

Inderdaad sloeg het weer om zodra we Noordhoek naderden. Het terrasameublement van Dale en Hans was vastgegespt, de deuren waren gesloten, wind en regen beukten tegen de – kunststoffen – ruiten. Ik keek mijn ogen uit. De winterval in Afrika was niet een beeld waar ik erg op voorbereid was geweest.

Na een fles Buiten Blanc 2007 van Buitenverwachting, Dales lievelingswijn, en toen ik me samen met de hondjes had geïnstalleerd in de logeerkamer annex Hans' kantoor, stapten we in de Caravelle.

We reden van de Atlantische Oceaan naar de Indische Oceaan – we kruisten het schiereiland onder Kaapstad. Officieel heet de Indische Oceaan aan de andere kant van de Kaapse landtong nog Atlantisch te zijn, louter omdat de VOC-mannen de Kaap de Goede Hoop aanzagen voor de zuidelijkste punt van Afrika. Na een half uurtje brommen door onwezenlijke rust, parkeerde Hans de Caravelle aan de straatkant en wandelden we een droompje van een restaurant binnen.

Dit was Theresa's, te Kalkbaai. De deuren en ramen stonden half open, al was het fris. Binnen zaten witte, bruine en zwarte mensen te eten in een decor van bordeaux gesausde muren, houten tafels en stoelen en een open keuken. Op het gevaar af dat je me sentimentaliteit verwijt omdat ik het al eerder opmerkte: ik voelde me er meteen thuis.

Hans at *fillet* – een ossenhaas. Hij had me in de Caravelle gezegd: neem de fillet. Zoals ik gewoon ben wanneer ik uitzicht op water heb, koos ik de vis. Dat was een filet van yellowtail kingfish, een loot van de makreelfamilie die soms twee meter lang wordt. We dronken er een Sauvignon Blanc 2007 van Crystallum van Finlayson uit Walker Bay bij; een prijzige fles die ik in Kaapstad voor Dale had gekocht.

Gek genoeg dronk Hans een slokje mee – hij drinkt amper alcoholica, zoals je je wellicht herinnert – en we vonden alle drie dat dit een heel lekkere wijn was: een 8,5. Hans liet me proeven van zijn rund; dat was geen misselijk stuk vlees. Ik besloot dat ik hier op een dag zou moeten terugkeren om zo'n heel stuk vlees te eten.

Theresa was van het artistiekerige type, om precies te zijn van het type dat gezellig aanschoof, een slokje meedronk, en geïnteresseerd vroeg hoe het met mijn liefdesleven was gesteld. Was ze niet zo hyperassertief geweest, dan zou ik misschien een ander antwoord hebben gegeven dan ik gaf. ('O, goed.')

Het was een heel gewone avond – behalve naar Zuid-Afrikaanse begrippen. We praatten met Theresa, die een kleurling was, we praatten met de kok, die een zwarte was, we praatten onderling over dingen die ik nog zou kunnen doen in het land: ik moest en zou naar Darling, zo bezworen Dale en Hans me, want in Darling had de bekendste undergroundkomiek van Zuid-Afrika tijdens de apartheid zijn eigen theatertje.

De naam van deze quasitravestiet ('de Dame Edna van de Kaap', zei Hans) was Pieter-Dirk Uys en hij speelde vooral een karakter dat Evita Bezuidenhout heette. Ook Theresa vond het een aanrader: 'Misschien moet ik je vergezellen, omdat je het anders allemaal niet snapt?' Misschien, maar dat zou later zijn.

'Hans,' zei ik op de terugweg, 'ik dacht dat jij niet dronk. Nu heb ik je wijn zien drinken, wel twee glazen.'

'Lekkere wijn', zei Hans.

'En twee cognacs.'

'Tja, ik zat echt te genieten, met zulk leuk gezelschap, ik vond het zo gezellig, en dat lekkere eten, ik kreeg er echt zin van in een drankje.' Het was gezellig, daar niet van, en we praatten over van alles en nog wat, ook dat klopte. Toch wist ik dat er nog iets anders aan de hand was.

Hans zat daar maar op de Kaap. Niks ten nadele van Dale,

of van hun prachtige huis, en niks ten nadele van de Kaap, of van Zuid-Afrika of hun zakelijke bezigheden, en zelfs mijn aan zelfhaat grenzende misantropie er buiten gelaten: Hans vond het volgens mij vooral fijn om Nederlands te spreken met een Nederlander. Hij was een beroepsemigrant – eerder had hij jarenlang in Zwitserland gewoond – met een zekere heimwee, althans een nostalgisch verlangen naar Nederlandsheid. Zoals je weet eet ik met mijn mond dicht en als ik spreek, spreek ik met twee woorden. Dat oud-Hollandse gedrag moet Hans hebben herkend uit zijn jeugd. Dat vond hij aangenaam, denk ik.

Hunter, ik zei het je al: deze reis maakte ik per trein.

Rovos Rail noemt zichzelf *The Most Luxurious Train in the World*. Nou, zeg ik dan, de Eastern & Oriental Express tussen Bangkok en Singapore is ook niet onaardig. Die nam ik vorig jaar, zoals je weet, en op het eerste gezicht leken er geen graduele verschillen te zijn tussen die twee grote treinen.

Beste of een-na-beste, het zou wel. We hadden vijftienhonderdvijfennegentig kilometer voor de boeg, en hoewel het een luxetrein was, was de reis toch gevaarlijk. Nog slechts een nacht eerder waren er elf wagons van Rovos in vlammen opgegaan op het eigen Rovosstation in Pretoria, het station waarnaar we op weg gingen.

'*Ons het vandag een klein treintjie*', vertelde Tiaan Visser, de treinmanager, me in welluidend Afrikaans, dat ik omdat hij langzaam en duidelijk sprak, voor de verandering verstond. 'We hebben maximaal tweeëntwintig rijtuigen, vandaag zijn het er maar dertien.' Dat had niks met die brand te maken, dat had met het aantal passagiers te maken. Er waren die dag, zag ik op de passagierslijst, eenenveertig passagiers. Natuurlijk was de wet van het grote geld van kracht: ze kwamen allemaal uit de Verenigde Staten, als ze althans niet uit Australië kwamen. Er waren verder twee Britse koppels, een alleenstaande Française, twee Zwitserse paren (onder wie 'Mr. R. & Mrs. Jude Walsh') en een stel uit Zuid-Afrika.

Hans en Dale hadden me in Dales Volkswagentje Polo naar het centraal station gereden, en na even zoeken vond ik het, voor het zogeheten normale publiek afgesloten, perron 23. Het was duister en ongezellig, dat perron 23, een beetje zoals 'perron 23' klinkt. Omdat ik wilde zien wie er aan boord zouden gaan, was ik vroeg gekomen. Mijn ervaring met de E&O leerde me dat het niet makkelijk was de medepassagiers te monsteren als men eenmaal aan boord was, dan werd het leggen van contacten niet als nieuwsgierige vriendelijkheid maar als ongewenste opdringerigheid gezien.

Daar kwamen de veertig passagiers. Eerst wat huwelijksreizigers: een aantrekkelijke, geblondeerde aanstelster met een lach van een B-actrice (het type waar ik vroeger op viel, zeg maar) en een sportgozer die zo onderdanig achter haar aanliep dat hij zich binnen een dag of wat zou gaan afvragen of hij wel de juiste keuze had gemaakt. Ze waren tegen de vijftig. Dan kwam er een jong stel dat zo duf was dat ze er onsmakelijk van werden, en een ander jong stel dat er zo saai uitzag dat – juist, ik weet het al niet meer.

Na de pasgetrouwden volgden twee soorten mensen. Oude mensen en dikke mensen, waarbij de ene soort de andere niet uitsloot. Volgens mij was jij het, of anders iemand anders, die tegen me zei dat rijke mensen oninteressant zijn. Dat is kletspraat. Rijke mensen zijn wel degelijk interessant, want ze zijn ergens rijk van geworden en dat is vrijwel altijd een verhaal. Toegegeven: ze zijn niet per definitie interessant. Later zou Mr. R. Walsh me antwoorden: 'Aandelen.'

Anderen waren hilarisch, zoals Alfred Kaminsky, die een soort uitvindkundig genie bleek, en de Amerikaanse politiek zo pragmatisch analyseerde dat Maarten van Rossem hem als sidekick zou moeten hebben, en die zo dik was dat hij niet van een stoel kon opstaan zonder eerst door zijn knieën te zakken. En er was personeel zoals de immens chagrijnige barman Gustav Wessels, met een tronie of-ie op een strafexpeditie was gestuurd.

De andere Zwitsers vormden een lesbisch stel, dat de rest van de mensheid zag zoals ze zichzelf percipieerden: achtergesteld. In de namiddag stoomden we door een township waar de geurige kookvuurtjes werden ontstoken, toen Madeleine Dubois tegen haar vriendin Isabella Benz opmerkte: 'Ze koken. Ik vind het zo zielig voor ze.' Kaminsky zei schouderophalend tegen mij: 'Ze koken elkaar tenminste niet.' Wat er zo zielig was aan dat koken werd ook mij niet helemaal duidelijk. Goed, het gebeurde buiten, en goed, echt lekker weer was het niet, en koken op paraffine was misschien niet geavanceerd. Toch was het makkelijk om me voor te stellen dat mensen slechter af zouden kunnen zijn dan de bewoners van het township. Van dat koken ging voor mij in ieder geval een zekere vrede, rust en huiselijkheid uit.

Het was een bont gezelschap, zogezegd. Natuurlijk waren de meeste mensen saai en de moeite van het beschrijven niet waard. Ze zeiden weinig tegen elkaar, ze spraken me niet spontaan aan, ze waren volwassen op een wijze die zo beschaafd was dat oogcontact simpelweg niet werd gemaakt.

Mijn coupémeisje stelde zich reeds op perron 23 aan me voor. Ze was prachtig en heette, ongelooflijk maar waar, Zodwa Sithole. Als ik ooit een roman schrijf, heeft de protagonist al een naam, zal ik maar zeggen. Daarbij deed ze me besluiten, mocht mijn aanstaande ooit een tweeling van gemixt geslacht baren, hen Odwa en Zodwa te noemen. Dat terzijde, Hunter.

We zouden drie dagen onderweg zijn, in een soort VOC-achtig tempo. Vijftienhonderdvijfennegentig kilometer mag best een eind zijn, wat deze trein daarmee deed was niet echt te omschrijven als 'er korte metten mee maken.' 's Nachts hield de Pride of Africa namelijk halt – opdat de passagiers niet door het schokkend smalspoor uit hun dure slaap zouden worden gehouden. Zeer nuttig, achtte ik, aangezien ik in de E&O doodsangsten had uitgestaan als de trein in het holst van de Aziatische nacht ratelde en schudde, kermde en gilde terwijl dat Maleisische smalspoor met zestig kilometer per uur werd bereden. En zo, met mij peinzend naar arme zwarten loerend van achter mijn beukenhouten bureautje, ving de reis over bonkend spoor aan.

Meteen na Esplanadestasie volgden open vuren en krotten – veel ergere krotten dan de townships waar ik in januari doorheen reed. Een betonfabriek, Leeuwkop, op de achtergrond de Tafelberg. Honderd wagons van Metrorail, ik dacht nog even aan Hans de Ridder en zijn Dale. Ysterplaatstasie. Zeecontainers. Silo. Krotten, speeltuin, autobussen. Ceders, bungalows, villa's, buitenwijken. De Tafelberg. Braakliggend terrein met betonresten – zou dat het oude District Six zijn geweest? Huisjes. Monte Vistastasie, een winkelcentrum. Tafelberg. De opmerking dat de berg de stad domineert zou wat loos zijn. Golfbaan. Voetbalvelden. Zodwa klopte aan om me de werking van mijn hut pardon suite uit te leggen. Ze ging erbij op bed zitten. Ze maakte een fles vonkelwijn (Villiera Tradition-brut, een 8) voor me open en zette die in een koeler op mijn bureau.

Kantoorgebouwen. Bellville. Een laatste topje Tafelberg. Wit schorriemorrie hield een braai op een industrieterrein. The Biltong Co. George's Fast Food (021) 7897890. Brackenfellstasie. Autosloop. Bruin paard, wit paard. Eikenfonteinstasie. Opa, oma en een baby – dat was het gezicht van aids, zoals ik had gelezen. Dat was een vreemde gewaarwording, want hetzelfde tafereel in Nederland zou eerder op tweeverdienende ouders hebben gewezen. Voetbalvelden. Een eenzame ceder. Bungalowtjes. Grote antenne. Moderne kerk. Kraaifonteinstasie. Kippen, honden, geit. Schutting met mansgaten. Afval, afval, afval. Uitgestrekte townships, meer townships, nog meer townships.

De trein wisselde van spoor. Wijngaarden. Koeien. Een weg met witte auto's – Zuid-Afrikanen rijden als het even kan in witte auto's, niet omdat het hip of koel is, maar omdat witte lak de goedkoopste variant is. Arbeiderswoninkjes van betonplaten. Struisvogels. Muldersvleistasie. Fazanten. Windmolen. Koe. Kalfjes. Kaaps-Hollandse *plaas* ('plaas' betekent boerderij, hetgeen ik deduceerde uit het woord 'plaasmoorden', dat ik een paar keer in *Die Burger* had gezien). Ezel in wijngaard. Hond. Koeien. Dansend meisje. Touwtjespringende kinderen. Klapmuts. Overdekte druivenstokken. Zon op heuvels. Goud. Wijngaarden. Boerderijen. Hoge bomen. Bord: Vilafonté.com. Stoomfluit.

We waren een klein uur onderweg. Ik zag veel wijngaarden. Een soort bamboebos. In gescheurde T-shirtjes spelende zwarte kindjes. Een baksteenfabriek. Wijngaarden. Woolworths. Paarlmall. Paarlstasie. Volle waslijnen achter Kaapse huisjes. KWV. Industrie, buitenwijken. Huguenotstasie. Dal Josafatstasie. Industrieterrein. Paarlvogelpark. Vies stinkend afval (ik had mijn raam openstaan, ondanks de waarschuwingen dat niet te doen: stelende handen zouden mijn deel zijn). Groen gras. Zon. Bergen. Sociale woningbouw. Township. Bijeenkomst. Nog een bijeenkomst. Een relletje? Meer township. Mbekweni. Fabriekjes. Loodsen. Zwarten speelden rugby, witten reden in een Citi. Huisjes. Sukkelaars. Akkers. Wijn. Gouda. Brandewijnfabriek. Landlucht. Afrika.

Lunchtijd werd aangekondigd door Zodwa Sithole, die

met een gong in haar handen de hele trein door klepelde. Ik trok mijn jasje aan, knoopte een das om en repte me naar de Victoriaanse restaurantwagon. Geloof het of geloof het niet, waar ik mijn vorige Kaapse reis beëindigde zonder een bobotie te hebben gegeten, vloog-ie dit keer als vanzelf mijn mond binnen. Glaasje rosé van het huis Asara erbij? Waarom niet? (Daarom niet, bleek even later: een 6,5.) Wat Rovos doet en de E&O niet deed, is gratis wijn serveren. Door de innerlijke beschaving van deze passagiers zette eigenlijk niemand het op een zuipen. Dat was nog niet zo makkelijk als het lijkt: de wijnkaart van Rovos bestond louter uit de topwijnen van de landerijen waar we doorheen reden. Om je te besparen dat ik je nu om de drie zinnen ga vertellen wie me welke wijn inschonk en waarom (omdat het kon, vooral), som ik ze meteen maar allemaal op. Alles boven de 8 is een reis naar Zuid-Afrika waard.

Ik dronk een glas of wat Simons-Vleivonkel (een 7), twee glazen Vergelegen-Sauvignon Blanc 2007 (die ik al kende, zoals je weet), een fles Krone Borealis Cuvee 2002 Tulbagh Estate-Brut (een 8), een glas Pecan Stream-Chenin Blanc 2007 (8+), een half glas Thelema-Cabernet Sauvignon 2004 (7+), ook een half glas Springfield Work of Time 2002 (meteen na de vorige, 8+), anderhalf glas Meerlust-Pinot Noir 2003 (9), een glaasje Simonsig-Kaapse Vonkel (7), twee glaasjes Thelema Sutherland-Rhine Riesling 2007 (niet helemaal mijn smaak, dat tweede glas dronk ik om dat te verifiëren), een glas Mulderbosch Steen op Hout 2007 (9), helaas maar één glas Hamilton Russell Chardonnay 2007 (10-), en ook helaas ook maar één glas Rust en Vrede Estate 2003 (9,5). Spreid dit assortiment uit over dik twee etmalen en je zult concluderen dat ik niet langer dan een half uur overdreven nuchter ben geweest.

Dronken werd ik evenmin, en al helemaal niet tijdens die

lunch van bobotie, gevolgd door koeksister. We deden niet aan tafelschikking, we mochten gaan zitten waar we wilden. Ik koos telkens een plekje aan het eind van de wagon, opdat ik zou kunnen zien wie wat waar hoe deed.

Odette Brown vroeg me, zich vasthoudend aan de ranke pilaartjes bij mijn tafeltje: 'Hebt u een speciale interesse voor graansilo's, of mag ik u vergezellen voor de lunch?' Dat was grappig (ik staarde naar een van die enorme silo's die zo kenmerkend zijn voor het veld, het platteland van Zuid-Afrika), en grappig bedoeld – zodat het me maar half voor de spreekster innam. Odette was de Française aan boord, ik had haar naam en nationaliteit op de passagierslijst zien staan en gehoopt dat ze jonger zou zijn. Ze was van een zekere leeftijd en had drie echtgenoten versleten.

Bobotie bleek een Kaaps-Maleise brij van lamsgehakt, knoflook, masalakerrie, koenjit, ketoembar, djinten, kruidnagelpoeder, groene pepers, zout, citroensap, sultanarozijnen, amandelen, munt, oregano, eieren en citroenblaadjes – een soort lasagne zonder bladeren en met een geheel andere smaak. Erbij kwam een kwak mangochutney. Het smaakte aardig, wat zoeter dan men wellicht zou denken.

Odette zei: 'Leuk, als iemand zo jong is als u bent, om zo zorgeloos te kunnen rondreizen.'

'Nou,' zei ik, 'echt jong ben ik niet. Ik ben veertig. En zorgeloos was ik nooit, zelfs niet toen ik wel jong was.'

'U ziet er echt helemaal niet uit als veertig.' Het kwartje viel bij me, ik zag hoe Odette die drie mannen het hof had gemaakt. 'Hoe oud denkt u dat ik ben?'

Drieëntachtig, had ik willen zeggen, maar ik zei iets ongeloofwaardigs: 'Achtenzestig misschien?'

'*Mais non,*' riep ze, 'de mensen zeggen het vaker, ik zie er heel goed uit voor mijn leeftijd. Ik ben drieëntachtig.' Ik zweeg. 'Wat zegt u daarop?'

'U ziet er echt helemaal niet uit als drieëntachtig.'

Ze wilde die leugen klaarblijkelijk graag geloven en zei: 'Bravo.' Ze was een ijdele nymfomane; een goed verhaal had ze wel. Ooit was de Zuid-Afrikaanse marine toe geweest aan nucleair aangedreven onderzeeboten. Die werden ingekocht in Frankrijk, dat daartoe de wereldboycot niet zo nauw nam (een gammele zekerheid in het leven: Frankrijk levert altijd wapens aan iedereen), maar daarmee waren de Zuid-Afrikanen niet helemaal uit de brand. Het marinepersoneel diende zogezegd nucleair-nautisch te worden geschoold. Wel, een van de marinetechneuten ontwaarde Odette in Toulon. 'Hij achtervolgde me helemaal tot in de Phildarwolwinkel waar ik werkte,' zei ze niet zonder trots, 'en van het een kwam het ander.' Bij die uitspraak had ze een blik in haar ogen die niet helemaal bij haar leeftijd paste.

Koeksister werd voor Odette geserveerd, we hadden afgesproken er eentje te delen – wilden we een glaasje KWV-brandy erbij? Odette niet, al wilde ze wel 'een slokje proeven'. Beide lekkernijen verdwenen vrijwel geheel in Odettes mond, ik proefde er alleen van.

Koeksister smaakt sprekend naar oliebol, al zit er kaneel en gember in. Dat is niet vreemd, het recept is gebaseerd op de oud-Hollandse oliebol. Je zult denken: zijn smaakpapillen zijn er in ieder geval niet achteruitgegaan. Echter, na mijn lunch met Odette liep ik wat door de trein. Ik maakte een praatje met de kok en die somde de ingrediënten op van de bobotie en van de koeksister. In de achterste, halfopen wagon, liep ik Alfred Kaminsky tegen het lijf. Althans, hij zat, op zijn eigen, ongelukkige wijze – alsof-ie was geïmplodeerd in een fauteuil. Zijn slimme oogjes glommen achter zijn montuurloze bril, zijn hand lag om een vol glas rode wijn. Met zijn andere hand gooide hij, hoewel hij zojuist nog etend was waargenomen, op een circusachtige manier haffels pinda's in zijn mond.

Kaminsky had voor de lunch de douche getest, vertelde hij. 'Ik heb nauwelijks schone kleren dus dan houd ik mezelf maar schoon.'

'Niet makkelijk om te douchen terwijl de trein rijdt', zei ik.

'Voor mij wel', zei hij. Hij hield zijn handen voor zijn buik, hij wees op zijn omvang. 'Ik sta gewoon klem tussen de wanden.' Dat leek geen grootspraak.

Zijn bagage was niet aangekomen op Tambo, het vliegveld bij Johannesburg, toen hij met zijn vrouw en het bevriende echtpaar met wie ze reisden vanuit Victoria Falls Town was gevlogen. Victoria Falls Town ligt in Zimbabwe. Kwamen daar ondanks het hysterische beleid van Robert Mugabe nog toeristen, vroeg ik.

'We waren de enigen in het hele hotel, The Victoria Falls Hotel', zei Kaminsky. 'De meeste mensen gaan tegenwoordig de Victoriawatervallen bekijken vanuit Livingstone, in Zambia. Daar is het uitzicht minder mooi, maar wellicht had ik mijn koffers nog gehad als wij dat ook hadden gedaan.' Was het wat, vroeg ik, die watervallen?

'De watervallen op zich wel, ze zijn fantastisch. Maar het hotel was vervallen geraakt. Dat kan ook niet anders, zonder gasten. Maar toch. Vervallen, geen menukaart meer, nauwelijks wijn. Ik ben er vroeger ook eens geweest. Man, dat was het mooiste hotel van heel Afrika, schitterend gewoonweg. En omdat het uitzicht natuurlijk hetzelfde is gebleven, zie je wat een regering kan verpesten voor een land. Wij zaten daar alleen, en dat was puur de schuld van de Mugabeclan.'

'Was er wel fruit bij het ontbijt?' vroeg ik, om in te kunnen schatten of de service van dat beroemde hotel ook een duikvlucht had genomen.

Kaminsky was me een gedachte voor: 'Nee. En niet omdat het management ook niks meer deed, maar omdat de Zimbabwaanse boeren amper nog iets verbouwen. Alles moet worden geïmporteerd en deviezen zijn er niet. En wat er wordt geproduceerd, wordt geëxporteerd. Want anders kan Mugabe geen honderden Mercedessen blijven kopen voor zijn handlangers.'

We rookten allebei een grote Cohibasigaar, dronken een glas, keken naar het smalspoor achter de trein. Gustav met zijn chagrijnige hoofd kwam vertellen dat we onze hoofden binnenboord dienden te houden, zodadelijk zouden we 'lange smalle tunnels' doorrijden. Een van die tunnels was achttien kilometer lang, het licht in de trein ging aan, wij paften onze Cubanen.

Aan de andere kant van de tunnels zagen we de bergen waar we doorheen waren gekomen, en de Hexriviervallei. Ik had in Franschhoek al eens wijn uit die streek gedronken en zelfs dat, mijn enige aanknopingspunt met deze pas, moest ik nazoeken in mijn donkerblauwe opschrijfboekje. Ik wist voor mijn vertrek niet veel van Zuid-Afrika – niets wist ik, ik schreef het je al – en van Hex had ik helemaal nog nooit gehoord, ik had het niet op een kaart gezien, het was me totaal vreemd. Dat kwam van pas.

Het dal, de gaarden en de pas waren van een schoonheid waaraan zelfs een geboren Kapenaar zich zou hebben vergaapt. Amper valt te zeggen wat er dan zo betoverend was: het was groen en geel en rood, het is vruchtbaar, de ranken staan zo regelmatig symmetrisch dat er vast en zeker Duitsers aan te pas zijn gekomen, alles bloeide en groeide, de boerderijen waren oud en zagen eruit als nieuw: in het gouden strijklicht van de valavond was dit misschien wel het mooiste landschap dat ik ooit zag, met die donkere bergjes op de achtergrond. Het was werkelijk ontroerend dat iets zo mooi kon zijn. Alles wat ik erbij dacht, voegde er niets aan toe: dat ik ver van huis was, dat ik in een land met grote problemen was, dat ik zodadelijk vijf kilometer moest gaan wandelen. Het was zo mooi als het was, een tableau van heilzame, zingende herfstkleuren, en daar kon niks meer bij. Verrukt nam ik een slok wijn, waarop Kaminsky zei: 'Niet onaardig, helemaal niet onaardig.' Wat ik wilde zeggen: het kon alleen zo mooi en verbluffend zijn omdat ik er niks van wist, er niet op was voorbereid geweest, omdat het me overviel.

Een eindje voor Matjiesfontein stopte de trein in het midden van niets. Vanaf hier mochten 'de sportievelingen onder de passagiers', zoals het programma het omschreef, de vijf resterende kilometer naar Matjiesfontein lopen.

Met de Australiërs Will en Savannah Allison en de Zwitsers-getrouwde Jude Walsh – de vrouw van Mr. R. – wandelde ik naar het oordje. Het pad was stoffig en liep langs de spoorlijn. Bijna bij het dorp troffen we wat bedelaartjes rond een hek. Hun handen staken ze – palm naar boven – uit, aandringen deden ze niet. Geen van allen leken ze genoeg op Odwa Pani om mijn kleren ter plekke uit te trekken en aan hen te geven.

Matjiesfontein was een soort mix tussen Kinderdijk en Zaanse Schans, alles was er gericht op toerisme. Normale mensen leken er amper te wonen. Zijn faam had het plaatsje te danken aan een treinbeambte met tuberculose, die de droogte van de halfwoestijn Karoo prima was bevallen. Omdat hij er toch zat, ik heb het over 1884, begon hij na een tijdje een stationnetje en dat station bleek in het verdere verloop van de Zuid-Afrikaanse geschiedenis strategisch te liggen. Gedurende de Boerenoorlog van 1899 tot 1902 (in Zuid-Afrika de Tweede Anglo-Boerenoorlog of de Zuid-Afrikaanse Oorlog geheten) groeide het uit tot een enorme legerplaats.

Nu stond het te boek als een bewaard gebleven, 'echt Victoriaans stadje'. Er reed een dubbeldekker rond. Er was een

Post Office, een hotel waar het scheen te spoken, een Shellpompstation met pompen die ouder leken dan de verbrandingsmotor. Er was een pub, een koffiehuis, een cricketveld. Het was Engelser dan prins Charles.

Savannah en Bill liepen rechtdoor, Jude en ik namen een laantje binnendoor. Ik merkte dat Jude op de kruising twijfelde. Zij was Zuid-Afrikaans en blanke Zuid-Afrikanen waren niet echt van het slag dat graag weggetjes binnendoor nam. Ik deed dat in Zuid-Afrika ook niet aan de lopende band, maar in Matjiesfontein leek alles pluis. Er was niemand in zicht, alles was keurig, wij waren hier de norm. Ik moest Jude zo ongeveer meetrekken het laantje in, om honderd meter verderop vast te stellen dat er in dat laantje niks te beleven viel. Toch beviel het me wel: weg van de groep, Jude weg van Mr. R., Jude en ik samen aan de wandel. Het voelde, belachelijk genoeg, goed om even samen met een knappe vrouw een met eiken afgezet laantje in te lopen. Maar niks is niks, en Jude zuchtte van opluchting toen ik voorstelde om terug te gaan.

We stuitten op een automuseumachtig iets. 'Wil je erin?' vroeg ik haar – dat leek me onwaarschijnlijk. Ze knikte instemmend. Dat was ook leuk aan Jude: ze was rustig en ze bleef rustig – ik had haar in de trein zien eten met Mr. R. Ze sprak nauwelijks een woord. Ook in het uurtje dat we hadden gewandeld, had ze vooral gezwegen, en haar eigen stilte uitsluitend onderbroken om mij een paar vragen te stellen. Verder liep ze daar, fit, blond, vief, op een heel normale manier. Ze leek me zo ongeveer de ideale vrouw. Die gedachte kreeg ik achter het dunne, bakelieten stuur van een Bentley uit mijn geboortejaar. Wat ik in die auto deed, Hunter, was duidelijk. Ik probeerde een modderfiguur te slaan.

Het museum was een zootje, het was geen collectie en als het een collectie was, was het een collectie zonder achterliggend idee. Jude struinde er rond tussen een stuk of dertig oude Britse auto's (MG's, Rovers, Mini's, Vauxhalls), en ze zei: 'Mijn zoon zou dit fantastisch vinden.' Ik vond het vooral stoffig en vaag. Het was waarschijnlijk voor Zuid-Afrikaanse begrippen best interessant, zoals ik in Amsterdam zou staan te kijken van een bananenrokjesmuseumpje. Ik stapte uit de Bentley toen ik bedacht dat Jude het leuk zou vinden een foto van zichzelf te hebben voor haar zoon. 'Ja, wil je dat doen?' vroeg ze. Ik nam foto's van Jude met een aantal van die oer-Britse auto's, die in dit droge klimaat zelfs na dertig, veertig en vijftig jaar nog geen roestplekje hadden. Het was enigszins intiem, en dat de niet-witte schoonmaakmevrouw die ons tafereel gadesloeg erbij gniffelde, versterkte die intimiteit.

Via een ander straatje passeerden we ineens een rijtje gekleurde zustertjes van, klaarblijkelijk, een belendend rusthuis (er was dus toch leven in Matjiesfontein, al was dat leven op sterven na dood). Jude zei: 'Maleiers. Echte. Die zie je niet vaak meer.'

Ik had alleen ouderwetse zustertjes zien zitten. Zo was Zuid-Afrika: als je even vergat dat hier alles om ras draaide, was er altijd wel iemand als de kippen bij om je eraan te herinneren waar je was. Ik merk in mijn brieven aan jou dat ik al geneigd ben iedereen bij ras te noemen, zoals men altijd zal vertellen of iemand een vrouw of een man is. Dat is niet omdat ik ineens racist ben geworden, dat is omdat het hier van onontkoombaar belang is welke kleur men heeft. In dit land waar blanken de democratie zo lang hebben tegengehouden, waar een zwarte partij alles te vertellen heeft, waar Chinezen zwarten zijn en waar iedereen iedereen verdenkt van discriminatie, zou het belachelijk zijn aan huidskleur voorbij te gaan. Huidskleur is wat in de eerste plaats telt. De apartheid is voorbij, het belang van kleur is toegenomen.

De Maleise besjes knikten vriendelijk naar ons. Jude en ik liepen naar Will Allison en zijn vrouw Savannah, die we bij de Shellpomp zagen staan dralen. 'Koffie?' vroeg ik, en ja, iedereen wilde koffie.

Will en Savannah waren relaxt op z'n Australisch, maar dan zonder dat irritante *mate*-geroep. Ze waren wellevend en beschaafd, geïnteresseerd en bescheiden. Hij vroeg me of ik wist wat Matjiesfontein betekende: het klonk hem Afrikaans en ik zou dat, als Nederlander, toch wel kunnen vertalen. Nou, ik haalde mijn wenkbrauwen op, 'tjie' duidt op een verkleinvorm, houden we 'mat' over, dat zou maat kunnen zijn. 'Mate', knikte Will. En fontein, dat zou – 'dat snap ik,' zei hij, 'ik dacht al zoiets.' Ik heb het gisteren hier in Pretoria eens nagezocht; ik kwam niet verder dan het weinig plausibele en in elk geval onbegrijpelijke 'bron van kleine matten'.

In het schattig ouderwetse, houten koffieshopje dat The Coffee House heette en achter de Shellpomp stond, dronken we een kopje filterkoffie. Zodwa Sithole verscheen plots, wilde ze misschien ook een koffie? Zodwa lachte: 'Nee, ik kom alleen even kijken of u het goed naar uw zin hebt.' Dat hadden we best, waar Zodwa's visite waarschijnlijk om draaide was of niemand van ons per ongeluk zou achterblijven. Glimlachend bezag ze ons. Wat was ze zwart, hier tussen ons witten en de Maleise bediening. De reden dat het me opviel, dit keer, was dat ik nog amper ergens wit, zwart en bruin volstrekt vrijwillig bij elkaar had gezien. Hier vanzelfsprekend ook niet. Wij betaalden, zij kregen betaald.

Matjiesfontein diende als een prima metafoor voor de hele treinreis, leek me: er was genoeg te zien, het werd me allemaal voorgeschoteld zonder dat ik er iets voor hoefde te doen, maar iets te beleven viel er niet.

De avond viel. Er was buiten niks te zien aangezien het donker was, en donker in de Karoo betekende compleet en heel erg donker. Ik dronk een glas vonkelwijn en staarde vanaf mijn bed in de donkerte.

De gong weerklonk in de nauwe gangen van de trein: etenstijd.

Odette zag ik wegduiken, ik at vanavond alleen. Aan de tafel naast me kwamen Jude en Mr. R., Robert, zitten. Boven het geratel, gebonk en gekras van de trein uit trachtten we zo geciviliseerd mogelijk een gesprek te voeren.

Ze woonden in Ballito, een uur boven Durban, in de staat KwaZoeloe-Natal. 'Altijd lekker weer', zei Jude, en Robert keek op zijn bord. Hij pakte een flesje tabasco, dat had ik hem tijdens de lunch ook zien doen. Dit was een echte man, zoveel was zeker: ieder soort voedsel besprenkelde hij met tabasco, hij dronk alleen voorname rode wijnen, hij had een Zwitsers paspoort, een aantrekkelijke blonde vrouw en een huis in KwaZoeloe-Natal. Dat huis deden Jude en Robert bescheiden voorkomen, althans, ze benadrukten dat het in een vakantiehuisjespark stond.

Wat hij deed voor de kost, vertelde ik je al: 'Aandelen.' Hunter, ik gok dat onze gezamenlijke appartementen een keer of tien in hun vakantiehuisje passen – weeg daarbij mee dat ze de treinreis als een weekeindje weg beschouwden. Ze waren van Durban naar Kaapstad gevlogen en namen van Pretoria meteen de middagvlucht terug naar huis. Judes kinderen waren bij hun vader, vandaar.

We aten struisvogelcarpaccio, wortel-gembersoep en springbokmedaillons in pruimensaus. Het was hetzelfde soort voedsel dat Kaapstadse restaurants op de kaart hadden staan. Best lekker voor wie de verdenking van toeristenkost kon vermijden.

Ik kon het niet laten en vroeg Richard of het niet leuk zou zijn als ik later in het jaar eens in Ballito langs zou komen.

Dat werd niet als een oneerbaar voorstel gezien, aangezien hij me de volgende dag een stukje papier met zijn e-mailadres in handen drukte. 'Voor die kop koffie.'

We zullen zien.

Alfred Kaminsky pafte na het eten een sigaar in de rokerslounge. Ik was 's middags al groen aangelopen, dat hinderde hem niets. '*My cigar buddy*,' riep hij, meer tegen zijn gezelschap dan tegen mij, 'we laten brandy en koffie komen en jij rookt er ook een.' Dat leverde me een plaats op tussen de beeldschone, hysterische B-actrice en haar kersverse, suffe echtgenoot. Gezien hun New Yorkse afkomst moet het hun een gruwel zijn geweest in de sigarenrook te zitten, en zo keken ze ook. Al lachte de hysterica haar hysterische lach nog tot diep in de nacht.

Het is dinsdag, dus dit moet Kimberley zijn – dat was de houding van de meeste passagiers. Het had wel wat van een cruiseboot, deze trein, sterker: het was een cruiseboot, maar dan op het spoor. Maar die houding bleek deze middag (na een lunch die bestond uit paddestoelensoep en een chocoladetruffel) niet die van Kaminsky te zijn, noch van de B-actrice, en ook niet van een hele hoop andere passagiers. Want we naderden Kimberleystasie.

In Kimberley draaide onze stop om alles behalve om het Victoriaanse station. Kimberley, het zal je niet zijn ontgaan, is de hoofdplaats van Zuid-Afrika's diamantwinning. Of was dat geweest. Kaminsky: 'Hadden ze in plaats van mijn kleren mijn creditcard maar gestolen.' De grappen van de vrouwen waren niet van de lucht (Kaminsky's heel dikke vrouw zei: 'Ik ben een grote meid, dus ik moet een grote steen hebben'); de echtgenoten keken stuurs en betastten hun binnen- en achterzakken: hedenmiddag werden er zaken gedaan. Niet alleen zouden we de Big Hole bezoeken, een groot gat midden in het stadje Kimberley waar zo veel van 's werelds diamanten uit waren gekomen, ook waren daar diamantwinkels. Mij zei dit alles niets. Dacht ik.

Tot ik dat gat zag.

Ik keek erin als een aap in een roestig horloge. Wat een groot gat was dat. Zeg. Goeiendag.

Het gat meet 463 meter diagonaal bij 240 meter diepte en er hangt een soort platform boven waarop de gids zijn praatje hield voor onze groep. Het platform sidderde in de wind, dat was vrij spannend. Zoals dat gaat met gidsen, praatte deze man honderduit, flauwiteiten inbegrepen. Hij was geheel gekleed in kaki en droeg een safarihoed.

Uit het gat was in 33 jaar tijd 2722 kilo diamant gedolven, dat is 114,5 miljoen karaat als ik het goed uitreken. In 1914 was het gat leeg, en werd de mijnbouw stilgelegd. Onderin stond nu water, hetgeen van het platform waarop we stonden een duizelingwekkende duikplank maakte. Kimberley was de hoofdplaats geweest van De Beers, het diamantbedrijf dat Cecil John Rhodes (een aan Oxford gestudeerde vrijmetselaar die in Kaapstad woonde en met zijn eigen trein dat hele eind forensde naar Kimberley, die minister-president van de Kaap werd, en die Rhodesië – Zambia en Zimbabwe – koloniseerde, dat naar hem werd genoemd), die Rhodes dus, richtte De Beers op nadat hij in zee was gegaan met zijn concurrent Barney Barnato.

Wat ik me altijd had afgevraagd en wat onze gids 'een goede vraag' noemde (hoera), was hoe De Beers aan de naam De Beers was gekomen – zou dat bedrijf logischerwijs niet Rhodes hebben moeten heten?

Dat zat zo: de Afrikaner broers Johan en Diederik de Beer

woonden op een grote boerderij die boven op de latere mijn stond; ze werden door de gehaaste Rhodes voor een appel en een ei uitgekocht nadat hij hen eerst tot eigenaars had uitgeroepen. Het waren vast en zeker wilde tijden, dacht ik, die jaren tachtig van de negentiende eeuw, want echt begrijpen deed ik dat verhaal niet.

Het begon te miezeren, echte, oud-Hollandse motregen. Ik droeg alleen een overhemd, dus ineens leek die hoed van de gids zo gek nog niet. Ik rilde, om in beweging te blijven raapte ik een stukje kimberliet op. Flinters zijn het slechts, stukje voor stukje, kleiner dan kiezel. Elk stukje kimberliet dat men daar ziet liggen, is op de aanwezigheid van diamant nagekeken. Van het stukje kimberliet dat ik had opgeraapt, zo groot als de nagel van mijn pink en even plat, keek ik terug in dat gat. Zo was dat gegaan: delven, klein maken, nazien op diamant. Goeiendag, wat een werk.

'Van alle soorten mijnbouw, en van alle soorten industrie, was diamantwinning het milieuvriendelijkst, het meest ecologisch', zei de gids, en met een wijds gebaar wees hij naar dat krankzinnig grote, door mensen gegraven gat achter hem.

'Wel,' zei Kaminsky, 'ik vind het er niet echt heel ecologisch uitzien.'

Eén moment drong niet tot me door wat hij eigenlijk zei. Toen schoot ik in de lach: stoïcijns, en door louter nuchter om zich heen te kijken had die bolle Kaminsky dat praatje van de gids vermorzeld.

Er bestaat competitie – zoals overal over – over welk het grootste door mensen gegraven gat ter wereld is: dat, of het gat in Cullinan. Maar groot was dit gat. Ik was er flink van onder de indruk.

Het was tijd om diamanten te kopen. De stelletjes vertrokken naar de ontvangsthal, waar naast prentbriefkaarten,

T-shirts en de andere gebruikelijke parafernalia diamanten werden verkocht. 'Wat u ook betaalt,' zei de gids ten afscheid, 'elders zou u meer betalen.' Dat klonk mij amper logisch, omdat dit gat dus al bijna een eeuw uitgeput was. Ik leek de enige die er aanstoot aan nam. Zelfs de Kaminsky's repten zich met hun dikke lichamen naar de hal.

Ik hing wat om bij het gat, wierp er nog een blik in – het was nog niet volgeregend – en liep door het nepmijnwerkersdorpje dat naast het gat was gebouwd. Daar kon men zien wat voor winkeltjes, woninkjes en horeca-uitspanninkjes de delvers hadden gekend. Het was net iets minder interessant dan het Sprookjesbos in de Efteling.

Terug in de trein werd niet gesproken over de aankopen. Dat vond ik jammer, ik had een en ander wel willen bezichtigen. Mijn medepassagiers waren dan rijk, ze waren discreet rijk. Onder andere rijken hoefde je kennelijk niks te etaleren – en wat als de buuv' nou net een grotere zou hebben gekocht?

We reden langs een meer met flamingo's. Het waren er tussen de drieëntwintig- en dertigduizend, heel veel, ontzagwekkend veel, ontzagwekkend roze ook en ik kan het je van harte aanbevelen, maar het spijt me: mijn animo was na het gat wat getaand. Je weet dat ik een man ben van één impuls per dag.

Voor die dag was het genoeg geweest en toen ik de prachtige, gezellige restaurantwagon binnenwandelde, zat ik dus helemaal niet te wachten op een corsage. Toen ik zag dat Kaminsky de bloem niet opspelde, liet ik dat ook. Tijdens blini's met zalm, mango-pompoensoep, gegrilde Kaapse kreeftenstaarten en 'Kaapse camembert' passeerden we Bloemhof, Leeudoringstad en Klerksdorp.

De volgende ochtend, bij Johannesburg, gebeurde er iets interessants. Ik zat veilig in mijn coupé toen Zodwa Sithole aanklopte. 'Uw hoofd is buiten de trein gezien', zei ze. Dat klopte, ik stak het steeds uit het raam. Het is prettiger om vooruit te kunnen kijken dan om alles in een flits voorbij te zien komen. 'Daarom heb ik dit voor u.' Zodwa trok een veiligheidsbril uit haar rieten mand.

Met die bril op mocht ik mijn hoofd weer uit het raam steken. De veiligheid in de trein was me tot dat moment niet overbodig voorgekomen, terwijl ik besefte dat er rond de trein op dat vlak heel wat gebeurde. Dat de trein 's nachts stopte om de nachtrust van de gefortuneerde hoofden niet in gevaar te brengen, impliceerde dat er wekelijks een trein vol rijkaards urenlang midden in de Karoo of net buiten Soweto werd geparkeerd. Op veiligheidskundig gebied leek me dat een kampioensprestatie. Ik informeerde er terloops naar bij dat stuk verdriet van een Gustav. Die reageerde daarop met een zo gespeelde nonchalance dat ik moest aannemen dat er of helemaal geen beveiliging was, of dat er een groot geheim mee was gemoeid.

Hunter, ik droeg die bril dus niet. We reden langzamer, door de agglomeratie die Gauteng vormt – Gauteng is de kleinste maar rijkste provincie van het land, waarin plaatsen als Vanderbijlpark en Vereeniging liggen. Jij zult het kennen omdat Pretoria en Johannesburg er liggen.

Ik zag brand, ik rook gore lucht. Daarna rook ik de geur van brandende paraffine. Er brandde oranje straatverlichting zo ver mijn ogen reikten – in de ochtend. Wat ik had aangezien voor bewolking, bleek smog. Die klaarde op, en ik kon zo ver zien dat ik dacht in een vliegtuig te worden verplaatst. Angusstasie. Daarna volgde weer industrie, steeds zwaardere industrie, tot de luchtvervuiling pijn aan mijn ogen begon te doen. Ik sloot het raam.

Barman Gustav serveerde in de observatiewagon rooibosthee, Simonsvlei-vonkelwijn en aan Kaminsky een glas rode wijn. Bij Unionstasie lachte Gustav zelfs. Waarom? Om de lucht te klaren? Er hing zwarte rook bij Elsburgstasie. Vette smog. Hekken, muren. Prikkeldraad met scheermesjes. Presidentstasie.

Op Germistonstasie hielden we een poosje halt. Voor mij onverstaanbaar werd er op dat station iets omgeroepen, maar honderden wachtende zwarten verstonden het prima. Ze sprongen het spoor op, in zekere zin heel ordentelijk, sprongen het tegenoverliggende perron op, en wachtten vervolgens kalm op een binnenkachelende trein. We reden weg, we maakten vaart.

Knightsstasie.

Daarna zag ik een container midden in een weiland en een hippe kerk. We passeerden Ravensklip en Elandsfonteinstasie. De luchtvervuiling was bijna tastbaar. Het was nog ochtend en neerslag was niet voorspeld, maar het leek te schemeren met dreigende buien. Antennes. ICT's. Isando-Emperors Palace. Een opstijgend vliegtuig van South African Airlines. Ik douchte om fris aan te komen, en om nog een keer die evenwichtsoefening te doen.

Bij Olifantsfontein: brand. Weggetje. Bouwrijpe grond. Bomen. Gek gras. Halfaf huis. Boom. Nog een boom. Glooiingen. Chemisch afval in een riviertje. Bomen. Paarden. De zon brak door de smog heen. Cementfabriek. Spoorwissel. Manege. Riviertje. Drie kerken. Irenestasie.

Zodwa kwam aan de deur, of ik mijn koffer had ingepakt zodat zij die weg mocht dragen. Ik gaf haar mijn kasjmieren sjaal. Op Centurionstasie wisselde de trein de elektrische locomotief voor een stoomlocomotief, de Anthea. Dat duurde even. Ik stapte uit en rookte een sigaret. Op dat laatste stukje van de reis zou de trein vijfenzeventig kilo kolen en driehonderd liter water per kilometer gebruiken, vertelde een van de machinisten.

We reden door Pretoria naar onze eindhalte, Station Capital Park. Er stonden alleen maar Rovostreinstellen – waaronder de elf uitgebrande.

Er volgde gerangeer en geparadeer, en een afscheidskopje rooibosthee in het stationsgebouw. Dat gebouw, veeleer een villa, was heel chic: het zag eruit als de lounge van een vijfsterrenhotel, er waren douches, serveersters in zwart-wit en canapés.

Zo kwam ik aan in Pretoria, de hoofdstad van Zuid-Afrika. Al had ik er nog geen straat van gezien, was ik nog nergens geweest en had ik er nog niet geslapen, ik voelde me er meteen op mijn gemak. In de trein had ik mezelf onthecht gevoeld. De groep was een groep en ik stond erbuiten. Ik bedoel: zij waren steenrijk en met vakantie, ik was hooguit bourgeois en in ieder geval aan het werk.

Om een uur of twee arriveerde een Bulgaarse taxichauffeur, die door Liza Borstlap was gestuurd om me op te pikken. Hij bracht me naar Charles Street in Brooklyn, de hele rit scheldend en vloekend op de Bulgaarse maffia ('Jullie Europeanen hebben de kanker in huis gehaald, dan moet je het zelf maar weten', en 'Ze zullen achter je aankomen, je geld afpakken en je economie naar de kloten helpen', en 'Bulgarije is het einde van de EU'). Dat was dat, ik ging hier een paar dagen blijven om de hoofdstad te verkennen, jou te schrijven, en dan ga ik verder.

En de volgende ochtend werd me hier een geweldige, blauwe BMW 330i gebracht.

Ik had die BMW geleend van BMW South Africa. Een mens moet zich toch kunnen verplaatsen. Of dat per se moest in een nagelnieuwe, knalblauwe en van alle gemakken voorziene BMW?

Jazeker, Hunter, zeg ik op die vraag.

Want deze auto is geheel en al gebouwd in Zuid-Afrika. BMW heeft al tijdenlang een fabriek in het land, en zelfs in de wetenschap dat jij behoort tot de preciezen in autoland, kan ik je geruststellen. De fabriek heette ooit Praetor Monteerders, en daar werd eind jaren zestig de enig echte, volledig Zuid-Afrikaanse auto ooit gemaakt: de BMW 1800 SA. Dat model werd verder alleen in Brazilië verkocht, en liep niet echt flitsend. BMW kocht de fabriek in 1973 en ziezo: Zuid-Afrikaanser dan deze BMW wordt een auto niet.

De rekkelijken zouden de Volkswagen Citi waarin ik in januari toerde misschien ook een Zuid-Afrikaanse auto noemen. Ik niet. Dat is gewoon een oude Golf die in Port Elizabeth in elkaar wordt geflanst. BMW als bedrijf is veel Zuid-Afrikaanser dan Volkswagen, Mercedes (dat een fabriek heeft in Oos-Londen) of Toyota (dat in Johannesburg zit). Ik ga nog bij de hoofdarts van BMW op bezoek; daarover later meer.

In die flitsende, van zes versnellingen voorziene BMW reed ik de volgende dag, drijvend in de ochtendspits, naar de Union Buildings. Dat Uniegebou (in het Afrikaans) ligt boven op een heuvel (Meintjieskop) die zichtbaar maakt dat Pretoria in een halfopen dal ligt.

Voor de deur was een toeristenmarkt in opbouw. Twintig of dertig kraampjes werden neergezet waar klaarblijkelijk later op de dag de toeristenbussen zouden stoppen. Er werden dezelfde langwerpige, houten negerhoofden, dikke, stenen nijlpaarden, olifantspoten en harige sleutelhangers verkocht als die ik op de toeristenmarkt in centraal Kaapstad had gezien. Het had de schijn van handwerk, bijna kunst, van authenticiteit en een zweem van stroperij. Toen ik er later iemand naar vroeg, zei hij: 'Het is allemaal import uit Mozambique. Onze zwarten zijn veel te lui om dat soort spul te maken. En als ze niet te lui zijn, kunnen ze het niet.' De enige snuisterij die lokaal werd gemaakt, vertelde hij me, waren de ijzerdraadvlechtseltjes vol kleine, glazen kraaltjes die op leeuwen en zebra's leken. 'Da's toch iets', zei ik.

'Ja, maar dat kun jij ook. Het is zonder tang zelfs makkelijker dan met.' De spreker, overigens, was een zwarte.

De parkachtige tuin voor het Uniegebou loopt af, richting de kom van het dal, naar de stad. Het Uniegebou heeft twee vleugels, die zich voor de nabije beschouwer oneindig uitstrekken. Het is een groot, imposant geheel, verboden voor publiek. Veel meer dan dat de prille Unie van Zuid-Afrika ze door Sir Herbert Baker liet ontwerpen, ze voor het astronomische bedrag van 1.660.640 Britse ponden liet bouwen en dat ze in 1994 wereldberoemd werden omdat Mandela er werd geïnaugureerd, kan ik er niet over vertellen, behalve dan dat die labbekakkerige president Mbeki met zijn regering erin zetelde.

De BMW en ik reden door naar het Voortrekkermonument, dat net als het Afrikaanse Taalmonument (en zoals de Union Buildings) boven op een heuvel ligt. Dit monument bleek net zo moeilijk te vinden als het Taalmonument in Paarl. Zoek je kortom een monument in Zuid-Afrika, kijk dan eerst boven op heuvels. Ik reed me ongans, ik maakte vier U-bochten en werd toen door een parkeerneger gesommeerd de BMW niet in de schaduw maar in de felle zon te parkeren. Die knakker kon zijn 2 rand wel schudden.

De entree van het monument bedroeg 45 rand, hetgeen voor Zuid-Afrikaanse begrippen bespottelijk duur was (dat waren ook twee bioscoopkaartjes, of vijf liter benzine, of drie pakjes sigaretten, of zeven pilsjes in een bar, om maar eens wat eerste levensbehoeften te noemen). Het was elke cent waard.

Het Voortrekkermonument is een granieten monoliet van veertig meter hoog, veertig meter breed en veertig meter diep. Gerard Moerdijk ontwierp het (in de jaren dertig van de twintigste eeuw), al beweren kwade tongen dat-ie eerst nogal goed heeft gekeken naar de Völkerschlachtdenkmal in Leipzig (zo hij dat niet gewoon heeft overgetrokken).

Het werd zo ontworpen dat op 16 december – de dag van de Slag bij Bloedrivier – om twaalf uur de zon een plaat in een crypte verlicht die het opschrift ONS VIR JOU SUID-AFRIKA draagt. Het was wel bijna twaalf uur, maar het was eind april. Toch zag ik die tekst, en het was, net als de leuze bij het Taalmonument (DIT IS ONS ERNS) kippenvelwekkend.

Het waren mannen als Louis Trichardt, Hendrik Potgieter, Sarel Cilliers, Pieter Uys, Gerrit Maritz, Piet Retief en Andries Pretorius die de Voortrekkers vormden, samen met hun gezinnen, families, vrienden, en de nodige *fellow travellers*. Al met al waren het, las ik op een inscriptie, zo'n twaalfduizend 'Franco-Nederduitse pioniers' geweest. Een fries die aan de binnenkant van het gebouw de hele omtrek omspant, beeldt hun grote trek uit. Een strip, zo je kunnen zeggen, maar dan van een meter hoog, op ooghoogte, dik honderd meter lang. Het was moeilijk om er niet van onder de indruk te raken.

Wie iets van Zuid-Afrika wil begrijpen, dient de geschiedenis van de Voortrekkers te kennen; zo eenvoudig is het. Wie die geschiedenis niet kent, kan Zuid-Afrika niet duiden en zal altijd blijven denken dat Mandela een verbannen popster was.

Hunter, let op: toen de Engelsen in het begin van de negentiende eeuw besloten dat de Kaap eigenlijk best iets voor hen was, besloot een groep boeren dat ze dat niet over hun kant wilden laten gaan. Ze gaven hun verzet ter plekke op en sloegen op de vlucht: ze besloten 'm te smeren. Ze trokken dieper het land in, naar Oranjerivier (waar de tegenwoordige Vrijstaat ligt) en in de richting van het huidige Durban, in het huidige KwaZoeloe-Natal (toen Natalia).

Deze Boeren kregen vanzelfsprekend mot met de lokale inlanders, waarvan de in 1838 uitgevochten, en door de Boeren gewonnen Slag bij Bloedrivier de bekendste exponent is. De Voortrekkers begonnen de Oranje Vrij Staat en de Zuid-Afrikaansche Republiek (beter bekend als Transvaal).

De Engelsen hielden zich eventjes koest. Het duurde echter nog geen halve eeuw of ze wilden ook de rest van Zuid-Afrika inpikken. Hier werd goud gevonden, daar diamanten, kolen lagen voor het oprapen, en aan die achterlijke Boeren zouden ze zich weinig gelegen laten liggen. Dat was buiten de Boer gerekend. De Eerste Boerenoorlog, van 1880 tot en met 1881, eindigde in een soort gelijkspel, waarin de Boeren het betere van het spel hadden gehad. Dat leidde tot Boerenoorlog nummer twee – de beroemde, van 1899 tot en met 1902. Hoewel de Boeren het toen ook niet slecht deden, verloren ze (uitdoelpunten telden dubbel), en in de Vrede van Vereeniging werd Zuid-Afrika niet Boers maar Brits.

De Britten hadden er 200 miljoen pond aan uitgegeven, ze hadden Boerenvrouwen en Boerenkinderen in concentratiekampen gestopt, en ze hadden als oorlogsverslaggever Winston Churchill tot hun beschikking gehad (die door de Boeren gevangen werd genomen, ontsnapte en daarover een spectaculair en heroïsch verhaal schreef). In 1902 waren de Britten de baas in Zuid-Afrika. Voor ze iets anders deden, begonnen ze met het bedenken van apartheid. Kortom, nadat ik je in januari al kon mededelen dat apartheid geen Nederlands woord is, kan ik je nu ook vertellen dat apartheid geen Nederlandse uitvinding is.

De arme negers waren er mooi klaar mee.

Ik hing een best tijdje rond in de monoliet van de Voortrekkers. Buiten was het warm aan het worden, binnen was het koel. De geschiedenis van de Voortrekkers interesseerde me, hun Grote Trek werd door die fries van meer dan honderd meter mooi geïllustreerd, ik kreeg zin om een souvenirtje te kopen. Zo liep het af. Ik kocht een prentbriefkaart.

De BMW was even ander werk dan die Citi waarin ik eerder reed; ik zoefde ermee over de wegen van Pretoria. Pretoria, dat recent werd omgedoopt in Tshwane, trouwens. Die naamsverandering vond iedereen die ik sprak zo intens belachelijk en verachtelijk dat niemand de nieuwe naam gebruikte. Ik zag hem alleen een keer op een plattegrond staan. En in de krant *Pretoria News*, die als slogan voerde: *The paper for the people of Tshwane*. Tshwane, en dat is inderdaad wel opvallend, betekent in een of andere inheemse stamtaal 'kleine aap'. Nou jij weer.

Bij Liza Borstlap in De Oude Huis waren die middag nieuwe gasten gearriveerd. Ik maakte kennis met hen op de patio, waar ik een glas bier dronk. Het betrof een net gepensioneerde mijnwerker die aan zijn hersens moest worden geopereerd, en zijn vrouw.

De afgelopen dag sprak ik uren met hen. Hij werkte bij Sasol, dat Zuid-Afrikaanse oliebedrijf dat van steenkool benzine kan maken en wat niet al. Zoals dat bleek te gaan, was ons gesprek na een paar minuten op blank en zwart gekomen, en het kwam daar nooit echt van los. Hij was altijd voorman geweest in een Sasolmijn, en had zodoende de leiding over twintig zwarten gehad. 'Harde werkers,' zei hij, 'altijd geweest. Goeie kerels.'

Dat moest een opmaat naar iets ellendigs zijn – zo ging het tenslotte steeds hier. Eerst dekte men zich in, men was echt geen racist, om dan alsnog een etnische litanie te starten. Ik vroeg het hem: 'Maar?'

Deze man zei: 'Ze durven geen verantwoordelijkheid te nemen.'

'Want?'

'Dat zijn ze niet gewend geweest in onze geschiedenis. Je kunt het ze niet kwalijk nemen. Ze mochten geen voorman, chef of baas worden. De blanken hebben dat eruit geslagen. Als je generaties lang ingepeperd krijgt dat je nooit vooruit kunt komen in de wereld, verdwijnt de ambitie. Genetisch, bijna. Dat zie ik: blanken nemen altijd de leiding, zwarten wachten af. Mettertijd zal dat wel veranderen. Het enige wat we nodig hebben om de zaken recht te trekken is tijd.'

Hij sprak als een grootvader – wat hij ook was. Wat ik bedoel: hij had het ouderlijke idee achter zich gelaten dat men met harde hand zijn kinderen diende groot te brengen. Hij had gezien dat zijn kinderen hun leven zelf tot een succes konden maken, en zodoende vertrouwde hij zijn kleinkinderen. Op precies die manier sprak hij over de zwarte Zuid-Afrikanen. Toch was dat niet paternalistisch of racistisch, hij stelde het voor eigen rekening vast en hij liet er niet subiet op volgen dat Zuid-Afrika door het ANC regelrecht het ravijn in werd gemanoeuvreerd – zoals de meeste mensen zeiden.

Zul je geloven dat ik die avond televisie keek? Ik lag op bed, ik dronk een glas Meerendal-Cabernet Sauvignon 2005 uit Durbanville: 'Gekweek, gemaak en gebottel op Meerendal Landgoed' (nog wat jong, een 6,5), en ik keek – ondanks mijn fysieke weerzin tegen dat apparaat – tien hele minuten televisie. Dat kwam dus wel alleen maar omdat de uitzending tot me kwam vanuit Gaborone, Botswana. Daar, aan de rand van de Kalahariwoestijn, voorspelde een neger in een spencer live dat de volgende dag een zonnige dag zou zijn, althans in Gaborone. Die spencer maakte het authentiek. In de woestijn is het na de nachtval heel koud, zeggen ze.

Meteen na het weerbericht, primetime om stipt half tien, zond Botswana TV een documentaire over kikkers uit.

Op het Kerkplein in hartje Pretoria staat een standbeeld van Paul Kruger, eerst Boerenleider van Pruisische komaf, daarna president van de Zuid-Afrikaansche Republiek alias Transvaal: oom Paul. Eromheen liepen slobberige kantoorklerken en kittige secretaresses, er slenterden studentachtigen en er hingen zwervers om, en niemand leek zich veel aan te trekken van een ander. Noch van het beeld, waarop een halve meute zwarten zich te goed deed aan Hansapils – ze lurkten ladderzat uit literflessen onder het toeziend oog van oom Paul.

Aan de randen van het Kerkplein waren koffietentjes, het lokale VVV zat er, en er werden, zoals steeds in de stadscentra, mobiele telefoons verkocht vanuit gammele winkeltjes. Ik parkeerde de BMW op het plein, midden op een groot geel niet-parkerenkruis, gaf een *parkeerjoggie* 5 rand, en liep de Pretoriusstraat in.

Vroeg in de ochtend had ik de mijnwerker en zijn vrouw een lift gegeven naar het Little Company of Maryziekenhuis waar zijn hersens moesten worden geopereerd. Of hij zenuwachtig was? Nou nee. 'De apparatuur is toch altijd stuk, dus de kans dat er vandaag daadwerkelijk iets gaat gebeuren, is klein.'

Rondom het Kerkplein waren winkels van bekende Zuid-Afrikaanse ketens gegroepeerd, wat een zeldzaamheid was. Deze ketens zag ik doorgaans alleen in de overdekte winkelcentra, die een uitje leken voor Zuid-Afrikanen. Soms zag ik er vrouwen lopen zoals men ze in Nederland niet eens op premières ziet. Korte rokken, hoge hakken, rode lippen. En knap dat ze waren, Hunter, pf.

Waar was ik? Juist. Zo veel van die winkels bijeen in normale winkelstraten, dat had ik nog niet gezien. Gaandeweg was ik de winkels gaan herkennen: Jet, Mr Price, Markham, Game, Ackermans, American Swiss, Pick n Pay, Exact!, Bradlows, Truworths, Edgars, Foschini, CNA, Sheet Street. Het waren de Zuid-Afrikaanse tegenhangers van C&A, Vroom & Dreesmann, Halfords, Blokker, WE, et cetera. Het waren winkels die wezen op de aanwezigheid van een middenklasse. In Zuid-Afrika woonde de middenklasse naar mijn beste weten in de beveiligde buitenwijken, was dat in Pretoria anders? Het had er alle schijn van, en meegenomen was dat ik er op mijn dooie akkertje rond kon wandelen. Het was er, eerlijk waar, net Tilburg. Godsamme, was ik daarvoor naar Zuid-Afrika gekomen?

Bij een Spar kocht ik een flesje water en een zakje biltong. De zwarte meneer die de vakken bijvulde, zag me zoeken naar mineraalwater zonder smaak: 'Kan ik u helpen, *my lordship*?' Je zou willen dat het ironie was. Ik was in ieder geval meteen terug in Zuid-Afrika.

In het duidelijk door Britten aangelegde Burgers Park zaten negers met hun printers op de bankjes. Ze printten foto's. Het was Melrose House dat me door dat park lokte; het huis waar de Vrede van Vereeniging was getekend. Melrose House bleek een voornaam Victoriaans huis dat er door allerhande gekke uitbouwen nu uitzag als een idee van Lodewijk

'Neuschwanstein' de Tweede van Beieren op lsd. Binnen kon men er een blik werpen op een typisch Victoriaans interieur. Toen ik na een minuut of drie à vier dacht alles wel te hebben gezien, kwam de vriendelijke ontvangstmevrouw vanachter haar kassa en nam me bij de hand: 'U gaat toch niet weg? Boven zijn nog meer kamers. Erg interessant.' Zucht.

In mijn eigen wijkje Brooklyn was, naast het overdekte winkelcentrum, een rijtje restaurants dat vooral uit enorme veranda's bestond. Hoewel men er uitkeek over de drukke, doorgaande Middelstraat, zag het er niet echt ongezellig uit; het was er in ieder geval gezelliger dan in de malls. Ik parkeerde er op een plek die me door een parkeerwachter werd aangewezen, al was er op het asfalt NO PARKING AT ANY GIVEN TIME geschilderd, hing er een ketting, haalde hij een pylon weg en stond er een bordje met een sleepwagen erop. 'Weet u het zeker?' vroeg ik aan de oude, zwarte man. 'Mag ik hier echt staan?'

'Geen probleem, *baba*.'

Begrijp jij het, begrijp ik het.

Aan de ober in garnalenrestaurant Crawdaddy's vroeg ik wat ik zo'n parkeerfiguur eigenlijk werd geacht te geven. In Paarl en omstreken had ik de parkeerwachters steeds wat losse muntjes gegeven. Deze man, die een ketting voor me had geopend en een pylon opzij gezet, zou wellicht wat meer verwachten? '2 rand,' zei de ober, 'of niets. Net wat u wilt.' 2 rand, Hunter, dat was een eurocent of 18, 19.

'Ook als ik er uren sta?'

'Natuurlijk.'

Al was het eerlijk (we waren witten onder elkaar, de man buiten was zwart), ik vond het een onvriendelijk advies. Toch knoopte ik een praatje aan met deze ober – hij leek me een student met gevoel voor humor. Dat was hij niet; zijn lach bleek een onderdanige, naar fooien smachtende geste. Wel kreeg ik stuk krant van hem (waarschijnlijk om van mijn geleuter af te zijn). Die krant maakte mijn avond.

In *Business Day* las ik een verslag van de oefenwedstrijd van Bafana Bafana tegen Swaziland. Om je een idee te geven van de kracht van deze elftallen: Bafana Bafana stond drieënzeventigste op de FIFA-wereldranglijst, ver onder Macedonië en Cyprus, ongeveer gelijk met Suriname. Swaziland, die subenclave annex seksdictatuur, stond honderdachtenveertigste: precies tussen Antigua en Barbados. Dit leek me het niveau waarop men over middellijn struikelde en de verkeerde kant op holde. Het was nog veel erger, schreef de verslaggever op beeldende wijze, het was zo saai geweest als gras zien groeien. Per ongeluk wonnen de Zuid-Afrikanen met 1-0, door een windvlaag die de bal in het doel van de slaperige Swazidoelman blies.

Kleurrijk was de selectie van Bafana Bafana zeker geweest. Een paar namen noem ik, dan ken je ze alvast voor het WK van 2010. In het doel hebben we Itumeleng Khune van de Johannesburgse Kaizer Chiefs, of Rowen Fernandez van Arminia Bielefeld. Achter: Bevan Fransman (Moroka Swallows), Tsepo Masilela (Maccabi Haifa), Innocent Mdledle (Orlando Pirates) en Siboniso Gaxa (SuperSport United). Middenveld: Steven Pienaar (Everton) MacBeth Sibaya (Rubin Kazan), Surprise Moriri (Mamelodi Sundowns) en mijn favoriet: Siphiwe Tshabalala van de Kaizer Chiefs. In de aanval: de dikke Benedict Saul McCarthy (Blackburn Rovers), Feyenoords eigen Kermit Erasmus en natuurlijk Excellent Walaza van de Orlando Pirates.

Roald Dahl had het niet kunnen verzinnen.

Mijn coupé in de Rovostrein had Cullinan geheten. Die naam had me attent gemaakt op de Cullinanmijn. Daarom reed ik op mijn laatste Pretoriaanse ochtend naar het plaatsje Cullinan, een uurtje gaans.

In de mijn ter plekke is de beroemde Cullinandiamant, de Star of Africa, à 3.106 karaat in 1905 gevonden. Na te zijn gekloofd en geslepen door Joseph Asscher in Amsterdam, werd het grootste stuk van de diamant in de Britse kroon gezet.

In Cullinan zit ook een gat in de grond. Isaac Schutte, beheerder van het toeristenbureautje, zei dat het gat van Cullinan 'de hok' werd genoemd en vier keer zo groot is als dat van Kimberley. Dat maakte me benieuwd, maar niet zo benieuwd dat ik drie uur op de volgende rondleiding wilde wachten. 'In vergelijking met ons gat is Kimberleys gat niet meer dan een *pothole*', schamperde hij – dat was het praatje van een gids. Schutte was van Duitse herkomst, vertelde hij. 'Het klinkt nogal Nederlands, Schutte', zei ik. Ondertussen speelde ik met de glazen replica van de Star of Africa, zo groot als mijn vuist.

'Eigenlijk was het Schütte', zei Schutte.

'Wat is Cullinan netjes,' zei ik, 'je zou bijna zeggen dat er nog steeds diamant uit de grond komt. Ik bedoel: dat er veel geld is. Het lijkt een welvarend dorp.' Soms heeft men uit gêne veel woorden nodig om zich eufemistisch uit te drukken, niet om iets vast te stellen, maar om het te vragen – en dat maakt de situatie nog gênanter. Ik wilde gewoon tegen Schutte zeggen dat Cullinan superrijk was, heel on-Zuid-Afrikaans (al was het in Zuid-Afrika).

'Er wordt nog altijd een miljoen karaat per jaar uit de mijn gehaald,' zei hij, 'waarvan 20 procent wordt gebruikt voor sieraden. In Kimberley hebben ze al jaren niks meer.' Aha. Juist. Mijn schroom bleek belachelijk.

En daar wrong de schoen. Kimberley was de attractie waar iedere toerist in Zuid-Afrika al dan niet vrijwillig belandde, in Cullinan kwam bijna niemand. De weg erheen was een anderhalfbaans bergweggetje geweest, rustiek en romantisch. In Kimberley stopten de grote, luxe passagierstreinen, er liep een snelweg langs, er werd op grote schaal aan marketing gedaan. Al in Kaapstad had ik foldertjes zien staan voor een bezoek aan The Big Hole.

Cullinan? Voor mij was het een coupé in een trein. Het was Liza Borstlap geweest die had gezegd: 'Dat is een aardig uitstapje voor een paar uurtjes.'

'Maar netjes is het,' zei ik. 'Gebeurt er hier weleens wat?' Lekkere vraag, ik was goed bezig.

'Vanavond', zei Schutte, 'hebben we een protestbijeenkomst. Tegen de gemeente. Er is steeds minder dienstverlening, steeds meer corruptie.'

'Zoals overal in Zuid-Afrika?'

'Het trieste is dat wij inderdaad een vrij rijke en hechte gemeente zijn, en dat het hier ook zo snel afbrokkelt.' Zo diep als Schutte het deed, hoort men niet iedere dag iemand zuchten. Hij zei het niet, maar hij bedoelde het wel. De afschaffing van de apartheid had de gemeenschap van Cullinan niets gebracht.

Op de weg terug naar Brooklyn belandde ik nog voor Mamelodi in een file op de Zambeziweg, een provinciale weg van een kilometer of dertig die aan weerszijden was bebouwd met kleine industrie, winkelcentra, bouw- en tuincentra en vooral veel automobielhandelaren.

Een half uur lang stond ik vast, ik zag een bord waarop hamburgers werden aangeprezen ('Wimpy Zambezi') en een neger verkleed als kip – hij maakte reclame voor een kiprestaurant. Autowassers renden vanuit pompstations de file in, en boden aan ruiten te lappen of velgen te poetsen.

Ik kocht een krant. Dat is een van die diensten die dit land geweldig maakt: bij elke grote kruising kun je van venters de nuttigste zaken kopen – telefoonladers, voetbalvlaggen, schoenveters, deurmatten, kranten. Mannendingen.

Ik kocht een Afrikaanstalige *Beeld* en daar kreeg ik geen spijt van.

President Thabo Mbeki had een belletje gewaagd naar de seksdictator-*next-door*, koning Mswati III. Of Swaziland er niks voor voelde om ook iets met het WK 2010 te doen?

Daar had de absolute monarch Mswati wel oren naar. President Mbeki bood hem aan om een van de deelnemende landenploegen te huisvesten, dat zou toch mooie publiciteit voor het toerisme naar Swaziland zijn, nietwaar?

Inderdaad, vond Mswati III (die 13 vrouwen en 24 kinderen heeft en zelf als 67ste kind van zijn vader ter wereld kwam), inderdaad ja. Mswati had zelfs een aardig stadion in de aanbieding, nu hij erover nadacht, in de oude hoofdstad Lobamba (5600 inwoners). Hij had pas kunstgras in dat 20.000 plaatsen tellende Somholostadion laten leggen, dus dat was goed. Over kunstgras had president Mbeki geen mening, wel toverde het Zuid-Afrikaanse staatshoofd een paar konijnen uit zijn hoed.

Of Mswati dan meteen even de snelweg naar de nieuwe hoofdstad Mbabane aan de Swazikant van de grens door kon trekken? Dat was zo slordig nu, zo'n weg die ineens ophoudt na de slagboom. En, nu we elkaar toch spreken, zou je dan je grensposten niet altijd dicht willen gooien als de zon ondergaat? Dat vindt de FIFA vast niet lachen.

Mswati III ging er eens goed over nadenken (de grondwet hoeft hij er in ieder geval niet op na te slaan, die heeft Swaziland niet).

Ik durf niet te hopen dat God bestaat, ergo dat de FIFA, president Mbeki en koning Mswati III er uitkomen, dat Nederland zich plaatst, en dat jij in 2010 de handtekening van

Klaas-Jan Huntelaar krijgt in Lobamba, maar fijn zou het wel zijn.

Waarom vertel ik je dit hele verhaal? Ter illustratie. Herinner je je dat verhaal uit januari van Gerard Siegers? Hij vond het een schande dat Eskom, de Zuid-Afrikaanse elektriciteitsmaatschappij, van president Mbeki's regering stroom moest blijven leveren aan Zimbabwe – Mugabe betaalde nooit een cent. En Zuid-Afrika zelf kwam inmiddels stroom te kort.

Maar dat zijn de variabelen waarmee de president van Zuid-Afrika moet werken. Met Europese oren en ogen is het makkelijk oordelen – waarom valt-ie Zimbabwe niet binnen, waarom levert-ie goedkope elektriciteit aan Mozambique en Botswana, waarom haalt-ie Mswati niet van diens troon? Daarom. Zuid-Afrika heeft de macht in de regio – alle macht, er komt geen land in zuidelijk Afrika in de buurt van de wetenschappelijke, economische en minerale rijkdom, van de slagkracht van het leger en van de efficiënte infrastructuur die Zuid-Afrika heeft.

Het land wenst zich echter even zorgzaam als behoedzaam, rustig en als een grote broer te gedragen. Dit is de erfenis van de apartheid: toen waren die landen aardig voor het ANC, nu is de quasi-eenpartijstaat aardig terug. Van president Mbeki wordt telkens geschreven en gezegd dat hij niks doet, dat hij geen daadkracht heeft. Dit bericht bewees me dat hij wel degelijk manoeuvreert, en heel diplomatiek bovendien.

Bovendien heeft president Mbeki binnenlands ook het een en ander aan zijn hoofd.

Dat las ik allemaal (het was eigenlijk maar een kort bericht) op de patio bij de Borstlapjes, gisterenmiddag.

Over die patio gesproken. Je zult je wel afvragen: hoe liep het af met de gepensioneerde mijnwerker? Die had gelijk gekregen. Ik praatte uitgebreid met hem de afgelopen dagen. Het apparaat dat zijn hersens diende te scannen, lag in duigen. Het kapotte onderdeel moest vanuit een Siemensfabriek in – men maakt wat mee – Saoedi-Arabië worden ingevlogen. Dat kon een paar dagen duren. De mijnwerker en zijn vrouw berustten, ze waren als Afrikaners gewend om geduld op te brengen.

De mijnwerker mocht vanwege zijn toestand niet autorijden en zijn vrouw had geen rijbewijs. Hun huis was in Secunda. Dat stadje bestaat omdat Sasol er een raffinaderij heeft, en is bekend vanwege een schoorsteen van driehonderdeen meter hoog en vanwege twee ANC-aanslagen in de jaren tachtig. Je steekt er wat van op, van dat slapen in bed & breakfasts. Secunda ligt vanuit Pretoria gezien halverwege de route naar Swaziland, niet echt om de hoek van het Little Company of Maryziekenhuis. Maar hoe het zou aflopen met zijn hersens, zijn scan en zijn operatie, dat zal ik wel nooit te weten komen.

Misschien bereikt deze briefje pas over een tijdje. Vanmiddag probeerde ik een brievenbus te vinden om die prentbriefkaart van het Voortrekkermonument aan mijn nichtje te posten. Dat mislukte, hier tussen Muckleneuk en de Ethiopische ambassade.

Ik vroeg een enorme-hondenuitlatende vrouw waar ik er een zou kunnen vinden. De brievenbussen waren de laatste jaren een voor een verdwenen, zei ze. Ik trok mijn wenkbrauwen op om een verklaring te krijgen. Ze begreep die frons anders en zei: ‘Dit is Afrika, weet u. *T.I.A., This is Africa.*’

Dat weet ik. Steeds beter.

Hunter, in de hoop onderweg een brievenbus te vinden, rijd ik morgen naar Johannesburg. Als alle verhalen over die stad waar zijn, is dit dus het laatste wat je ooit van me hoort. Als alle verhalen overdreven zijn, schrijf ik je volgende maand weer.

Tabee, mijn vriend,

hou je taai,

Dylan

Brief vanuit een burgeroorlog

Potchefstroom, mei 2008

Beste Hunter,

Dat was me het maandje wel. Niet alleen reed ik bijna vierduizend kilometer en zag ik hoe mooi, verzorgd en eerstewereld dit land is, de Zuid-Afrikanen hebben tegelijkertijd niets nagelaten om me te laten zien hoe gewelddadig, onrechtvaardig en derdewereld hun land evenzeer is.

Ik weet dat je nergens zo nieuwsgierig naar bent als naar de toestand in Johannesburg. Is het een op goud gebouwde, glimmende metropool vol rijke zwarten, of is het een op goud gebouwd, duister en onbegaanbaar getto? Ik ben er geweest, ik ga je erover vertellen.

Laat ik verdergaan waar ik was gebleven: onderweg van Brooklyn, Pretoria naar Westcliff, Johannesburg.

Ik stopte bij een soort industrieterrein annex winkelcentrum, Halfway House. Het zag er allemaal uit als een decor uit *Mad Max*: breed, groot, grauwwit, met dat keiharde licht dat je hier vooral hebt als er wat vale bewolking hangt. Als het zonnig is, is de lucht blauw, als het op de Witwatersrand bewolkt is, ontstaat er een reflectie tussen aarde en lucht die het licht een nare hardheid geeft. Ik droeg een zonnebril, hoewel het nauwelijks zonnig was, en achter mijn bril kneep ik mijn ogen toe.

Ik had een brief te posten, ik wilde wat postzegels kopen, een krant misschien. Het Boulderswinkelcentrum bevreemdde me nogal, op deze plek. Buiten waren uitdeukers gevestigd, meubelzaken, pompstations, dat lompe werk. Binnen liepen heel veel heel knappe vrouwen rond, op stilettohakken, en allemaal gekleurd. Het leek een modellenwedstrijd. In Pretoria was het in de winkelcentra van hetzelfde laken een pak geweest. Was dat typisch voor Gauteng?

De jury zat vandaag kennelijk verscholen tussen de tomaten, want deze schoonheden verzamelden zich op de groenteafdeling van supermarkt Pick n Pay: ik zag er meer aantrekkelijke vrouwen dan er op een zomerse dag op de terrassen van Amsterdam zitten.

Ik kocht mijn kranten en ging op zoek naar het postkantoor, dat zich in het halfduister van de door tl-buizen verlichte kelderverdieping bevond. Ongezellig was het wel – aan de andere kant, buiten was het weinig beter, en een stuk heter.

De rij wachtenden was – zoals overal ter wereld in postkantoren – goed lang en er zat maar weinig schot in – de mensen verzonden aangetekende brieven, stortten geld, deden de Heer mag weten wat. Toen ik aan de beurt was, bleek het kopen van tien internationale postzegels nog niet zo makkelijk. Welk type postzegels, vroeg de vrouwelijke klerk, en verdween daarna naar achteren, om pas minuten later en met lege handen terug te keren. 'Die hebben we niet.'

Ik herinnerde me iets: 'Het zijn die postzegels met de wilde dieren erop, de Big Five.' Ze verdween opnieuw.

'Hoeveel wilt u ervan?'

'Tien.'

Weer verdween ze, om dit keer terug te komen met de verlangde waren.

De weg vinden naar Johannesburg was het probleem niet, en de weg vinden in Johannesburg evenmin – ik beschikte over een BMW-navigatiesysteem dat me feilloos, dwars door die metropool, naar Westcliff voerde. Kaapstad en Pretoria waren relatief kleine, overzichtelijke steden geweest. Deze stad van goud, Egoli in het Afrikaans, was het echte werk, een grote stad, en bovendien was de stad naar Europese maatstaven niet af (naar Afrikaanse, en zelfs naar Zuid-Afrikaanse wel: wat Europeanen beschouwen als slordigheid, zien Afrikanen als een luxe).

De stad was jong, pas anderhalve eeuw oud, en gebouwd omdat er goud op de Witwatersrand was gevonden. Ik zag de glinsterende hopen mijnafval tussen Soweto en de binnenstad liggen. Dat was pas industrieel erfgoed. Goud had Johannesburg in een mum van tijd de rijkste stad van Afrika gemaakt, en die status bezat de stad nog altijd. Het goud was op, maar het talent, de werklust en de nijverheid van de kinderen van de gelukzoekers die zich hierheen hadden gehaast, hadden Johannesburg tot een voornaam en robuust handelscentrum gemaakt.

Johannesburg beschikt over een soort ringweg, maar dan een die niet zo heet, die nergens als zodanig is aangegeven, en die meermaals van nummer wisselt. Het leek me niet direct een lolletje om dat met een kaart in mijn rechterhand, schakelend met links en sturend met mijn knie op te lossen. Druk was het ook; een geëmancipeerde, stadse drukte die door je wimpers kijkend alle schijn van Europa had. Men moest letten op de bakkies om te kunnen zeggen waar men zich bevond.

Johannesburg heeft een echte stadse binnenstad met hoogbouw en halve wolkenkrabbers – en zelfs één hele. Maar veel grote bedrijven hebben de binnenstad verlaten vanwege de gewelddadige criminaliteit. Ik reed om het blok heen van het ooit chique en beroemde Carlton Hotel. Dat had zeshonderd kamers gehad en precies een kwart eeuw dienst gedaan toen het in 1997 sloot omdat meer gasten beroofd en halfdood dan vrolijk en levend de lobby betraden. Nu staat het leeg en is het niets meer dan een betonnen kolos met de herinnering aan hoe het had kunnen zijn.

In het naastgelegen Carlton Centre – die ene wolkenkrabber, met vijftig verdiepingen het hoogste gebouw van het continent – zit een bankfiliaal, een beveiligingsbedrijf en de spoorwegdirectie. Op de begane grond zat een supermarkt. Om het Carltonblok heen was het de eendere meuk als ik in het centrum van Pretoria zag: telefoonwinkeltjes, kledingzaakjes, ongeregelde stalletjes, vrouwen met een paar tomaten, kerels die karretjes duwden en slonziger kerels die met afval sleepten. Iedereen was neger.

Bierbrouwer SAB is de binnenstad van Johannesburg wel trouw gebleven, en tegenover het bierhoofdkwartier had de Namibische concurrent Windhoek een huizenhoog spandoek opgehangen waarop een beslagen flesje Windhoek stond afgebeeld, begeleid door de tekst: *How do you like this?*

Even verderop stond het kantoor van diamantgigant De Beers: een uit de kluiten gewassen gebouw in de vorm van een diamant, blinkend als een spiegel. Maar de grootbanken en de middenbedrijven zijn gevlucht naar de noordelijke buitenwijk Sandton – wat lokaal wordt uitgesproken als *suntan*. De resterende bedrijven in het stadscentrum zijn beveiligd op een wijze die zowel angstaanjagend als imponerend is. Hekken, nog eens hekken, honden, bewakers, prikkeldraad, wegafzettingen, blokkades, honderden surveillerende beveiligingsautootjes, politiewagens, een sluipschutterachtig type op een dak, slagbomen, huilende sirenes, zwaailichten: ik wist niet wat ik zag. Met kippenvel op mijn armen mompelde ik tegen de voorruit van de BMW: 'Ik ben elders.'

Tegenwoordig is The Westcliff het chicste hotel van Johannesburg. Het is een Escherachtige opeenstapeling van tientallen roze, tegen een steile heuvelwand liggende huisjes en appartementen die over de Witwatersrand uitkijken, de uitgestrekte bergkam waarop Johannesburg ligt, en over de stad zelf, die enigszins in een kom ligt. Ik sliep er twee nachten.

'Je moet terugkomen in de zomer,' zei Louise Oakley, die me welkom heette namens het hotel, 'dan kijken we vanaf dit terras uit over een paarse stad.' Er stonden overal jacarandabomen, en overigens had ook Pretoria tachtigduizend jacaranda's gehad. Die hadden evenmin gebloeid, vandaar dat ik ze ook daar had gemist.

Terúgkomen naar Johannesburg? Dat viel te bezien. Ik diende eerst dit bezoek maar eens te overleven – ik was zo gewaarschuwd als een mens kon zijn, ik had de binnenstad zo-even terloops bekeken, en in mijn hoofd spookten de waarschuwingen, de nieuwsberichten, de dreiging. Nou zeg ik met Friedrich Nietzsche dat het 'de grootste deugd is om geen angst te hebben', maar ik had weinig zin in een kogel in mijn kont.

Eerst deze dagen levend doorkomen, dan kon ik altijd nog besluiten of Johannesburg mijn pakkie-an was.

Johannesburg stelde voor die verloederde binnenstad 2328 parken in de plaats. Als je me een maand geleden had gevraagd waar Johannesburg er 2328 van heeft, dan had ik geantwoord: roofovervallen per dag? Ik stelde de lieftallige Louise Oakley meteen die vraag. Ze keek verbaasd op. Ze dacht, dat was duidelijk, dat ik het verzon. De koekoek, met mijn 2328 parken.

Zoals je weet, Hunter, ben ik op mijn best als underdog, dus nadat ik dat onderwerp had laten varen, praatten we over mijn plannen. Louise Oakley bleek een ontzagwekkende kennis van haar vaderland te bezitten (haar moederland was Zuid-Afrika niet, dat was Egypte, ze was een waar transcontinentaal kind). Ze raadde me mensen aan om mee te praten, onder wie haar zussen op de Kaap, ze vertelde me over plaatsen waar ik heen zou moeten gaan, ze wilde me voorstellen aan vrijgezelle vriendinnen – wat niet al. Het was een tamelijk geëngageerde bijeenkomst.

In Zoo Lake, een van die 2328 parken, en misschien het veiligste, vertelde Oakley met graagte te zwemmen tijdens haar lunchpauze; ik at er op haar instigatie die avond in het restaurant op de oever. Het heette Moyo, het was even pan-Afrikaans als Louise Oakley zelf. Er waren spijzen uit de Soedan, Biafra, de Sahel, Rwanda, Zimbabwe en hé, ook nog iets Zuid-Afrikaans: de wijn. Het eten viel me niet mee, al was de vrouw die voor het eten aan tafel mijn handen waste wel een nouveauté voor me.

Ik vroeg aan Louise Oakley, op het terras boven de stad, om een lijstje voor me te maken van haar favoriete Zuid-Afrikaanse gerechten. Culinair geïnteresseerd en eloquent, leek ze me de persoon die me verder zou kunnen wijzen dan biltong, droëwors en boerewors.

Ha! Dat kon ze – ze lachte haar innemende, aantrekkelijke lach en zette zich aan de arbeid. Ik dronk van mijn Iona Sauvignon Blanc 2007 van Elgin, een prijswinnende en door Louise Oakley uitgezochte wijn, en staarde over de stad. Eigenaardig, de stilte hierboven, wetende dat beneden de gevaarlijkste stad van Afrika lag. Gek, ook, dat deze leuke vrouw met haar tong tussen haar lippen zo haar best deed me te voorzien van advies. Johannesburg leek me nog niet meteen die keiharde, nietsontziende en dodelijke metropool die me door kranten en tijdschriften was voorgespiegeld. Ik nam nog een slok. Tien minuten later was Louise Oakleys lijstje klaar.

- Samosa, ofwel, in het Afrikaans, *driehoekiekerriekoekie*, een soort loempia van Kaaps-Maleise afkomst
- *Rusk*, een zoete beschuit, te dopen in koffie
- *Naartjie*, ofwel de Zuid-Afrikaanse mandarijn (die nogal los in de schil zit vergeleken met de Europese mandarijn)
- Vijgencompote met sterk smakende kazen
- Smoorsnoek, een op Kaaps-Maleise wijze gestoofde, zoetzure snoek, met abrikozenjam

Geen struisvogel, geen springbok, geen koedoe? Nee, verklaarde Oakley, dat at men wel, maar *ag* – dat was toch meer iets voor toeristen. Daarbij, en dat nam me enorm voor haar in, waren die vleessoorten 'bijna vetvrij. En dus moeilijk klaar te maken, en vaak zonder veel smaak'. Een vrouw die van vet houdt: een vrouw om van te houden.

Welke vijf wijnen diende ik bij haar vijf lievelingsgerechten te drinken? Louise Oakley had dit keer maar drie minuten nodig: 'Ik houd namelijk erg van wijn.' Onder me zag ik, in de dierentuin, olifanten scharrelen. 'Een echtpaar', zei Louise Oakley. 'Leuk hè?'

- Van Springfield: de Whole Berry Cabernet Sauvignon, de Special Cuvee Sauvignon Blanc en de Life from Stone Sauvignon Blanc
- Van Neil Ellis en van Groote Post: de Sauvignon Blancs
- Van Nitida en van Rijk's: de Semillons
- Van Le Riche: de Cabernet Sauvignon
- Van Raka: Quinary

Dat waren er geen vijf, zei ik, dat waren er negen. 'Ik kon niet kiezen', zei Oakley, voluit lachend. Haar gulzigheid begon sensuele trekjes aan te nemen. Wilde ze nog een glaasje Iona? Ze moest eigenlijk gaan werken, maar *ag*, één glaasje zou geen kwaad kunnen.

Haar wijnlijst was wel even van een ander niveau dan waarop ik tot nog toe had geopereerd – ik had, ook in de Rovostrein, de grote, bekende namen gedronken. Zuid-Afrikaanse wijnen waren op dat niveau enorm effectief, met heldere, duidelijke, grote smaken. Subtiel waren ze zelden, smaakvol altijd. Louise Oakleys lijstje was duidelijk van een ander plan.

In de namiddag verroerde ik me nauwelijks. Louise Oakley had me kamer 102 gegeven, een loei van een suite met een lel van een balkon, en me van een gezonde stapel kranten voorzien. Ik las *The Sowetan* – met als onderkop *The Soul Truth*, een tabloid die een eclectische mix van verantwoord zwart nieuws en ordinaire moord en doodslag bracht.

Op een van de staatstelevisiezenders zong de nieuwe ANC-leider Jacob Zuma, staand voor een gerechtsgebouw, zijn lijflied. In het Zoeloe heet het *Umshini wami*. Hij zou het hebben gezongen toen hij zijn verkrachting pleegde. Ik zocht het even later na op een computer; in het Engels gaat dat liedje zo:

My machine my machine gun
Please bring my machine gun
My machine gun my machine gun
Please bring my machine gun
My machine gun my machine gun
Please bring my machine gun
Please bring my machine gun
You're pulling me back
My machine gun, please bring my machine gun

Ik zag het Mandela nog niet zo snel zingen, maar *soit*, uiteindelijk krijgt ieder volk de leider die het verdient. Ergens hoeft men zich ook niet af te vragen hoe de toekomst van Zuid-Afrika eruitziet, in de wetenschap dat het volk in zwijm valt als deze vrijgesproken verkrachter en vermeende dief zo'n lied zingt.

Zoals altijd zul je de kranten te uit en te na hebben gelezen, dus als ik je vertel over de eenenzestig doden die deze maand zouden vallen tijdens xenofobe aanvallen op immigranten, zul jij je niet verbazen. Die doden hadden mij – als ik zo verder redeneer – evenmin hoeven verbazen. Het was triest maar het is waar: een volk dat juicht als Jacob Zuma oproept tot geweld, is een volk dat zal vechten. Elke zesendertig seconden wordt in Zuid-Afrika een vrouw verkracht, de kans is 15 procent dat je in de buurt van je huis of in je huis wordt beroofd, 28 procent van de mensen heeft hiv of aids. Dat had Jacob Zuma goed gezien: Zuid-Afrika is een machinegeweer dat elk moment kan afgaan.

Het ging dus af. Zuid-Afrikanen, Zoeloes, voelden zich in hun economisch bestaan bedreigd door immigranten uit Zimbabwe, Congo, Mozambique, Ethiopië, Eritrea, Somalië, Ivoorkust, Nigeria. Die vluchtelingen voelden zich niet te beroerd om voor een habbekrats de afschuwelijkste baantjes te doen – baantjes die de Zuid-Afrikanen hadden afgedaan als minderwaardig en te slecht betaald. Ze werkten hard, ze spaarden, en al snel konden ze zich iets permitteren. Werkloze, arme Zoeloes namen het zwaard tegen hen op – ze betichtten de emigranten van sjoemelarij, van vals spel, waarom had de eigen bevolking die kansen niet gekregen? Altijd is alles hetzelfde, overal.

En het machinegeweer ging, zoals het een machinegeweer betaamt, nog een keer af. Het ANC bleek steeds duidelijker slechts aan elkaar te hangen van plakband en elastiekjes – verschillende facties en volkeren bestreden elkaar binnen de partij, het verzet tegen president Mbeki kwam inmiddels van alle kanten en hoewel het verzet tegen Jacob Zuma wat omfloerster werd gevoerd, was dat er evenzeer. Op een dag, en die dag kan de sterfdag van Mandela zijn, zal het ANC zich splitsen en zullen de Zuid-Afrikanen niet alleen vreemdelingen maar ook elkaar te lijf gaan. Daar twijfelde ik geen moment aan.

Op mijn tweede dag in Joburg (na een overnachting mag je tutoyeren en afkortingen gebruiken, vind ik) reed ik van The Westcliff naar Rosslyn, bij Pretoria. Zoals de forensen forensde ik over de N1, die in de aanpalende, spuuglelijke bebouwing veel weg had van de A2, maar dan wat Afrikaanser, wat uitgestrekter. Ik zag fabrieken van L'Oréal en Toyota zoals ze overal hadden kunnen staan.

Maar 6 procent van de BMW-werknemers heeft hiv of aids, tegen ongeveer 20 procent van de Zuid-Afrikaanse bevolking (in sommige streken schijnt dat cijfer 80 of 90 procent te zijn, in andere nagenoeg 0). Dat kon geen toeval zijn (niet in een Beiers bedrijf), daar moest beleid achter zitten. Dat bleek, en voor dat beleid was een vrouw verantwoordelijk: Natalie Mayet (die dat natuurlijk meteen zou ontkennen en het een groepsinspanning of iets dergelijks verschrikkelijks zou noemen). Met deze Mayet had ik een afspraak.

Die hele hiv- en aidsepidemie was lastig te onderkennen voor een reiziger. Men zag haar niet, men hoorde haar niet, men las er soms over in kranten. En dan alleen nog maar als een politicus er iets doms over had gezegd. Jacob Zuma werd door cartoonist Zapiro telkens afgebeeld met een uit zijn nek groeiende douchekop omdat hij had gezegd dat een stevige douchebeurt na de seks afdoende zou zijn om de hiv van het lichaam te spoelen – dat werk. De al tien jaar zittende minister van Gezondheid, voorzien van de indrukwekkende naam Mantombazana Tshabalala-Msimang, adviseerde als beste medicijn tegen hiv het eten van veel biet, citroen en knoflook; daarbij kreeg men van hiv nog zomaar geen aids – en een prettige dag verder. President Mbeki had instemmend geknikt.

Nou had ik vanuit de trein al grootouders met kleinkinderen zien lopen en ik wist dat de statistieken uitwijzen dat zich een demografische ramp aan het voltrekken is. Het is evident dat als regeringsleiders aids bagatelliseren, de jeugd zich wellicht helemaal van geen gevaar bewust is. Die uiteenlopende problemen maakten me benieuwd naar Mayets werkwijze.

Ik arriveerde bij de BMW-fabriek, die achter aan op een groot maar groen bedrijvencomplex stond. Bij de kruisingen lagen in blauwe ketelpakken gestoken negers in het gras te wachten op een lift huiswaarts, men knabbelde er wat bij. Een industrieel complex dat zo gemoedelijk was zag men niet vaak.

De toegangspoort was geheel opgetrokken in de BMW-huisstijl (niet verwonderlijk, maar aan de andere kant van de wereld kijk ik van dat soort synchroniciteit toch altijd even op), en ik zag dat BMW hier met een eigen trein van hal naar hal reed. In München had ik ooit gezien dat BMW vliegtuigen bouwde, en de motorfietsen waren me eveneens bekend, maar een BMW-trein was nieuw voor me.

Daar kwam ik niet voor. Natalie Mayet was in de veertig, een zeer knappe vrouw van Indiase komaf, gehuld in een doktersjas, en leek meer te acteren dan te converseren. Ze was duidelijk iemand die gewend was geraakt haar boodschap koste wat het kost over te moeten brengen. Ze had gedurende de apartheid in Soweto gewerkt, en dat formuleerde ze zo: 'Ik werkte bij de gemeente Johannesburg, afdeling South 63, waar aids tot 1994 geen prioriteit had.'

Na 1994 trouwens ook niet. Toen kregen de aanleg van elektriciteit, stromend water en huizenbouw voorrang – want dat was waar het ANC stemmen mee kon winnen. Maar in 1990 had al 40 procent van de jongens en 42 procent van de meisjes tussen de 15 en 19 jaar in Soweto aan hiv of aids geleden.

We zaten aan een tafel in haar spierwitte spreekkamer. Ik kreeg een enorme, huiselijke mok koffie voor mijn neus gezet, Mayet zuchtte eens, en vroeg me hoeveel tijd ik had. 'Zo veel u wilt,' zei ik, 'een uurtje wellicht?'

'In een uur', zei Mayet, 'kan ik u niets vertellen. Níéts! Ik werk al twintig jaar aan dit probleem en u wilt in een uur worden bijgepraat? Meneer, u snapt toch zelf ook dat dat niet kan.'

'Begint u anders gewoon, dan zien we wel.'

Mayet zuchtte nog dieper en gooide een hopeloos lachje ter tafel. 'Een uur. Dat is een deel van het probleem, weet u. Iedereen wil het slechte nieuws snel van tafel hebben. Maar het slechte nieuws van tafel krijgen, dat kost tijd.'

Mayet praatte vervolgens twee uur aan een stuk door. Als ik er vijf woorden tussen heb kunnen krijgen, is het veel, maar dat was ook nergens voor nodig. Ze praatte levendig, haar acteren ondersteunde haar boodschap enorm, en die boodschap was helder. De overheid had het allemaal gedaan.

Want de overheid had nooit wat gedaan, deed eigenlijk nog steeds niks, en wat president Mbeki en diens vijand en opvolger Jacob Zuma uitkraamden, was louter tenenkrommende lariekoek. Ze zei dat op de bekende artsachtige, autoritaire manier.

Bij BMW had ze in 2001 de vrije hand gekregen. Ze stelde de werknemers vier vragen: wat wil je dat BMW doet; wie vertel je dat je hiv hebt, wie niet; wil je dat we je testen; wil je worden geholpen?

'We keerden de situatie dus om. Wie niks van ons wilde, hoefde niks, wie iets wilde, kon het krijgen. Dat werkte.'

Ze roerde in haar rooibosthee en vervolgde: 'Ik zie hiv en aids eerst en vooral als een geestelijk gevaar, niet als een fysiek gevaar. Want primair kun je de ziekte voorkomen door het stellen van duidelijke normen en waarden. Niet alleen op seksueel gebied, op elk gebied.'

Mayet gaf als voorbeeld meisjes tussen zestien en negentien jaar, die door zogeheten *sugar daddies* werden verleid. 'Zij zijn de groep die de meeste risico's loopt, omdat het voor wat, hoort wat is: ze krijgen geld, kleding, een mobieltje van die mannen. Condooms zijn er dan niet bij. Die groep maakt het duidelijkst wat ik bedoel met *primary prevention*, met het geestelijke gevaar. We moeten die meisjes duidelijk maken dat ze een andere levenshouding moeten aannemen. Dan hoef ik een stadium later niet over condooms te beginnen, want dat weten ze echt wel. Ze moeten ervan doordrongen worden dat seks geen ruilmiddel is.'

BMW ondersteunde 'een andere levenshouding' op veel fronten, vertelde Mayet. Er waren sportzalen en geldleningen, er waren cursussen in voedingsleer, alcoholgebruik, zelfverdediging, traumatologie en conflictbeheersing en er werd gehamerd op het belang van een algemene, goede gezondheid, ook als men al besmet was.

Mayet liep met me mee naar de poort. 'Ik sla nooit de kans over om wat vitamine E op te vangen', zei ze, wijzend naar de zon. Ik vond het raar om afscheid van haar te nemen, het leek alsof ik haar en haar levenswerk in de steek liet. Maar toen ik me omdraaide om te zwaaien, zag ik haar nog net een hoek omgaan, half hollend.

Ik reed over de tienbaanssnelweg terug naar Joburg, en in de namiddag nam ik een kijkje in de rijke wijk Rosebank. Dat was een *leafy suburb* van heb ik jou daar. Helaas kon men door de meer dan huizenhoge muren de huizen noch de bladeren zien.

Op de kruising van de 7de Laan en Parktown North – waar een winkelcentrumpje lag – zat een Vida e Caffè, wat snuisterijenzaakjes en hippe prefabvoedselwinkels. Op zaterdagen werd er een biologische etenswarenmarkt gehouden op het parkeerterrein, las ik op een postertje. Ik dronk een koffie en zag blanke, welvarende gezinnen voorbijkomen, ze weken niet erg af van hun soortgenoten in de Verenigde Staten of Australië: te dik, te korte broeken, een beetje ontevreden.

Ik reed door naar Sandton City (nog steeds uit te spreken als *suntan*), het grootste en meest luxueuze winkelcentrum van Afrika. Gucci en Louis Vuitton en Bvlgari en weet ik wat allemaal – en voor het eerst zag ik blank en zwart gezamenlijk opereren. Winkelen en geld uitgeven werd hier door de verschillende bevolkingsgroepen met dezelfde graagte beleden. De duurste plek van Zuid-Afrika discrimineerde niet, alleen geld telde.

Bij Exclusive Books kocht ik twee typisch Zuid-Afrikaanse boeken, *Some of My Best Friends are White – Subversive Thoughts from an Urban Zulu Warrior*, geschreven door Ndumiso Ngcobo (een tip van Gerhard Borstlap uit Pretoria) en *For Whites Only*, geschreven door Charles Cilliers. De titels zeiden veel over dit land: de apartheid mocht voorbij zijn, segregatie was dat niet (behalve dus in Sandton, en in Exclusive Books, waar boeken over Jacob Zuma en president Mbeki en

Mandela manshoog opgetast lagen).

Het Zoeloeboek was een niet al te veel vergend werkje, maar lang niet zo debiel als het boek van Cilliers. Deze figuur presteert het om tweehonderdvijftig bladzijden lang op blanken te foeteren op een onlogische, incoherente en simpelweg racistische manier. Het boek was zo persoonlijk dat het amper rekening hield met de lezer, en zo veroordelend over de Zuid-Afrikaanse blanke dat het gedreven leek door zelfhaat. Aangezien Cilliers een bekende naam is uit de Voortrekkersbeweging, zou het ook best apologetisch kunnen zijn. Daarbij was het slecht geschreven.

Zoeloekrijger Ngcobo vond ik sympathieker. Hij zette iedereen te kakken, ongeacht ras, kleur of sekse, inclusief zichzelf en zijn mede-Zoeloe's. Maar ook dat boek, een bundel lange columns, was krukkig geschreven en ontsteeg niet aan het niveau van schoolkrantgeschrijf. Hoe lollig het ook was bedoeld, nergens doorbrak het de plichtmatigheid die de spot met raciale clichés is. Het was een lesje Zuid-Afrikaansheid voor beginners.

Terug op mijn terras schreef ik Louise Oakley een bedankbriefje. Daarna pakte ik mijn spullen in, en zag vanuit mijn bed Jacob Zuma op SABC1 zeggen dat het ANC 'dit land zal regeren tot de terugkeer van Jezus op aarde'.

Op 8 mei 2008 verliet ik Joburg. Ik moest vaart maken, ik mocht die auto niet voor eeuwig houden, ik had een rondje te rijden. Mijn vertrek bevatte een belofte van terugkeer. Ik had Joburg geproefd en het smaakte naar meer. Met een ontspannen stadje als Kaapstad had het weinig te maken, dat was helder, maar ik leefde nog. Ik had het er naar mijn zin gehad. De mensen waren er kordaat en zakelijk. Niemand liep in een surfbroek te lanterfanten. Het was meer Rotterdam dan Amsterdam, meer München dan Berlijn, meer New York City dan Los Angeles, en het was behoorlijk naar mijn zin.

Ik reed over de N1 naar Polokwane, een stad die tot 2002 Pietersburg heette. Wanneer ik had gezegd naar Polokwane te gaan, was me dat op glazige blikken komen te staan, of op opgetrokken wenkbrauwen. Ja, zo heette die stad inmiddels wel, maar ik had me wel erg snel aangepast aan de nieuwe Zuid-Afrikaanse realiteit. Kon ik niet gewoon Pietersburg zeggen? Of was ik soms lid van het ANC?

Ik was blij Gauteng uit te rijden, die megapolis van steden, wegen en industrie. De N1 strekte zich voor me uit als een strakke, afgerolde serpentine, zover als ik kon kijken. Het navigatiesysteem meldde '302 kilometer rechtdoor', en ook dat beviel me goed. De Kaap was mooi geweest, de trein een uitje, nu was ik onderweg. Ik werd enigszins overvallen door dat gevoel: de inleidende schermutselingen waren voorbij, de introducties gedaan, nu ging ik op pad. Dit was het echte werk.

De N1 werd snel smaller, van acht- naar zesbaans en daarna en hele poos vierbaans. De BMW bromde, ik zette het dak open, het was achtentwintig graden en er was geen vuiltje aan de lucht. Drie uur later, toen de zon op zijn hoogst stond, reed ik Pietersburg binnen.

Op de hoek van de Schoemanstraat en de Suidstraat vond ik een hotel. Het was het eerste hotel waar ik ooit logeerde dat een *dresscode* had: alles wat maar een beetje leek op vrijetijdskleding was er verboden. Ik droeg die dag een zwart poloshirt, keurig netjes. Tijdens het registreren nam de eigenares me op. 'Wilt u morgen ontbijten?'

'Ja.'

'Dat is aan de overkant van de straat, in de Pietersburg Klub. Ik moet u wel verzoeken een overhemd aan te trekken. Sportshirts zijn er niet toegestaan.'

Hunter, ja, inderdaad: ik was in Limpopo, de provincie van de zoetste mango's en, kennelijk, de strengste kledingvoorschriften. Ik vermoedde het al meteen, en de volgende ochtend om acht uur werd het bewaarheid. Bij het ontbijt was ik zowat de enige met een lange broek.

In dat perfecte handelsreizigershotel in Pietersburg, op een zacht bed gelegen, overdacht ik mijn racisme.

Je zult misschien denken: wat heeft-ie nu weer te bazelen. Ik leg het uit.

Mijn buurman had ik net op de gang gezien. Hij was een neger. Toch was ik niet bang dat hij vannacht dwars door onze gezamenlijke muur zou stormen om mij, met een botje door zijn neus, in de badkuip gaar te stoven. Ik bedoel: hij had een das om en zijn schoenen glommen. Hij voldeed volledig aan de kledingvoorschriften van het handelsreizigershotel. Ontkennen, echter, dat me eerst en vooral opviel dat hij een neger was, kan ik niet. Misschien ben ik racist.

Twee brieven lang heb ik zitten haspelen met de begrippen neger, zwarte, gekleurde, witte, blanke, Maleier, bruine en weet ik wat. Zelfs van het onderscheid tussen Afrikaan en Afrikaner werd ik onzeker: was dat cultureel, of had de keus voor die titulatuur aan de zwarten moeten zijn gelaten?

In ongeveer elk ander land zou het gek zijn om van ieder mens telkens het ras te vermelden maar zoals ik je eerder schreef, kun je in Zuid-Afrika niet zonder die kennis. Die kennis is in dit land doorslaggevender dan het geslacht (en denk je in hoe het zou zijn als je bij het lezen van Nederlandse namen nooit zou weten of het een man of vrouw betreft: best lastig).

Het zegt niet alleen iets over afkomst, het zegt alles over iemands toekomst. Het scheelt nogal of je Hans de Ridder of Odwa Pani bent, zeg maar, Lili Malenga of Louise Oakley. Voor de wet is hier iedereen ontzettend, op het ongeloofwaardige af, gelijk, en dat houdt inderdaad op straat geen stand. Iedereen is verschillend, en die verschillen zijn heel, heel groot.

Nu trek ik een lijn. Het was koddig om 'neger' op te schrijven, maar dat blijft niet zo. Als ik 'zwart' schrijf, zal ik ook 'wit' moeten schrijven. Niet 'zwart' en 'blank', dat is gek, dat past niet bij elkaar. Toegegeven: het is niks, het klinkt slecht, maar dat blijft over, er zit niets anders op. 'Zwart', 'wit' en, als het moet, 'gekleurd'. Het klinkt onsympathiek, het heeft niets opwekkends en het enige wat ervoor pleit, is dat ik niet bij elke persoon hoef te denken: is het een neger? Of was-ie zwart? Bruin? Mokka? Hoe ga ik het Hunter vertellen? Was het een Europeaan, of een Afrikaner?

Het beste wat ik over mijn keuze voor wit, zwart en gekleurd kan zeggen, is dat ik mijn semantisch racisme ermee aan banden leg. Maar op een dag zal ik aankomen in Durban, bij de Indiërs, en dan begint de ellende opnieuw.

Vanuit mijn handelsreizigershotel liep ik de stad in. Pietersburg had ik als een onstuimige, leidende stad beschouwd. Het bleek een bedeesd, provinciaal winkelcentrum.

In de straten stonden tankpatrouillewagens die me deden denken aan de zogeheten Casspirs, de V-vormige antigranaatwagens waarmee de Zuid-Afrikaanse politie in de apartheidstijd de townships binnen was gereden. Casspirs waren een symbool van onderdrukking geworden, van repressie en geweld, maar in Pietersburg leken ze ingezet te worden als reguliere surveillancewagens. Omdat de stad – sinds de naam is veranderd in Polokwane – een ANC-bolwerk is, verbaasde me dat vertoon van apartheidsvoertuigen. Later was ik verbaasder, want de hele afgelopen maand heb ik vervolgens niet één Casspir meer gezien.

Bij de markt stonden drie Casspirs achter elkaar geparkeerd. Dat was angstaanjagend voor iemand die politie te paard al een militant machtsvertoon vindt, voor iemand die gewend is politie te voet te zien of in het meest barre geval op een terreinfiets.

In Pietersburg ging het er anders aan toe. Misdaad was hier de norm. Terwijl ik door de hoofdstraten scharrelde, zag ik telkens op bordjes en affiches 'de volksvijand misdaad' bevochten. 'Report Crime!' De mensen waarschuwden me, ze klampten me aan: doe dit niet, doe dat niet, en wat u ook doet, ga zeker niet, nóóit, naar buiten in het donker. De vrouw van het hotel had me, toen ik haar de weg vroeg, ontraden naar het centrum te lopen. Inmiddels wandelde ik twee uur in de rondte, en ik leefde nog steeds. Raar maar waar.

Het viel me op, ik kan het niet anders formuleren: ik was de enige wandelende witte in Pietersburg. De zwarten negeerden me straal als ze me niet bekeken als een wandelende ziekte. Op één zwarte na, een bouwvakker die op een plat dak stond en bakstenen opving die hem door een collega vanuit de laadbak van een bakkie werden toegegooid. Hij zag me uit zijn ooghoek, dacht: verrek wat hebben we daar, keek nog eens goed naar me, en tok, hij kreeg een baksteen tegen zijn hoofd.

In het centrum van Pietersburg was het een drukte van belang. Dit was de grootste plaats van Limpopo, een handelscentrum, er waren scholen. De leeszaal van de bibliotheek zat afgeladen vol, op straat hingen jongens en meisjes in schooluniform op bankjes, bakkies reden af en aan. Het was levendig, en aan de Hans van Rensburgstraat was zelfs een museum, het Polokwane Kuns-Museum. Men mocht er gratis naar binnen.

In deze zwarte stad zou men misschien verwachten dat de

museumdirecteur zwart zou zijn, maar ze heette Anriët van Deventer. In 1992 had Jack Botes, 'The Legend of the North', het museum geopend. Hij werd geëerd met een plaquette die meldde dat 'Jack de langst dienende ambtenaar in een enkele stad in Zuid-Afrika' was geweest: '*Pietersburg (now Polokwane) 1953-1987 (34 years).*' Ernaast hing een bordje waarop stond '*Thank you for not sleeping on our sofas*'. Dat was geen kunstuiting. Er stonden echt sofa's.

De collectie was lokaal, althans Zuid-Afrikaans. Er stonden aardige beelden, groot en klein, mooi houtsnijwerk, vage bustes, en er hingen lelijke tekeningen en klunzige schilderijen. Het was een allegaartje, het tl-licht deed er weinig goed aan en omgekrulde hoeken van tapijttegels zorgden voor struikelgevaar, maar toch: voor een plaats als deze was het best een vermakelijk museum.

De eerste verdieping was ingericht als galerie, er hingen tweehonderdvijftig werken en werkjes van heel mager allooi. Ik was in de stemming om iets te kopen en thuis aan de muur te spijkeren, maar dit ging echt niet.

Ik liep verder door Pietersburg, een stad die me eigenlijk best beviel, en kocht een prentbriefkaart bij de Spar. Ik telde zo'n twintig kerken, waaronder een Nederduits Hervormde, een Nederlands Hervormde, een Anglicaanse, een katholieke, en bovendien een kathedraal, en ik zag een politieagent in een politieauto zitten slapen terwijl zijn collega een foutparkeerder op de bon slingerde.

Bij een vrouw op straat, die vanaf twee omgekeerde groentekratjes vruchten verhandelde, kocht ik een banaan. Die kostte 1 rand. Terwijl ik de banaan opat, zag ik een briefje hangen aan een hek, zo'n briefje als kamerzoekenden ophangen, een kopietje met van die afscheurrafels onderaan. Zochten mensen kamers in Pietersburg?

Quick same day abortion. Safe & Pain Free. Call Dr. Nelly. Free Cleaning. En op die rafels een mobiel nummer.

Later zei iemand, toen ik vertelde wat ik had gezien: 'Stond er een prijs bij?' Nee, die stond er niet bij. 'Dat kost 150 rand.'

'Zo weinig?'

'Of de prijzen moeten zijn gestegen. Ik hoorde ooit dat ze het met wat afdingen zelfs voor 100 rand doen.' Dat verblufte me; ik werd er stil van. 'Ze kunnen ook niet veel vragen, want ziekenhuizen doen het gratis.' Ik zweeg. 'Het is de schaamte', zei de man.

'Het eerst wel doen en je vervolgens schamen?'

'Dat is precies wat het is. Maar zo werkt de hele wereld toch?'

Dat klopte natuurlijk. Ik had dat schaamtegehalte niet zo hoog ingeschat, zei ik: 'De mensen lijken hier nogal tuk op seks.'

'Dat zijn ze ook. Iedereen doet het met iedereen en overal. Maar de gevolgen zijn desastreus: hiv, zwangerschappen. Vaak zijn de mannen getrouwd, dus alles moet geheim blijven.'

Voor het donker werd, haalde ik de BMW op bij het hotel en reed vijf kilometer de stad uit. Daar werd naast het oude Pietersburg Stadion het Peter Mokaba Stadion gebouwd. Vergis je niet, Hunter: ook Pietersburg is een speelstad in 2010. Het nieuwe stadion krijgt zesenveertigduizend stoelen. Noteer mijn handige tips, voor je het weet speelt Oranje er, en zit je verlegen om een banaan of een abortus in Pietersburg.

Of, in jouw geval waarschijnlijker, om een hele maaltijd. Daar zat ik althans om te springen.

Met de auto reed ik op mijn weg terug langs een echt Afrikaans restaurant – daar had ik er nog niet veel van gezien. Het was wit betegeld, met formica gemeubileerd, en het menu hing achter een afhaalbalie. Jij zou het een snackbar noemen. Ze serveerden er *pap* met *vleis*. Dat leek me lokaal en interessant, anderzijds zou ik acht of achttien minuten later weer op straat staan. Daar had ik geen zin in. Ik had zin om op mijn gemakje een flink stuk koe soldaat te maken.

In het voormalige huis van voormalig parlementslid Tom Naudé aan de Groblerstraat zat restaurant Pebbles. Ik bestelde een runderlende en een flesje Hansa Gold. Het duurde goed lang voor dat verscheen. Dat gaf muskieten de kans mij te savoureren, ik las *The Citizen*. Het hoofdcommentaar bestond uit een nietsontziende aanval op president Mbeki. Dit keer had hij het gedaan omdat hij de publieke televisiezenders, SABC1 tot en met SABC3, zou gebruiken als staatszenders. Propagandakanalen zouden het zijn, en eerlijk is eerlijk, dat waren het ook. ANC-TV. Nog dezelfde avond, vanuit mijn bed in het handelsreizigershotel, zag ik dat SABC terugsloeg. Een zwarte man deed het verschil tussen staatstelevisie en publieke televisie uit de doeken. Dat deed hij niet onverdienstelijk. Wel was hij lid van het ANC-mediacomité, of iets soortgelijks.

De volgende ochtend las ik in een andere krant, de *Limpopo Informant,* dat juist na mijn vertrek uit de Groblerstraat daar twee jongemannen, witten, buiten een kroeg waren doodgeschoten door een andere jongeman, een zwarte, omdat hij nogal kien was op een hunner mobiele telefoons. Dat soort berichten had ik vaker gelezen. Moord vanwege een telefoon was niet uitzonderlijk – het bijzondere school erin dat het nu zo dicht bij me was gebeurd. Bang maakte het me niet, al had ik natuurlijk ook zo'n ding bij me (en een heel dure, opvallende BMW en al waren mijn kleren op Afrika afgestemd, ik had evengoed in bladgoud gekleed kunnen gaan).

Bang kun je toch alleen zijn als het gevaar voor je neus staat, als afweermechanisme. Bang zijn in het wilde weg, had ik gemerkt, was niks voor mij. Die overweging had een praktische kant: zulke angst zou mijn reis fnuiken. Oplettend zijn was meer mijn ding, en oplettend was ik altijd geweest.

Ik bedoel: toen we onder Kaap Hoorn een week in een storm voeren, hield ik het roer in het oog (al wist ik in naam van de Heer niet waarom, naar de kelder gaan zouden we toch), toen ik in een Boekarestse buitenwijk werd overvallen, telde ik het geld waarvan ik werd beroofd voordat ik het overdroeg (125 dollar), en toen ik in de woestijn van Jordanië werd gekidnapt door een bende kappers, registreerde ik dat ze, inderdaad, scharen als wapens hadden (het had me moeilijk kunnen ontgaan, maar dat is een ander verhaal).

Dat geeft me geen brevet van dapperheid, helemaal niet, dat wil ik niet, dapperheid vind ik voor de dommen, maar ik houd ervan te weten wat er gebeurt of desnoods te weten hoe het eindigt.

Een kleine tweehonderd kilometer noordelijker in Transvaal, zoals het hier vroeger had geheten, passeerde ik de plaats Louis Trichardt. Dit was een van de gebieden geweest waar de Voortrekkers heen waren gevlucht, voor de Engelsen uit. Hoewel de bevolking voor meer dan 90 procent zwart was, zag ik overal namen van Voortrekkers, monumentjes, verwijzingen.

Waarom Louis Trichardt nog Louis Trichardt heet, met al die naamswijzigingen? Wel, het was Makhado gaan heten, tot de bevolking een proces tegen de gemeente had aangespannen. Ze wilden geen Makhado heten, ze wilden verder onder de naam Louis Trichardt. De rechter gaf de burgers gelijk. Zodoende raakte ik onderweg wel even afgeleid: dan stond er Louis Trichardt op de borden, dan Makhado, en op sommige plekken was de naamsverandering tot twee keer toe ongedaan gemaakt.

Transvaal zelf was in de negentiende eeuw twee keer een republiek, zij het onder andere namen: de Verenigde Republiek Winburg-Potchefstroom en later de Zuid-Afrikaansche Republiek. Bijna de hele twintigste eeuw heette dit gebied echt Transvaal (de Vaal is een rivier), als provincie van de Unie van Zuid-Afrika.

Net ten noorden van Louis Trichardt vond ik (of liever gezegd: vond het navigatiesysteem), na een onverharde weg van een kilometer of twee, The Ultimate Guesthouse. Dat werd bestierd door de broodmagere Mona du Plessis. Ze wees me de laatste vrije kamer toe, een ter grootte van een half volleybalveld, met zes bedden. Dat nam niet weg dat het een vrij gezellige, tropische kamer was en als ik naar buiten keek, zag ik doorgaans een aap.

Mona du Plessis was geboren in Zimbabwe, en zoals iedereen die ik dezer dagen ontmoette, kortte ze dat af tot Zim. De N1 was de weg naar Zimbabwe, Louis Trichardt lag op een kilometer of honderd van de grens.

Het was Zim dit, Zim dat, ik vond het wel *cool.* Ik zei het ook en het voelde goed. Dat voelde alsof ik aan het einde van de wereld was en ik erbij hoorde bovendien.

Het hotel lag in een vallei, Bluegumspoort. Het was er heel groen, kleurige bloemen bloeiden, er klaterde water, het was er – op de speeltuin na – idyllisch. Ik was duidelijk ergens anders dan gisteren. Pietersburg had me droog geleken, kariger, zanderig. Hier was de vegetatie weelderig – zulke woorden bestaan ook niet voor niks – op het tropische af.

Al Mona's andere gasten waren Zims. Witte Zims, dat wel, maar desalniettemin Zims. Ik praatte met enkelen van hen; ze waren op hun hoede. Natuurlijk waren ze hierheen gekomen om even aan de sores thuis te ontsnappen, even een weekeinde weg. Ze waren toch een beetje thuis, want Limpopo leek erg op Zim. Verzekerden ze me. Het waren beschaafde, rustige mensen die een Engels spraken waarvan de gemiddelde Zuid-Afrikaan vreemd moest opkijken. Heel deftig, heel gearticuleerd, niet dat knauwende, grommerige Engels dat veel Zuid-Afrikanen tegen me spraken.

Over Mugabe en diens kliek viel niet met ze te praten, de landbouwhervormingen (de contradiefstal, zoals ik erover dacht) kwamen niet aan bod, de inflatie – op dat moment 11,2 miljoen procent – bleef onvermeld. De situatie was niet makkelijk, dat gaven ze toe. Ik had graag geweten hoe een witte zich in 's hemelsnaam nog kon handhaven onder Mugabes racisme. Dat vertelden ze niet. Gelukkig schrijf ik je een brief over Zuid-Afrika, niet over Zim.

Mona du Plessis nodigde me uit voor een drankje op het terras, en zo zagen we de zon achter de heuvels van Limpopo zakken. Ik vroeg haar – dat kan men in Zuid-Afrika altijd moeiteloos vragen, zelfs bij de introducties – of zo'n eigen, vanaf de weg onzichtbare, vallei wel veilig was. Kwamen er geen rovers? 'Nee,' zei Du Plessis, 'het is hier heel veilig. Nou ja, de buren verderop, die zijn vermoord. Door hun werknemers. Ze toonden geen respect aan de zwarte man. Dan lok je het uit. Dat doen wij niet. Wij respecteren de zwarten.'

'En de daders zijn gepakt?'

'Ja, ze hebben gevangenisstraf gekregen.'

'Hoeveel krijgt men voor moord in Limpopo?'

'Ze zijn alweer vrij, en het is pas vijf jaar geleden. Weet je, de afschaffing van de doodstraf heeft de criminaliteit aangewakkerd. Vroeger dacht je wel twee keer na voor je iemand doodsloeg. Dat was een doodvonnis voor jezelf. Maar mensen die niets hebben en weten dat er in onze gevangenissen prima voor hen wordt gezorgd, wat zouden die zich gelegen laten liggen aan een paar jaar cel?'

Die discussie ging ik niet aan, die was overal ter wereld hetzelfde. Ik vroeg: 'Maar verder is het veilig?'

'Nou ja, ja. Al zijn onze buren aan de andere kant ook vermoord.'

'En zijn die daders ook gepakt?'

'Nee, dat was meer een roofoverval.'

Hunter, dat was het gevoel van veiligheid in Limpopo: al je buren zijn omgelegd, maar jij leeft nog. Wie nog leeft, is veilig geweest.

Later op de avond, nadat ik slakken in kaassaus had gegeten met een glas goedkope rosé erbij, verscheen Mona's echtgenoot. Paul du Plessis was een uit de kluiten gewassen hugenoot. Hij had de echte Afrikaner*look*: dik, ruig, rood, verweerd. Korte broek, werkschoenen, wollen sokken. Hij keek de kat uit de boom. Wat was ik voor een snuiter? Die achterdocht was niks anders dan de achterdocht die de vreemdeling aantreft in een Frans plattelandscafé – het onbekende kan altijd slecht nieuws zijn. Paul besliste na een half uurtje en drie flesjes bier in mijn voordeel. Ik was goed nieuws.

Dat zou ik bezuren.

Dat ik iets zou gaan bezuren, wist ik niet terwijl we in de lobby, bij de keuken, gezellig zaten te drinken en te roken. Hun jongste zoon Jacques van twaalf vond het reuze interessant om me Nederlands te horen praten. Omdat hij in rustig Afrikaans antwoordde, leerde ik er wat woorden bij. De oudste, Jean-Paul van veertien, liep af en aan met biertjes voor pa, rosé voor Mona, en koffie voor mij.

John Coetzee was een vriend des huizes en kwam wat biltong brengen. Hij was echt heel erg een Afrikaner, een 'rooinek', zoals hijzelf zei.

Rooinek, dat verstond ik, was dat een geuzennaam? Ja,

nou, nee. Half. Het was ontstaan om het verschil tussen de Engelsen en de Hollanders te duiden – die laatste werden 'Dutchmen' genoemd. Wilde ik biltong proeven? Vers, en wild.

Volgens Coetzee was zijn biltong van giraffe gemaakt. Hij zei dat met zo'n stalen gezicht dat ik zeker wist dat hij me in de maling nam. Ik wilde me niet meteen beet laten nemen, en vroeg waar hij de giraffe buit had gemaakt. 'Die is geschoten door een jager. Een vriend van me hoorde dat, en heeft de giraffe naar het slachthuis gebracht.'

Later zei iemand over deze giraffekwestie: 'Ja hoor. Natuurlijk. Weet je wat een giraffe weegt? Hoe ga je die weghalen? Daar heb je een kraan en een vrachtwagen voor nodig. Zei die gozer daar niks over?'

Coetzee bekeek me terwijl ik de giraffebiltong at. Die smaakte naar goed, vers wild. Was het giraffe? Ik geloofde hem niet en dit was typisch zo'n omgeving waar plattelanders stadse types erin lieten lopen. Ik kauwde rustig door, ik wilde me niet laten kennen. Mona dronk rosé, Paul en John dronken biertjes.

De Zimse gasten waren uitgegeten en gingen naar bed. Dit was de provincie in Afrika. 's Ochtends werd het voor zessen licht en ging men aan de slag, 's avonds na negenen viel er weinig te beleven. Paul stond op, naar ik aannam om eveneens te gaan slapen. Hij zei: 'Iemand zin in een ritje?'

Eerder had hij me al voorgesteld de volgende dag op een *quad* te gaan rijden door de bossen. Daarop had ik niet overenthousiast gereageerd. Ik wilde de volgende ochtend naar de Zimbabwaanse grens rijden, en daarna door naar Phalaborwa: een mammoetrit. 's Nachts op een quad door de Afrikaanse bossen leek me al helemaal een onzalig idee. Dat was niet het plan. Paul wilde in zijn Toyota Hilux met dubbele cabine de Soutpansberg op rijden om daar te genieten van het nachtelijk uitzicht over Louis Trichardt. Daar kon ik geen nee op zeggen. Althans, dat kón natuurlijk best, maar dat wílde ik niet.

In Nederland had ik meteen nee gezegd: de man was dronken. Maar was ik hier niet heen gereisd om een land en zijn bewoners te leren kennen? Nou dan. Ik zei ja. Mona begon meteen te pakken: er diende een doos rosé mee te gaan, een krat bier, en wat cola voor de kinderen. De kinderen? Wel ja, beide zoons gingen mee. In hun huis kreeg ik een jas van Paul, want het was na het ondergaan van de zon inmiddels aardig koud geworden. Vergeet niet dat het hier winter is, Hunter.

Het huis van Mona en Paul was anders dan hun guesthouse. Ik dacht aanvankelijk dat ik in de schuur stond, tot ik besefte dat de aanwezigheid van een televisietoestel in een kast en een bank daartegenover moest betekenen dat ik in de woonkamer stond. Een vreemde bedoening. Hoewel het guesthouse misschien niet helemaal mijn smaak was (te veel nepzebra), was dit een armeluissituatie, de enige lamp was een tl-buis en de keuken stond vol drank, vooral dozen wijn. 'We gebruiken het hier een beetje als opslag', zei Mona.

De rit begon best aardig. Samen met Paul dronk ik een biertje voor in de auto, de kinderen zaten bij hun drinkende moeder achterin. De onverharde weg slingerde omhoog, en na tien minuten stapte Paul uit en maakte een hek open. Ik informeerde of dat zijn terrein was. 'Niet precies,' zei hij, 'het is van het leger. Boven op de berg staat een communicatiestation.'

Dat leek me een driest idee. Was ik degene die deze halfdronken Afrikaner terecht moest wijzen? Dat leek me niet. En moesten we dat hek niet achter de auto sluiten? 'Hier komt niemand', zei Paul. Hij lachte erbij op een manier die meer onverschilligheid dan kunde aan de dag legde. Bovendien waren er ons al een paar auto's gepasseerd op de weg naar het hek, dus dat leek me nonsens. Vanaf dat moment raakte ik bezorgd.

Het uitzicht vanaf de berg was niet onaardig, en het was zeker een plek waar ik alleen nooit zou zijn gekomen. We stonden daar op ons gemakkie, biertjes in de hand (Mona rosé, de jongens hun cola), lekker *white trash* uit te hangen. Zo'n Paul zou wel weten wat kon en niet kon, toch? Hij zou zijn vrouw, bloedjes van kinderen en zijn gast toch niet in gevaar brengen? Hij wees me een en ander aan, al was het slecht zichtbaar in het donker. Het had iets spannends, natuurlijk. Hunter, je zult denken: dat is toch niks voor jou, ben jij geen man van rust en regelmaat? Jawel. Echter, ik was elders, ik was op reis, en soms iets buiten de orde doen vond ik goed. Dacht ik.

Na een poosje wilde Paul verder, het bos in. We reden terug naar beneden, naar het hek. Dat was inmiddels dicht, en er stond een politiewagen bij. Aha.

Paul draaide zijn raam open en begon te brullen, totdat Mona voorzichtig opperde dat het wellicht iets voorkomender zou zijn om uit te stappen en 'het te regelen'. Paul zette zijn biertje in een bekerhouder, liet een boer en liep op de politieman af. Er daagde nog een persoon op, een heel boze persoon. Mona zei: 'Dat is de buurman. Hij is boos. Hij is verantwoordelijk voor het hek.'

Dat duurde een paar minuten, waarna Paul biertjes uit de laadbak pakte en ronddeelde. Nadat-ie was ingestapt, zuchtte hij diep en zei 'kaffer'. Dat moest op de agent slaan – de buurman was een witte geweest. Hij gaf gas en reed verder de bossen in, verder van het guesthouse vandaan.

Hij sloeg af naar links en ineens belandden we van die brede, onverharde weg op een pad met aan weerszijden dichte begroeiing. 'Er is vanavond een begrafenis geweest van een *chief*', zei hij. 'We zullen eens zien hoe die apen dat aanpakken, dat vinden ze vast niet leuk, als er een auto vol witten komt kijken.'

Ik vond het ook niet leuk. En Mona en de kinderen vonden het ook al niet leuk – zij zwegen sinds het akkefietje bij het hek. Paul stapte uit, pakte nieuw bier uit de laadbak, piste in het struweel en stapte weer in. Het was een begrafenis van een dorpsoudste van de Bavenda-stam, begreep ik later. Van verre waren er Bavenda's op af gekomen, en die moesten vanavond, dat wist Paul, terug over dit paadje.

Daar kwamen de eerste auto's aan; Paul ragde de Hilux de bosjes in. Zo'n auto kan best iets hebben, dus waarom dat zo lomp moest – dat moest zo lomp om zijn ongenoegen te uiten. Burpend en drinkend zwaaide hij naar de passerende auto's, er kwam zelfs een hele bus aan. 'Een bus vol bavianen', zei hij, en drukte de Hilux over een boompje heen, dieper het struikgewas in.

Toen de stoet na een kwartier voorbij was, zette hij de tocht naar het dorp voort. Daar aangekomen draaide hij tussen de hutten een rondje, agressief en heel provocerend, en toen reden we dezelfde weg terug. Het was zinloos geweld op zijn Limpopo's.

En dit was mijn hel: ik had mijn lot in handen van een ander gelegd. Halverwege de terugweg koos Paul een andere route; af en toe stopte hij om een nieuw biertje te pakken. Ik dronk mee in een tempo van een op vier. Mona wilde zo nu en dan stoppen om te plassen, hetgeen ze heel discreet in het schijnsel der achterlichten deed.

De rit duurde vanaf dat moment nog anderhalf uur en Hunter, ik zeg je: dat waren de onprettigste anderhalf uur die ik in Zuid-Afrika heb meegemaakt. De kinderen zaten stilletjes snikkend achterin, af en toe *'papa, please'* smekend, Mona was stilgevallen, en Paul reed maar en reed maar. Nog een spookhuis zien? Nog een kaffer van de weg proberen te rijden? De autoradio moest telkens harder; het was infernaal. Wat deed ik hier? Precies, ik wist het precies. Ik was ergens aan begonnen waar ik thuis nooit aan zou zijn begonnen omdat ik wist hoe zoiets kon eindigen. Dat maakte de situatie er niks beter op.

Dat ik een plaats als Louis Trichardt ooit als verlossing zou zien, had ik nooit verwacht. Het was zo. De bewoonde wereld. Desnoods arresteerden ze deze man, desnoods sliep ik elders – mij maakte het niet uit, als die horrorrit maar ophield. Paul wilde meer drinken, kondigde hij aan. Op naar het café!

Café Graskop werd bevolkt door echte Afrikaners, een stuk of zestig, allen niet ouder dan dertig. Jean-Paul en Jacques bleven in de auto achter: ze waren moe en wilden slapen. Dat deerde Paul niets. Drinken ging hij.

Zelden voel ik me geïntimideerd. Paul kreeg het telkens voor elkaar, eerst met die rit, toen dat hek, daarna die begrafenisstoet, nu door me in dit café te zetten. Als ik een zwarte was geweest, had ik er niet meer kunnen opvallen. Mijn troef was dat Paul noch Mona een cent bij zich had, dus ik leende hun wat.

Ik dronk een Pilsner Urquell, geïmporteerd door SAB want eigendom van SAB; dat was volgens Paul 'bier voor homo's'. Het zij zo.

Toen Jacques na een uur huilend binnenkwam om te vragen of hij echt niet naar huis mocht, knikte ik naar Mona, en overtuigde zij haar man. Die werd daarop kwaad, reed keihard naar huis en verdween meteen, gevolgd door Mona, die nog riep dat ze het van mij geleende geld van de rekening zou aftrekken.

Dat was 's ochtends inderdaad gebeurd. Ik heb hen niet teruggezien.

De krant die ik op weg naar Messina kocht en staand naast de auto even doorbladerde, een lekker vies kopje koffie erbij, meldde iets over rellen in Alexandra, het township dat tegen de rijkste buurten van Johannesburg ligt aangeplakt. Ik sloeg er nauwelijks acht op, ik nam voetstoots aan dat dit de dagelijkse, Zuid-Afrikaanse realiteit was.

Opmerkelijk was dat een tweetal tunnels op de N1, net na Louis Trichardt, de Hendrik Verwoerdtunnels heetten. Dat viel niet te missen, direct na de tunnels stond een uit de kluiten gewassen boogmonument ter ere van de apartheidsvervolmaker. Anno 1961. Handige parkeerplaats erbij, voor veel toeristen zal het een pregnant fotootje hebben opgeleverd. Het opvallende zat 'm erin, leek me, dat de gemeente Louis Trichardt, die haar burgers de naam Makhado had willen opdringen, de naam van deze tunneltjes ongemoeid had gelaten.

In het Zuid-Afrika van 2008 zou niemand – bijna niemand, bleek me later in de maand – het in zijn hoofd halen om te pleiten voor behoud van de naam Verwoerd. De geboren Amsterdammer Verwoerd prijzen of zelfs noemen, dat was erger dan Mandela beledigen (al scheelde het weinig).

Bij een Engenpompstation, een half uurtje later, zei de bediende: '*Sir, are you visiting your friend Mugabe?*' Het was de eerste en enige keer dat een pompbediende een praatje met me aanknoopte. Hij gebruikte ironie bovendien, een stijlvorm die ik in Zuid-Afrika weinig had aangetroffen. Ik kon mijn lol niet op. Een kwartier later zat ik nog te grijnzen.

Ik schreef je al dat het naar de grens amper honderd kilometer was. Binnen dat uur veranderde het verkeer drastisch. Op de N1 reden opleggers die caravangrote motoren vervoerden, opleggers met vierwielaangedreven Toyota's, opleggers met bewerkt staal. Waar niets meer wordt geproduceerd, wordt alles geïmporteerd. Zuid-Afrika was een van de weinige landen die nog handel dreef met Zimbabwe, al was het onder het mom van humanitaire hulp. Het had iets hulpeloos, zo'n groot, vruchtbaar land dat door eigen toedoen totaal afhankelijk was geworden van de toevoer over de N1. Tussen de opleggers door reden bakkies, volgestouwd met autobanden, wc-papier, matrassen, kookolie, vaten paraffine. Er reden oude personenauto's met Zimbabwaanse nummerplaten: veel barrelige Toyota's en een zwarte hippie in een Renault 5, model 1982, met een megafoon op het dak.

Vlakbij Messina reed op *The Great Northern*, zoals de inmiddels tweebaans N1 er op een bord werd genoemd, een bleekgele Datsun.

De auto reed half op de vluchtstrook – zoals langzame auto's dat doen in Zuid-Afrika. Het zwaartepunt van het autotje lag duidelijk boven de achteras. Toen ik het passeerde, zag ik hoe dat kwam: de bagageruimte was tot het dak gevuld met boodschappen. Voorin zaten twee stokoude mensjes, wit, die duidelijk terugkeerden van een winkelsessie in het buurland. Wat kon deze mensen motiveren in Zimbabwe te blijven wonen?

Een minuut later reden me in tegengestelde richting twee zwarte Hummers voorbij, piekfijn gepoetst, voorzien van glimmende, Zimse nummerplaten. Dat was de Mugabekliek.

Die tegenstelling brak mijn hart.

Ik weet dat je van me verwacht dat ik bericht over Zuid-Afrika, en ik beloof je de grens niet over te steken, maar die twee beelden lieten me 's nachts wakker schrikken. Hoe erg was het aan de andere kant van de grens?

Ook Messina had een nieuwe naam gekregen: Musina. Nou jij weer. Aan de ene kant had dat namengedoe iets vreselijks, ik zag de witten een beetje schrikken als het ter sprake kwam. Het was een heel drammerig, naar trekje van het ANC terwijl het voor de zwarten die ik sprak nooit echt een punt was. Een naam was een naam, de regering kon liever iets doen aan de landhervorming, aan het hiv-probleem, aan de elektriciteitsvoorziening, aan de armoede in de townships, of aan de eigen corruptie. Daarbij kon niemand de weg nog vinden, werden plattegronden telkens herdrukt, was het een hel voor toeristen.

Messina werd door de mensen een beetje spottend 'Messina-Musina' genoemd. Dat klonk best lekker, later zei Louise Oakley in Joburg tegen me: 'Dat is de enige plaatsnaam die erop vooruit is gegaan, vind je niet?'

Het was zo te zien een stoffig maar aardig grensstadje. Het was er druk, iedereen ging zijn eigen gang, er waren winkels met van alles en nog wat, er waren cafeetjes, koffieshops en restaurants, ik zag internetcafés en een markt.

Net buiten de stad zag ik, toen ik eenmaal was omgekeerd en terugreed naar Messina-Musina, het grootste billboard dat ik had gezien sinds dat van Windhoek in Joburg. Erop stond: 'The Zimbabwe Elections Robbery', met twee handboeien op de plek van de o's. Hadden de inzittenden van die Hummers dat gezien?

Ik had me verheugd op een mango van de oevers van de Limpopo, die zoet moesten zijn.

'Geen seizoen', zei een marktkoopman me toen ik hem erom vroeg – ik zag de vruchten niet meteen liggen. Daarop moet ik teleurgesteld hebben gekeken, want hij grijnsde breed en wreef een mango op aan zijn mouw. 'Het is hier altijd seizoen, master. Dit is de tuin van Afrika, master.' Van afrekenen wilde hij niets weten (maar ik betaalde hem wel).

Limpopo produceert 75 procent van 's lands mango's, 65 procent van de papaja's, 36 procent van de thee, een kwart van de citrusvruchten, bananen en lychees, 60 procent van de avocado's en de tomaten, plus 285 miljoen kilo aardappelen.

Zo stond ik op de Limpopolaan, in het noordelijkste puntje van Zuid-Afrika, met mijn oude Zwitserse zakmes een boomverse mango te schillen. Vertel me, vriend, of je ooit een zo exotische samenvoeging van woorden hebt gelezen. Ik kreeg bijna kippenvel, bij negenentwintig graden. Dit uiteinde van Zuid-Afrika had ik gehaald (waaraan ik in Louis Trichardt nog even had getwijfeld), in Kaapstad was ik geweest, en ik wilde dolgraag naar de twee andere uiteinden van het land.

Bij kipketen Nando's kocht ik een broodje en vergat mijn wisselgeld. Het kassameisje kwam dat haastig achter me aan brengen. Daarop schreef ik verontwaardigd in mijn boekje: 'Godsamme, zo gevaarlijk is het hier nou.'

Ik kocht een 501-spijkerbroek, rookte een sigaret, stapte in de BMW, zette het dak open en reed naar het zuidoosten.

Ik ging naar Phalaborwa, op bezoek bij een dorpsgenoot.

Zoals je weet ben ik opgegroeid in Kempendorp Hilvarenbeek. Dagelijks vergezelde het geschreeuw van brulapen me op mijn ochtendlijke fietstocht naar school, in Tilburg. 's Middags was de beurt aan trompetterende olifanten en heel soms een grommende leeuwin. Safaripark Beekse Bergen ligt naast het fietspad – en zoiets kan vreemde dingen met een mens doen.

Neem Joris Bertens, mijn toenmalige dorpsgenoot. Hij was zo van wilde dieren gaan houden dat hij besloot zijn eigen *lodge* op de rand van het Krugerpark te beginnen. Phalaborwa is de grootste grensplaats van dat wildreservaat; het is de uitvalsbasis voor tochten en safari's.

Je zult denken: wat heb ik nu aan mijn fiets hangen, wat moet Dylan in een wildreservaat? Hij houdt helemaal niet van wild, tenzij goed gebraden. Daar heb je gelijk aan. Ik kwam meer voor de Bertensjes dan voor de nijlpaarden – die laatste zouden het zonder mij ook wel redden.

Terwijl ik een beetje moe was geworden van het rijden, en bijna in Phalaborwa was – een *pothole*. Ik reed niet zo hard, tachtig of negentig ofzo, maar was dat de velg die bonkte tegen de rand van het gat?

In de Sefapane Lodge bleek Joris Bertens afwezig, hij was op een toeristische beurs in Durban. Zijn vader, de bijna zeventigjarige Frans, was er wel. Wilde ik koffie? Koekje erbij? Koekje erbij.

Joris was hierheen gekomen, en had langzamerhand zijn hele familie over laten komen. Zijn zus Karlijn werkte en woonde in Sefapane, evenals haar man, en hun twee kinderen (al werkten die laatsten er niet). Vader Frans beperkte zijn verblijf – hij deed de boekhouding – in Phalaborwa tot maximaal zes maanden per jaar. De rest van de tijd organiseerde of vierde hij carnaval in Hilvarenbeek.

Ik vertelde Frans Bertens over mijn belevenissen van de afgelopen nacht. Dat het aap, nikker, kaffer en baviaan voor en na was geweest, en over de wijze waarop Paul du Plessis de begrafenisgangers had toegelachen – ondertussen op hen scheldend.

Bertens haalde zijn schouders op. Hij was hier al een paar jaar langer dan ik. 'Zo gaat het,' zei hij, 'ze voelen zich niet op hun gemak. Gooi er een paar drankjes in, dat gaat hier heel makkelijk, en dan komt de rotzooi eruit.'

Ik vertelde hem iets anders. Net nadat ik de BMW in dat gat in de weg had geboord, was ik achter een feestelijke optocht beland, een rijtje auto's vol zwarten, drinkend, schreeuwend, en uiteindelijk het grootste kruispunt in Phalaborwa blokkerend.

Naast me stond een pick-up (geen bakkie, een grote auto) waarin twee witten zaten. De man achter het stuur, duidelijk een Afrikaner, wond zich zo op dat ik dacht dat hij een hartaanval kreeg. Hij brulde tegen zijn passagier, in het Engels: 'Ik zweer je dat ik er op een dag een vermoord. Ik zwéér het je.' Tot dat moment was ik chagrijnig geweest vanwege dat gat in de weg – en ineens kromp ik in elkaar. Bij de zwarte optocht, waarin de mensen agressief waren en raar deden en dronken waren en de regels overtraden, wilde ik evenmin horen als bij deze heel enge witte.

Ik was blij dat ik bij mijn oud-dorpsgenoot in de buurt was. Ik zag het bordje 'Sefapane Lodge 500 meter', bij de gebarricadeerde kruising staan.

Bertens zei: 'Heel erg. Het is duidelijk dat de vernislaag maar dun is. Voor de wet is iedereen gelijk, maar de segregatie is er. Wij in Sefapane staan het niet toe.'

Bertens bedoelde, legde hij uit, dat het de gasten niet was toegestaan het personeel racistisch te bejegenen. 'En anders is het: buiten.' Ik schoot in de lach omdat het een echt Hilvarenbeekse manier van praten was, die kennelijk ook een wereld verderop viel te gebruiken. Bertens fronste zijn wenkbrauwen: 'Ik meen het, hè.'

'Is het andersom ook zo?' vroeg ik. 'De zwarten hebben behoorlijk goede redenen om een hekel te hebben aan de witten, lijkt me.'

'Nee', zei Bertens. 'Daar merk ik zelden iets van. Er zijn

misschien wat lui in de vakbonden die zo denken, maar verder? Nee.'

We praatten over Hilvarenbeek, over het dorpsleven daar, en even over safari's in het Krugerpark. Wilde ik zo'n safari doen, vroeg Bertens, 'je bent er toch.' Ik moest gewaarschuwd zijn: voor de ochtendsafari moest men erg vroeg op, van de nachtsafari kreeg men een halve jetlag, en een hele dag op safari was erg lang. Dan maar niet, zei ik. Ik was voor hem – of voor zijn zoon – gekomen, niet per se om dieren te zien.

'Het beste zou zijn om samen even door Kruger heen te rijden,' zei hij, 'morgenochtend misschien.'

Dat had ik niet durven opperen.

Zo reden Bertens en ik de volgende ochtend om drie minuten voor elf de Nasionale Krugerwildtuin binnen – de administratie was er opvallend precies. Achter het stuur van een twintig jaar oude, enorme Toyota Land Cruiser gezeten, vertelde Bertens wat hij op een dag met Joris had meegemaakt. Midden in het park waren ze een vluchteling tegengekomen. 'In die tijd staken veel Mozambikanen het park over. Soms werden ze aangevallen en opgegeten, soms kwamen ze om van de dorst, maar deze leefde. Het is verboden om uit te stappen in het park of om mensen mee te nemen, dus Joris en ik overlegden even. Die vluchteling zag er heel hongerig en verward uit, en we zagen nergens in de buurt andere, dus we namen hem mee.'

'En toen?'

'En toen gaven we hem af bij de poort. Dan worden ze opgehaald door de politie en start er een procedure of ze mogen blijven, of niet.'

Statig tussen de bomen zagen we een stuk of zeventien giraffes (duidelijk niet die van de biltong uit Louis Trichardt), overal zagen we vele springbokjes, we zagen een handvol impala's, we zagen zeker twaalf olifanten waarvan er drie de weg overstaken, aan ons voorbij rende een familie wrattenzwijnen (het wrattenzwijn is mijn toptwee van favoriete dieren binnengekomen en duldt alleen de pinguïn boven zich), bij een waterplaats dronken en in een bocht van de weg graasden zebra's, een grote horde buffels ving een stampede aan, een integrale bavianenfamilie – van opa en oma tot zuigelingen – was onderweg in de berm, exotische ganzen dobberden, twee krokodillenmuilen klapten open in een rivier en een reiger bekeek dat. We zagen ellipswaterbokken met witte ringen op hun achterste, op een oever stond een pa-, een ma- en een kindnijlpaard, vliegend en pikkend zagen we roofvogels en andere vogels (zoals een type toekan waarover Bertens jolig zei: 'Die herken je vast wel uit Gilze-Rijen') en, je raadt het niet, we passeerden menige termietenheuvel.

Dat was een serieuze score. Van de Big Five had ik er in elk geval twee gezien, en als ik smokkel drie (het nijlpaard hoort er namelijk niet bij, de neushoorn wel). Weliswaar hadden we geen leeuw of luipaard gezien – maar zo groot zijn die luipaarden toch eigenlijk ook helemaal niet? Bertens zei: 'Het gaat niet om de grootte, het gaat erom hoe moeilijk ze te bejagen zijn. Die vijf worden beschouwd als de gevaarlijkste dieren van Afrika.'

Hunter, je zult aanhouden: wat moest je daar? Die ochtend wist ik dat niet, die middag was ik er diep van onder de indruk. Ik zou iedereen aanraden (behalve jou) om het precies te doen zoals ik het had gedaan: in een oude Land Cruiser, met de Bekenaar Frans Bertens achter het stuur. Ik vond het prachtig: mijn voormalige dorpsgenoot die me in een Afrikaanse uithoek rondreed, terwijl we onderweg bespraken hoe het nou met die-en-die ging, en welk Brabants dorpscafé het gezelligst was.

Het mooiste van het Krugerpark was, legde Bertens me uit, dat men het wild er zelf moest zoeken. In veel wildreservaten kan men de garantie kopen om de grote vijf te zien. De dieren daar zijn uitgerust met gps-zendertjes, zodat de gidsen recht op hen af kunnen rijden. 'Kruger is echt wild, en al staat er een hek omheen, het is zo groot als driekwart van Nederland. Meestal zie je niet zo veel. Al zeker niet midden op de dag,' zei Bertens, 'daarom zijn de safari's 's ochtends en 's avonds.'

Dat vertelde hij me in een restaurantje in het Krugerpark waar we een colaatje dronken. Het was drieëndertig graden en verrek: daar liepen twee van de Zims die ik had gesproken in Louis Trichardt. Ze zagen mij niet. Ik liet dat zo. Mijn goede humeur van deze dag wilde ik niet verpesten door de herinnering aan de nachtelijke expeditie op de Soutpansberg.

Later, 's avonds, zei Bertens tegen andere gasten in de bar van Sefapane: 'In al mijn jaren hier heb ik in drie uur nog niet zo veel dieren in het park gezien als vandaag.' Ik keek hem vorsend aan. 'Echt,' zei hij, 'je bent een geluksvogel.'

Twee nachten sliep ik in een rondavel, de archetypisch ronde Afrikaanse hut. In Sefapane dienden ze als vakantiebungalows. Mijn rondavel, Impala genaamd, was uitgerust met een keukentje, een airco, een parkeerplaats en een terrasje. (En gelukkig geen televisie.) Om de rondavel heen stond een blinkblaarweg-n-bietjie, een rooiboswilg, een kremetart en een passievruchtboom. Van die laatste viel net een vrucht op het gras toen ik wat loom van de warmte naar die boom zat te staren. Ik pakte mijn mes en at 'm op.

De BMW stond er ook. Die had een bobbel op de linkervoorband. Ik belde wat rond met mijn Zuid-Afrikaanse *sel* en werd verwezen naar de dichtstbijzijnde BMW-dealer. Die bleek in Nelspruit te zijn: via B-wegen tweehonderdvijftig kilometer verderop.

Het was een prachtige rit, Limpopo uit en de provincie Mpumalanga in, maar mijn hoofd was er niet bij. Die band zou het houden, dat leek me wel. Wat als-ie het niet hield? Dit was een behoorlijke woestenij.

Over Ohrigstad, Graskop, de Abel Tasmanpas, Sabie en Brondal reed ik naar Nelspruit. Ik miste zodoende de ene na de andere bezienswaardigheid: dammen, valleien, bergen – de band met de bobbel en ik negeerden ze allemaal.

SJW Motors aan Emnotweni Avenue had ik zo gevonden. Drie faxen, vijf e-mails en twee koppen koffie later was ik aan de beurt. In de kelder van het gebouw bevond zich de bandenafdeling; een jongen ging aan de slag met de band, keek ernaar en zei: 'Daar had u nog twaalfduizend kilometer mee door kunnen rijden.'

Hij vroeg me wat een buitenlander als ik deed met een auto als de BMW. Ik vertelde het hem, en daarna vertelde hij mij dat hij nooit in een buitenland was geweest, 'behalve in KwaZoeloe-Natal'. Wat deed hij daar? 'Daar ben ik geboren, ik ben een Zoeloe.' Mijn eerste Zoeloe. Hij legde de band er in tien minuten om en ik kon mijn reis hervatten.

Het was halverwege de middag, maar ik had het gehad met de dag. Ik reed naar het eerste het beste guesthouse en nam er mijn intrek.

Althans, guesthouse. Mijn onderkomen heette Jörns Gästehaus. Nelspruit zal een van de speelsteden van het WK in 2010 zijn, en ik waarschuw je: wat je ook doet, waar Oranje ook speelt, blijf uit de buurt van Jörn. De kamer was best, het bed was in orde, maar de sfeer was ziek. Jörn zei, heel hautain en vervelend (en je weet dat ik ongeveer de laatste Nederlander ben die Duitsers hun Duitsheid kwalijk neemt), toen ik mijn sleutel zocht: 'Natuurlijk steekt die in de deur van de kamer. We zijn Duits. Alles is in orde.' Dat kon-ie misschien tegen een Zuid-Afrikaan zeggen, die aanmatigende toon leek mij nogal ouderwets. Hij salueerde er net niet bij.

's Ochtends had ik op een kruising bij Graskop van een venter de *Hoedspruit Herald* gekocht, in Nelspruit kocht ik de tweetalige *De Laevelder/Lowvelder.* Met een flesje Windhoek zette ik me achter de kranten. Ik zag het meteen. Geen goed nieuws. De *kwerekwere*, de barbaren, zoals de buitenlanders in Zuid-Afrika bekendstaan, waren aangevallen in verschillende townships. De opstanden waren rellen aan het worden. Xenofobie, noemden de kranten het. Ze vroegen zich af waar dit een voorbode van kon zijn; het antwoord gaven ze niet.

President Mbeki ook niet. Hij woonde in Mozambique een Afrikatopconferentie bij en wenste niet te worden lastiggevallen met sores van thuis. Meteen terug naar Pretoria komen? Echt niet, zei hij tegen een verslaggever. Wat was dat, een leider die geen leiding wilde geven?

Nelspruit was een ordentelijke stad, het had zoiets als een centrum, er werd druk getimmerd aan het gloednieuwe Mbombela Stadium (met, ik weet dat het je interesseert, zesenveertigduizend plaatsen).

Een echte voetbalclub had de stad niet. De Dangerous Darkies was de enige club geweest die op Zuid-Afrikaans topniveau had meegedraaid, en die was bijna twintig jaar geleden opgeheven. De huidige lokale topclub, de Mpumalanga Black Aces, bakte er niks van en speelde ergens in een onderafdeling.

Nelspruit lag boven een kloof, de Blyderivierspoort. Die had ik onderweg gemist, terwijl ik erlangs was gereden. Het gaf de stad een uitzicht van belang. Het was een van die Zuid-Afrikaanse verschijnselen waarvan ik nog nooit had gehoord. Toen ik ernaar stond te kijken, dacht ik: waarom niet, waarom ken ik dit niet? Waarom wóón ik hier niet? Gisteren dat Krugeravontuur, heden dit – whoepa. Mijn echte reis was net begonnen, en in plaats dat ik door gevaarlijke rovers werd belaagd, kreeg ik ontstellend prachtige natuur te zien. Dat ik daar niet op had gerekend, maakte het wonderbaarlijk.

Het was hier aanzienlijk minder heet dan het in Phalaborwa was geweest. Meteen na de Abel Tasmanpas was het koeler geworden – dat had ik in de gaten gehouden op het dashboard van de BMW. Om precies te zijn, want daar hou je van: het was in Nelspruit tegen vijven nog maar achttien graden. Je weet dat ik weinig van hitte moet hebben, geef mij maar een kop snert, maar bierdrinkend op mijn balkonnetje rilde ik een beetje.

Met een trui aan koerste ik naar Ocean Basket. Dat was een blauw-witte visrestaurantketen. Met een paar honderd vestigingen zag ik ze overal. Dat had me de lust ontnomen om er te eten. Die avond was het dichtbij, ik had twee dagen gesprekken gevoerd met Frans Bertens, ik vond het wel best om solo en onpersoonlijk te eten. Ik werkte aan mijn aantekeningen, dronk wat non-descripte wijn en ik kwam erachter dat Ocean Basket eigenlijk best lekkere gamba's, heel malse pijlinktvis en flauwe witvis serveerde.

Het was in elk geval beter dan op de veranda van Jörn te zitten, want er hing een elektrisch kacheltje boven mijn tafel. Ik las de krant – piep. Dat was mijn *sel*, een sms, wie zou dat zijn?

Het bleek Lili Malenga, het beeldschone Zambiaanse

straathoertje dat ik in Kaapstad had ontmoet. Daar keek ik van op.

Sinds mijn bijeenkomst met Louise Oakley had ik weinig meer aan Lili gedacht. Zelfs toen ik vanmiddag in de krant over de xenofobe opstanden had gelezen, had ik niet aan haar gedacht.

'*I'm eating pap and watching cartoons*,' las ik, 'ik wil je zien.'

'Ik eet calamares in Nelspruit. Gaat het goed met je?' tikte ik aan Lili.

Toen ik na tien minuten niks had teruggehoord, had ik er genoeg van. Ik stuurde Louise Oakley een sms. Daarop hoorde ik evenmin iets, zodat ik vol van gamba's en ellende in mijn bed viel.

Dit was het Laeveld, het laaggelegen veld – al was het nog steeds een meter of zevenhonderd boven zee. Ooit noemde men dit Oos-Transvaal, nu had deze provincie die wonderlijk melodieuze naam, Mpumalanga. Aanvankelijk kon ik dat niet uitspreken en dus niet onthouden. Toen ik de smaak te pakken had zei ik die naam zo vaak mogelijk.

Het kan best zijn dat ik een deuntje floot op weg naar Amsterdam, zo had ik het naar mijn zin. Dit was waar het me om was begonnen: onderweg zijn, de meute achter me laten, rondkijken, verkennen, geen haast hebben. De zon scheen en ik had er zin in. Piep!

Dat was Louise Oakley. Of ik me vermaakte, of sms'te ik haar uit verveling?

En zo, met het dak open sms'end, kwam ik door dat grasland aan in Amsterdam. O, ik was er alweer uit. Ik keerde op de weg naar Swaziland en reed alsnog Amsterdam binnen. Erg groot was Amsterdam niet.

Op de enige stoep in Amsterdam stonden Afrikaners als

uit een film. Korte broeken, wollen kniekousen, kaki hemden, baarden. Ze stonden in de rij voor de pinautomaat. De Amsterdam Super Save zat iets verderop aan de Voortrekkerstraat (op nummer acht, mocht je het zoeken). Het was een door Chinezen gedreven supermarkt waar zakken suiker uit Swaziland werden verkocht, chips die zo te proeven door iemand met een menie-overschot in een schuurtje waren gefabriceerd, en bierpoeder.

Bij de Pep, een soort Zeeman, kocht ik beltegoed. Dat had ik snel tot gewoonte gemaakt, *airtime* kopen bij de Pep. Pep gaf daar een paar rand korting op en ik had er schik in om in elk gehucht altijd een Pep aan te treffen, er binnen te kachelen alsof ik er hoorde en tussen jonge zwarte moeders en oma's in het rijtje bij de kassa aan te sluiten. Als Pep buiten Zuid-Afrika zou bestaan, had ik de winkels uit antimondialiseringsoverwegingen genegeerd, dat het zo Zuid-Afrikaans was als boboti en apartheid, nam me erg voor Pep in.

Iets verderop stonden op de stoep twee teilen papmeel. Daar stond ik even bij stil, ik staarde ernaar. Bananen die vanaf een groentekratje werden verkocht, dat had ik gezien en begrepen. Dit was een wereld die ik niet kende. Dat er geen verkoper achter de pap zat, bevreemdde me.

De witten in Amsterdam liepen op de stoep, de zwarten liepen in de goot of aan de overkant van de straat over een paadje door het gras. Ik zag dat, ik nam het waar, en ik dacht er niet over na. Ik liep naar het uiteinde van de Voortrekkerstraat, keek daar op de kruising van de weg naar Swaziland even rond, en liep over het graspad terug.

Elders, later, vertelde ik iemand over Amsterdam. Klein als het was, wisten Zuid-Afrikanen precies waar dat plaatsje lag. Niemand die ik ontmoette, was er ooit geweest. Dat wakkerde hun interesse aan – de Zuid-Afrikaan is misschien niet altijd fier op zijn land, geïnteresseerd erin is hij zeker. 'Daar was iets vreemds,' zei ik, 'maar ik weet niet goed wat. Witten stonden te pinnen op de stoep. Zwarten sjokten door het gras.'

'Dat is niet zo gek', zei de man. 'Tot 1990 mochten de witten de zwarten van de stoep duwen.'

Dat de witten op de stoep liepen had ik niet gek gevonden, des te gekker vond ik het dat de zwarten die stoep kennelijk gewoontegetrouw meden. Anderzijds: hoe vaak was ik al geen baas, sir, meester, sire of chef genoemd? Dat leek me evenmin een aanspreektitel die recent was ontstaan. Apartheid sleet langzaam.

Het politiebureau van Amsterdam had weinig allure, het was evenals het postkantoor een vrij klein, bakstenen gebouwtje. Ik maakte een foto van de veldwachter voor zijn kantoor. Waarom, vroeg hij, kreeg hij die eer? Omdat hij uit Amsterdam kwam, net als ik. Juist, zei hij.

Ik installeerde mezelf in The Robert Burns Inn, voor 200 rand met ontbijt. Het barmeisje annex receptioniste droeg een trainingsjack. Dat was in Zuid-Afrika een populaire dracht voor witte barmeisjes, kreeg ik de indruk. Ze vroeg me waar ik vandaan kwam. Amsterdam, zei ik, blij met de vraag. 'Amsterdam,' herhaalde ze, 'dan ben je lokaal.'

Werd ik hier de hele tijd in de maling genomen?

Stanley de tuinman vroeg of hij mijn schoenen mocht hebben. Amsterdammers onder elkaar, dat schept een band, zo moest ik dat zien. Ik legde hem uit dat ik zelf op mijn schoenen liep. Aha, dan was een pakje sigaretten ook goed. Ik gaf hem er drie, en toen besloot ik een middagdutje te doen.

Op de menukaart las ik eerst de gerechten (dat werd de T-bonesteak, overigens de beste die ik deze maand at) en daarna de geschiedenis van het dorp. De Schot Alexander McCorkindale kreeg in 1864 het plan om in zuidelijk Afrika een Tartanse Republiek te stichten – een soort Nieuw-Schotland. Drie steden moesten er komen: Industria, Londinia en Roburnia – naar de dichter Robert Burns. Met president Andries Pretorius van de Zuid-Afrikaansche Republiek kwam McCorkindale overeen dat hij voor 8000 pond tweehonderd grote boerderijen mocht beginnen aan de grens met Swaziland. Vooral de belofte van de Schot dat hij een haven zou beginnen, zou Pretorius voor het plan hebben ingenomen. Met de oprukkende Engelsen in de nek zat Transvaal verlegen om transportmogelijkheden.

Er kwamen vijftig Schotten naar Transvaal, terwijl McCorkindale op driehonderd families had gehoopt. Zelf stierf hij in 1871 aan malaria in het huidige Mozambique, op zoek naar een locatie voor zijn haven. Roburnia was de enige van de voorziene drie steden die was gebouwd. In 1882 werd het dorp door Paul Kruger omgedoopt in Amsterdam. Het dorpsplein draagt de naam van McCorkindale. Ik was namens McCorkindale blij dat hij het nooit heeft hoeven zien. Meer dan een grasveld was het niet.

De Robert Burns Inn droeg de naam van de Schotse dichter met trots; het klonk goed. Het was een basaal doorgangshotelletje. In het restaurant, dat als dorpsbar fungeerde, stond een poolbiljart. De Robert Burns Inn had zo weggelopen kunnen zijn uit een western, klapdeurtjes incluis. Ik was er de enige vreemdeling.

In dit soort gevallen is mijn motto: wie één iemand leert kennen, kent iedereen. Dat bleek niet zo. Davy, een kerel die er zo Afrikaans uitzag dat hij op Eugène Terre'Blanche leek, kwam uit Piet Retief (dat lag waar Londinia had moeten komen). We praatten wat. Hij werkte voor mijnbouwbedrijven als leverancier van technische spullen.

'Ik was onderweg,' zei hij, 'ik had wat biltongvlees opgehaald, en kwam door Amsterdam. Ik had wel zin in een biertje.' Hoe was het in het echte Amsterdam, vroeg hij. 'Druk?' Ik haalde mijn schouders op. Ik had geen idee wat ik hem moest antwoorden. Hoe is het in dit Amsterdam, vroeg ik. '*Ag*,' zei hij, '*there is nothing in Amsterdam. You should go to Ermelo.*'

Dat vond ik een mop. Ik vertelde hem dat het omgekeerde ook waar was, al gold dat elfduizend kilometer verderop. Davy lachte. Ik bestelde een biertje voor hem. Daar wilde Davy niks van weten. Ik was de gast, ik werd vrijgehouden.

Wat hij met die biltong deed, vroeg ik. 'Opeten', zei Davy. 'Wij Afrikaners zijn erg gesteld op onze biltong en op onze droëwors. Dat spul uit de supermarkt eet ik niet. Walgelijk. Elke slager maakt hem volgens zijn eigen recept. Dat kan goed zijn. Soms is het niet je smaak. Je weet wel. Dus maak ik hem zelf. Leuk om te doen hoor. Wil je het zien?'

En of ik een biltongmakerij wilde zien. Dat was een droom die uitkwam, zei ik. 'O, geen probleem. Loop even mee.' We stapten de klapdeuren door. Buiten stond een groene BMW X3, Davy klikte 'm open. Ik begon al aan het voorportier te trekken toen Davy zei: 'Nee, achterin.'

Daar stonden drie kinderbadjes vol biltong en droëwors in bruin vocht, afgedekt met plasticfolie. 'Zo marineer ik', zei Davy. 'Het geschud van de auto is er precies goed voor.'

Uit de laadruimte haalde Davy eerder geprepareerde biltong en droëwors. Hij stopte me een behoorlijke zak in handen. Wat moest ik daarmee? 'Proeven', zei Davy. 'De biltong is van antiloop, de droëwors maak ik van impala, koedoe, varkensvet en schapendarm.'

'Da's nog een hoop werk', zei ik.

Hij keek me nadrukkelijk aan. 'Vergeleken met wat? Het schrijven van een boek?'

Davy bleek een echt geïnteresseerde, hartelijke vent. Hij onderbrak de ander niet als deze iets vertelde, hij lachte graag, hij dronk rustig van zijn bier – hij dronk tenminste niet de ene Klipdrift-vieux met Coca-Cola na de andere, wat men in Amsterdam deed terwijl men een *Eisbein* of T-bonesteak soldaat maakte.

'Misschien kun je morgen bij me langsrijden, dan gaan we bij alle slagers in Piet Retief biltong proeven', zei Davy na een laatste biertje. Dat klonk als het op één na beste plan dat ik van een Zuid-Afrikaan had gehoord sinds ik in januari was geland.

'Ja, graag', zei ik.

Hij schreef zijn nummer op – 'nee, niet in je boekje, dat is zonde', en vertrok. Ik wilde hem de zak biltong meegeven. 'Nee,' zei hij, 'je hebt nog een lange weg te gaan. Dat mijn biltong je mag vergezellen.'

Echter: de volgende ochtend piepte de BMW. De bandenspanning was niet goed. Ik reed de Voortrekkerstraat in, naar het erf van Professor Tyre. Samen controleerden we de banden, pompten ze op, wachtten een poosje, lieten ze half leeglopen, wachtten even, pompten ze opnieuw op, wachtten weer. Ik morrelde aan de boordcomputer – en die bleek het euvel. Professor Tyre, een brede zwarte, vroeg 4 rand voor zijn werkzaamheden.

Het was zo laat geworden dat het geen zin meer had om naar Piet Retief te rijden. Ik ging naar Vrijstaat. Ik ging naar Bethlehem.

Die nacht had ik slecht geslapen, wat me in Zuid-Afrika niet vaak gebeurde. De oorzaak was kou. Van het laeveld bij Nelspruit was ik naar het grasland van het hoëveld overgestoken, waar het de hele dag had gewaaid en onmiddellijk na het zakken van de zon flink was afgekoeld. 's Ochtends vroeg was het een graad of zes. Dat was iets waar de zon niks aan kon doen. Tegen tienen was het boven de twintig graden.

Langs een doorgaande, verlaten weg richting Vrijstaat stond een bord: '*Crime zone. Do not stop*'. Ik slikte even. Tien minuten later moest ik natuurlijk heel nodig plassen. Ik spiedde om me heen. Zou deze plas mijn einde worden? Nee, dus. Ik raapte er een kristal van de grond, bekeek dat eens uitgebreid en legde het in de BMW. Het was mijn schitterende herinnering aan het gevaar van Zuid-Afrika.

Een aantal keer moest ik ergens linksaf. Op die kruisingen stonden onveranderlijk zwarten, wachtend, hengelend naar een lift, babbelend. Was dat niet overal al zo geweest? *Crime zone. Do not stop* – wat gebeurde er in deze buurten allemaal voor speciaals? Ik wist het niet en ik kwam het evenmin te weten.

Zodra ik opstond, was ik vief. Ik besefte elke ochtend direct dat ik een goede reden had om uit bed te komen. Later dan zeven uur stond ik nooit op. Dat vond ik zonde.

Ik proefde de schone lucht, ik rook het zand en de natuur, ik zag de oneindige hemel en ik wist meteen: ha, een nieuwe dag van mijn mooiste reis ooit.

Ik was elders en ik was elke dag ergens anders, ik ontmoette een paar keer per dag nieuwe mensen en al die mensen waren hartelijk, welwillend en gastvrij. De omgeving was elke dag anders en elke dag opwindend. Ik begon het landschap te doorzien: op tien kilometer afstand onderscheidde ik onregelmatigheden als een rookpluimpje, een graansilo, een dorp.

Een wandelaar langs de weg zag ik vanuit de verre verte, en dan raadde ik: een man of vrouw of kind? Een lifter of een loper? Zwart of wit hoefde ik niet te raden; alle mensen langs de weg waren altijd zwart.

Elke dag was een avontuur. Op geen van de plekken waar ik de afgelopen maand ben geweest, was ik eerder geweest (en het is zeer de vraag of ik er ooit weer zal komen). Ik had 's ochtends geen benul waar ik 's avonds zou zijn. Maar ik voelde me nooit verloren. Nu en dan dacht ik: hoe zal ik dit aan Hunter schrijven, maar dat was een abstractie. Ik was toegewijd en monomaan bezig met hier te zijn.

Ik was geconcentreerd, ik dacht nooit aan huis; ik dacht niet aan mijn vrienden, ik was alleen maar niet eenzaam; het land beviel me alsof het mijn eigen land was. Niet als Nederland, dat is het niet. Het was sterker, het land slorpte me op, het nam me mee. Voor mijn reis had ik niet begrepen wat de Afrikaners zo sterk voelden voor dit land aan het einde van de wereld. Waarom zaten ze de zwarten zo dwars? Waarom waren ze niet teruggegaan naar waar ze ooit vandaan waren gekomen, naar Europa? De afgelopen maand ben ik gaan begrijpen hoeveel je op een fysieke manier kunt houden van een land – zelfs als je er in eerste aanleg niets te zoeken hebt.

Elke dag had ik zon in deze Afrikaanse winter. Het was een prachtige, heldere zon, elke dag genoot ik van het licht, elke avond staarde ik naar de sterren van het zuidelijk halfrond. Elke nacht weer viel het me op, voor ik in slaap viel, dat de Afrikaanse nacht luidruchtiger was dan de Afrikaanse dag, die altijd wat bedeesd en stilletjes voorbijtrok. 's Nachts hoorde ik de krekels, het geritsel, de vogels. Het was als staren naar die sterren in de Afrikaanse nacht: door weinig licht om me heen zag ik de sterren feller, door de afwezigheid van geluid hoorde ik elk geluid.

Het opvallendste aan deze reis was dat ik niet hoefde te wachten tot ik het plezierig begon te vinden. Meteen toen ik de poort van The Westcliff was uitgereden, was ik er eens goed voor gaan zitten. Ik had er elke dag meer zin in gekregen. Ik werd steeds benieuwder. Ik verheugde me op het uitzicht om de volgende bocht. Geen ochtend had een plaats, een uitzicht of iemand me kunnen verleiden om ergens te blijven. Elke dag, schreef ik in mijn Japanse notitieboekje ergens ter hoogte van Amersfoort of bij Dundee, wie weet bij Ladysmith of Van Reenen, was een dag vol nut en wonderen. Ik verheugde me op alles. Ik voelde een gulzige, fysieke lust om door te reizen, en tegelijkertijd miste ik deze reis al – terwijl ik nog lang niet halverwege was. Dit was de grote antiheimwee. En dat ik dat allemaal voelde terwijl ik onderweg was, maakte het zoveel beter dan een tevreden stemmend gevoel na afloop.

Ik schreef je dat elke dag een nieuw avontuur was. Ik herhaal het, maar er was geen herhaling. Alles was telkens anders, niks was saai. Alleen hier was ik nooit ergens anders.

Ik was gewaarschuwd: in Vrijstaat zou ik me gaan vervelen. Nou, dat zouden we nog weleens zien. In geëxalteerde stemming arriveerde ik in Bethlehem.

Ik stond mijn handen te wassen in het Park Hotel toen ik door het badkamerraampje gebrul hoorde, ge-oe en ge-ah. Ik moest me sterk vergissen als dat geen voetbalwedstrijd was.

Ik rende, handen nat, naar de receptie. Daar had de receptioniste eerder tegen me gezegd: 'Bent u buitenlander? Ik heb nog nooit een buitenlander ontmoet.' Was er voetbal aan de gang? Zou kunnen. Waar dan? Hotel uit, rechts, straat uitlopen. Vijf minuten.

De lokale eredivisieploeg Free State Stars speelde tegen de Orlando Pirates uit Soweto. Goble Park was een stadionnetje waar meer gras op de tribunes groeide dan op het veld. Politie, brandweer, televisieploegen en braaiende neringdoenden waren er in groten getale aanwezig. Ik zag nul witten. Daar stond ik, tussen honderden mensen die het stadion niet meer binnen konden: uitverkocht, twintigduizend toeschouwers. Was er geen sluiproute, vroeg ik aan een man die een zwart piratenshirt droeg. 'Hm', hij keek naar de lucht. Ik keek mee. Daar stond een boom met een aantal mensen erin, ze keken illegaal naar de voetbalwedstrijd. 'Daar kunt u het proberen.' Dat hoorden die jongens in de boom, en ze begonnen meteen uitnodigende gebaren te maken. Kom erbij!

Moeilijk te weigeren, vind je niet? Hunter, ik liet me door die knapen, Starsfans, in de boom hijsen. Hoe dat gesjor eruit heeft gezien, is geheim. Ze zetten me op de beste plek.

Spits Diyo Sibisi was hun beste man, vertelden de jongens in de boom. Ik kon de wedstrijd best goed volgen, maar dat had ik zo snel niet gezien. Wat me opviel, was dat dit ongeveer de slechtste voetbalwedstrijd was die ik ooit in mijn leven heb gezien. Iedereen liep, trapte en deed maar wat. Enig idee of een lijn zat er niet in, laat staan een systeem. Dat was schokkend, want dit was het hoogste voetbalniveau van Zuid-Afrika.

Zo zat ik tussen zeven negers in een boom. (Ja, nu doe ik het weer, ik weet het, maar klinkt het niet schitterend?) In de rust fuifde ik op biertjes. Zelf kochten ze er gegrilde ribbetjes bij. Uiteraard bleef ik zitten waar ik zat. Straks kon ik me altijd nog uit de boom laten vallen – al was hij vrij hoog. Er nogmaals in worden gehesen – nou ja, nee.

Dat Bafana Bafana zo beroerd voetbalt, is op de keper beschouwd eigenaardig. Zuid-Afrika is een sportland. In rugby behoort het tot de grootmachten, cricketten kunnen Zuid-Afrikanen als de besten, in atletiek zijn ze vrij goed (neem Zola Budd).

In zwemmen wist Natalie du Toit voor de tien kilometer op open water zich met alleen een rechterbeen te kwalificeren voor de Olympische Spelen in Peking 2008, terwijl vierhonderdmeterloper Oscar Pistorius zich, zonder enig been, op een haar na plaatste voor datzelfde toernooi. Given Maduma, uit het township Mamelodi bij Pretoria, deed mee bij het schérmen. Ik kan nog even doorgaan, maar geloof me: sporten doen Zuid-Afrikanen graag en goed.

Voetballen kunnen Zuid-Afrikanen echter in het geheel niet. Sibisi, met nummer 9, raakte geen bal, ik zag het zelf, vanuit de boom. Maar voetbal was de volkssport, de sport van de zwarten. De arme zwarten, welteverstaan, want voetbal kost niks meer dan een balachtig voorwerp. Cricket is een dure, elitaire sport, en wordt bovendien beoefend door Indiërs, rugby kost – lijkt mij – niets meer dan voetbal, maar was een echte rooinek- en Dutchmensport. Kort en goed: er waren dus twintig miljoen potentiële voetballers in Zuid-Afrika.

Elk ander Afrikaans land dat twintig miljoen voetballende zwarten zou kunnen opstellen, zou de angst vormen van elke andere voetballende natie. Zo niet Bafana Bafana ('onze jongens.' Zeg nooit slechts *bafana*, dat betekent gewoon jongen, niemand zal aan het voetbalelftal denken). Bafana Bafana was een rotzooi.

Met het wereldkampioenschap van 2010 op komst werd er hard gewerkt om de nationale ploeg op orde te krijgen. Veel organiserende landen is dat in het verleden aardig gelukt maar Zuid-Afrika bleef stumperen. Spelers kwamen op trainingskamp en werden door niemand herkend (omdat ze vijftien kilo waren aangekomen), anderen verschenen gewoonweg niet (omdat ze aan de heroïne waren geraakt), Benni McCarthy kwam alleen als zijn petje goed stond (zelden), vele spelers daagden dronken op en de enkeling die nuchter en fit leek, bleek doorgaans niet te weten naar welk doel de bal moest worden gespeeld.

Er was afgelopen jaar een dure Braziliaanse coach aangesteld die er niks van bakte, pas kwam er een iets goedkopere Braziliaanse coach (die geen woord Engels sprak en een voltijdstolk bij zich had), waarna de dure coach terugkwam als technisch adviseur.

Zelfs de kranten, die er een sport van maakten elkaar zo veel mogelijk vliegen af te vangen, gaven het op. Ze noteerden dat het elftal ondermaats presteerde, ze schreven wie er nu weer met een kater het trainingsveld op was gewaggeld, ze drukten de miserabele uitslagen af. Wat ze niet deden, was zich afvragen waarom dat allemaal zo was. Zorgen waren er wel: zou het WK van 2010 een blamage voor Bafana Bafana worden? Wat ik je brom.

Ik sprak de afgelopen maand met mensen die er iets van zouden kunnen weten. Die vertelden me dat gebrek aan talent en een ondermaatse jeugdopleiding de oorzaken waren – dat kan. Toch blijft het raar. Zouden er uit zo veel voetballende jongeren echt geen twintig te vinden zijn die op zijn minst de voetbalkabouters van Malawi in de pan kunnen hakken? Of Lesotho dan wel Swaziland een pak slaag verkopen? Als Bafana Bafana al eens won, was het een gelukkie, of van een B-elftal, en hooguit met een doelpunt verschil. Het was niet om aan te zien.

Deze wedstrijd was zo slecht dat ik vergat te gapen. Een achterspeler van de Stars vond dat klaarblijkelijk ook. Terwijl zijn team gedurig in de aanval was, peuterde hij ter hoogte van de middellijn in zijn neus.

Bethlehem vond ik een aardige stad. Zo was de lokale bedelaar een witte die straal werd genegeerd door een zwarte die in een gele Hummer stapte. Het was mei maar de kerstverlichting hing nog in de straten (of hing ál in de straten, dat spande erom). De Kerkstraat was vergeven van de kerken, waarvan de Nederlands Gereformeerde Kerk veruit de grootste was. De lokale Vrijstaatse slager hield kennelijk van woordgrappen. Zijn winkel heette Vleis Staat.

's Avonds, in de bar annex het restaurant van het muffe, bruine Park Hotel waar het restaurant twee ingangen en twee uitgangen had, dronk ik een flesje Castle. De receptioniste had haar mond niet gehouden. Drie meisjes kwamen vragen of het echt waar was: was ik buitenlander? Ja hoor, zei ik, uit Amsterdam. O, zei er eentje (de knapste), waarom rookte ik dan gewone sigaretten en geen *dagga*?

Buitenlanders ja, daar ging het in de krant ook over (met excuus, Hunter, voor de lullige overgang). *Beeld*, een Afrikaanstalige krant, raakte er rond die dagen overstuur van: wat was dit, de regenboognatie in opstand tegen vreemdelingen? We zijn hier bijna allemaal als vreemdeling gekomen! *The Sunday Times* schreef, op de voorpagina maar toch een beetje weggestopt: 'Xenofoob geweld breidt zich uit.' In Diepsloot (bij Johannesburg), in Midrand (idem) waren mensen op de vlucht geslagen na bedreigingen. In Kaapstad was een Somalische winkelier doodgeschoten. Er waren tachtig gewonden gevallen en tweeënnegentig mensen gearresteerd.

Kortom: de rellen waren geen rellen meer, het waren onlusten geworden.

Velden, velden, velden, ik reed door de eindeloze velden van de Vrijstaat, en dat deed ik zonder veel uitzicht. De gewassen stonden manshoog en de Vrijstaat bleek vrij plat. Nergens stond een bord dat het hier een *crime zone* was. Zo'n bord zou ik ook nooit opnieuw zien. Andere borden wezen elke tien kilometer rechtdoor, Bloemfontein tweehonderdtien kilometer, tweehonderd, honderdnegentig. Logica en ritme, jij zou er ook van hebben gehouden. Toen ik 's ochtends was vertrokken, had ik gedacht: dus ik ben om kwart over een in Bloemfontein. Dat klopte op de minuut af. Er was nauwelijks ander verkeer en met de BMW was ik zo voorbij de handvol bakkies die ik voor me trof.

Bloemfontein heet officieel Mangaung ('thuishaven van jachtluipaarden'). Niemand noemt de stad zo, de nieuwe naam stond op geen enkel bord. De wens van het ANC werd hier keihard genegeerd: een teken van zelfbewustzijn en bovendien een prettig type zelfbewustzijn omdat het werd ingezet tegen nonsens – heel goed.

Er waren veel militairen aan de wandel in Bloemfontein. Twee sergeants, lichtzwarten, reden lachend in een Air Force-bakkie. Ik zal best racistisch zijn, maar ik bezweer je dat het fotogeniek was. Als je een beetje scheef keek, had Bloemfontein wel iets van een vredige, Amerikaanse plattelandsstad in de jaren vijftig.

De eerste vetkoek van mijn reis at ik bij Mr Baker in de centrale Maitlandstreet, pal naast de fanwinkel van Bloemfontein Celtic.

Die voetbalclub is van alle Zuid-Afrikaanse voetbalclubs misschien het populairst. Tot in de verste hoeken van het land trof ik Celticsupporters. Voetbal was in Vrijstaat de grote sport. De Celticshirts hadden dezelfde kleurstelling als die van de naamgenoot uit Glasgow, zag ik in de clubwinkel. Ook kon men in de fanwinkel uitvaartverzekeringen afsluiten. Voor 78 rand per jaar inleg kreeg de familie na de dood 7500 rand uitgekeerd: 'geen hiv-test'.

Zulke verzekeringen had ik overal gezien; bij de Pep hingen ze in kleurige verpakkingen naast de simkaarten, pinautomaten attendeerden de pinner op diens sterfelijkheid.

Warenhuis Woolworths bood bij de klantenservice anti-hiv-behandelingen aan ('binnen tweeënzeventig uur na mogelijke besmetting'). Dat lag zover buiten mijn belevingswereld dat ik er om had gegrinnikt, hoe verschrikkelijk en tragisch het ook was. Zuid-Afrika is het land met de meeste hiv- en aidspatiënten ter wereld, de overheid deed daar weinig aan, de mensen gingen dood, en de vrije markt was in het gat gesprongen.

Vetkoek bleek een oliebol zonder krenten. Ik nam er een colaatje bij. Ik ging zitten aan een tafeltje en weer was het zover. Ik voelde me enorm op mijn gemak, aan mijn eigen tafel thuis zit ik bij tijd en wijle onrustiger. Er wandelden wat mensen voorbij, er reed verkeer, men was bezig met de dingen van de dag, en ik bekeek dat. Zo was het bedoeld. Verderop weerklonk een sirene, iemand kocht wat brood bij Mr Baker, ik bestudeerde de plattegrond die ik in de bed & breakfast had gekregen.

Het huis van de presidenten aan de President Brandstraat was een gratis museum. Bloemfontein was de hoofdstad van de Oranje Vrij Staat geweest ('Vrijheid. Immigratie. Geduld en Moed,' luidde het motto van de staat). De stad was gesticht door de Voortrekkers, de mannen van de Grote Trek. Presidenten als Boshoff, Pretorius, Brand, Reitz en Steyn hadden tot 1900 in dit huis geresideerd. Die namen zeiden me niet zo gek veel. Dat Bloemfontein zijn nieuwe, opgelegde naam negeerde en een ultrawit museum als dit keurig onderhield, zei me meer. Het was geen toeval geweest dat de mensen op straat zo vriendelijk en voorkomend waren geweest, dat was de stijl van deze stad. In mijn boekje schreef ik over het museum: 'Geen uitleg. Boenwas. Veel slaapkamers.'

Op mijn weg door de voortuin van het voormalige presidentshuis stapte een zwarte jongeman op me af. '*I like your style, man.*' Ik weet het niet exact meer, maar volgens mij droeg ik niks anders dan anders: een 501, een wit shirt, een jasje, Ferragamoschoenen. Dus ik zei: '*I like your style too.*' Zijn leren schoenen glommen, de mijne waren stoffig en versleten.

De jongeman werkte bij de rechtbank, vertelde hij in de tuin van die presidentiële woning. Hoe moeilijk was het niet om in Zuid-Afrika goede mannenkleding te vinden! Het was een heel normaal praatje, niks bijzonders – ware het niet dat ik meteen besefte dat dit de eerste keer was dat ik op straat, heel gewoon, niks raars bij, met een zwarte stond te praten.

Wat bedoel ik? Niet dat ik zulks opzettelijk had vermeden. Niet dat er geen zwarten op straat waren. Voor de verandering beticht ik mezelf een keer niet van racisme. Wat het was, was dat het niet makkelijk was om echt met zwarten in contact te komen. Er waren geen wetten meer die dat verboden, nee. Wel woonden zwart en wit nauwelijks naast elkaar. Dat gebeurde wel, zeker in de chique buitenwijken van grote steden. De norm was het niet. Ik wil er geen al te grote woorden voor gebruiken, het is wat het is – een economische grens. Neem al die b&b's waar ik deze maand sliep: er was er niet een van in zwarte handen. De zwarte was de bediende, de blanke was de baas.

Een gepensioneerde cardioloog had op de Kaap tegen me gezegd: 'De blanken hebben hier natuurlijk verschrikkelijk huisgehouden. Ze namen de mensen gewoon mee om ze te verkopen! Per boot! Nou ja, zeg. Vind je het gek dat de zwarten dan niet per se blij zijn met alle witten?'

Zwart woont bij zwart, en wit bij wit, had hij vervolgd. 'Waarom zie je geen zwarten lopen in witte woonwijken?

Omdat ze geen vervoer hebben. Geen geld.' Realistisch had hij geobserveerd: 'Er valt iets voor te zeggen dat groepen mensen bij elkaar wonen, zoals tijdens de apartheid. Anders gebeurt dat toch vanzelf. Daar hoeft de overheid heus niks aan te doen. Dat kan me dus niet schelen, zolang het maar een vrije keuze is. Maar wat dit land tot 1994 heeft gedaan, was puur en alleen economische uitbuiting.'

Die kloof was niet geslecht. Slechtere opleidingen, weinig werkervaring in de verantwoordelijke banen en de moeite die het plattelanders kost om paraffine, pap en water bijeen te scharrelen, maakten het voor miljoenen zwarten onmogelijk te participeren in het reguliere economische leven. Overleven was hun doel.

Natuurlijk was er het staatsondersteuningsprogramma voor de zwarten, en dat hielp veel mensen best een beetje. Tegelijkertijd grapte een cabaretier in de weekkrant *Mail & Guardian*: 'De rijken worden rijker en de armen worden een statistiek.'

Het ANC werd om de haverklap beschuldigd van corruptie, van baantjesjagerij, van vriendjespolitiek. De paupers in de townships stemden op het ANC omdat ze niet beter wisten, omdat hun beloftes werden gedaan, en na veertien jaar democratie stumperden en ploeterderden ze nog altijd even armzalig voort. Dat was een van de tekenen die mij vertelde dat Jacob Zuma ongelijk had gehad toen hij dacht dat het ANC Zuid-Afrika zou regeren tot Jezus terugkeerde op aarde. Het ANC zou regeren tot de arme zwarten ontdekten dat ze in de maling waren genomen.

Wij, de mannen met *style*, wandelden door de tuin van de oude presidentswoning. Zag ik graag musea, zei de jongeman tegen me, dan zou ik zeker het Nasionale Museum niet willen missen. Ik eropaf.

Bloemfontein is nog altijd – naast Pretoria en Kaapstad – een van de drie hoofdsteden van Zuid-Afrika. Dat is geen ANC-vondst, dat is al zo sinds 1910. Bloemfontein is, ik weet dat het je interesseert, de juridische hoofdstad van het land, onder andere omdat het hooggerechtshof er zit. Al bleken er, door alle processen tegen Jacob Zuma leerde een mens snel bij, meer hoge gerechtshoven te zijn. Bijvoorbeeld in Pietermaritzburg, waar Jacob Zuma een paar keer werd vrijgesproken.

Dat daargelaten is Bloemfontein een pretje. Via het hooggerechtshof en het Hof van Beroep, de zandstenen Raadszaal, het oude regeringsgebouw, het gemeentehuis en het prachtige, jarenzestigachtige parkje van het Hertzogplein liep ik naar het Nasionale Museum. Bloemen geurden uit alle perken.

In Bloemfontein viel heel wat te zien, leek me. Dat was niet iedereen met me eens. Een bobo van het *sokkerbeheerliggaam* FIFA was van de week komen kijken naar de vorderingen met het oog op het *wereldbeker-sokkertoernooi* 2010, meldde het *Volksblad* dat ik 's avonds las (onderkop: *Nuus met mening*). De voetbalbons had erop gestaan zich in een regulier taxibusje te laten vervoeren en had de chauffeur gevraagd naar de bezienswaardigheden van Bloemfontein. Die had gezegd: 'Die zijn er niet.' Dat moest anders, luidde een onmiddellijke oekaze uit Zürich, iedereen diende aan buitenlanders te vertellen hoe opwindend Bloemfontein wel niet is.

Elders in dezelfde krant stond een advertentie van een wapenhandelaar. Naast *ammunisie en slagdoppe* had hij *biltong-, wors- en droëworsspeserye* in de aanbieding. Supermarktketen Shoprite riep iedereen op in te zenden voor de '2008 Championship Boerewors'. Sapperloot, daar had ik graag bij in de jury gezeten.

In het Nasionale Museum bevonden zich vele kindertjes. Ze droegen hun schooluniformen en verwonderden zich bij vijf olifantenembryo's. In andere vitrines stonden en hingen babygiraffes, torren, vissen, stenen en een kameeltje.

Men sprak hier Afrikaans, zwart en wit gelijk. Ik hoorde het om me heen in het museum, op straat, in winkels, in mijn b&b. Iedereen sprak indien gewenst Engels en dat Engels was voor mij in een paar weken het meest verstaanbare Engels ooit geworden. Neem een Afrikaanstalige die Engels gaat spreken, wen aan het accent en het is net een Nederlander die Engels spreekt. De woordkeuze, de zinsbouw, zelfs een soms gebruikt Afrikaner woord ('*ag*'), het was allemaal even Hollands en voor mij een even groot pretje als Bloemfontein zelf.

Toen ik bij de BMW terugkwam, schrok ik me een ongeluk. Het dak stond open. Ik reed deze maand altijd met open dak, en ik wist meteen dat ik het dak was vergeten dicht te doen. Oeps.

Iets gestolen was er niet. Ik weet dat de misdaadstatistieken serieus zijn te nemen en ik weet dat mensen die slachtoffer van misdaad worden zich diep ellendig voelen – dit was evenzeer de werkelijkheid. Ik had uren rondgehangen in een Zuid-Afrikaanse stad, mijn dure, opvallende auto stond in een zijstraatje geparkeerd, het dak stond wagenwijd open en er was niets gestolen.

Dat overtuigde me van de goedheid van de knappe, stijlvolle, mokkakleurige, waardige mensen in Bloemfontein.

's Avonds keek ik op televisie naar een wedstrijd tussen Thanda Royal Zulu en Santos Kaapstad. Die was van een schrikbarend peil, terwijl ik me een dag eerder in Bethlehem evenzeer had verbaasd. Vooral 'The Team from Zulu' kreeg helemaal niets klaargespeeld.

In de rust rookte ik een sigaret in de tuin van de b&b, toen het nationale meisjeshockeyteam van Zuid-Afrika er in een busje arriveerde. Er waren een paar zwarte meisjes bij, de meeste waren wit. Opgewekt kwebbelend passeerden ze mij. Had ik niet zo'n opwekkende, avontuurlijke en Zuid-Afrikaanse dag gehad, had dat beeld me bedroefd. Ik: alleen en ineens erg oud en zij: jong, optimistisch, knap. Het deed me niets.

De tweede helft van de voetbalwedstrijd was heel kort opwindend, want na een kwartier waren er acht gele kaarten uitgedeeld en tweeëndertig overtredingen gemaakt. Wat een aanfluiting. Ik viel in slaap tijdens het laatste half uur.

De volgende ochtend stond ik om zes uur levenslustig naast mijn bed.

Ik reed weg. Bij het station van de Shosholoza Meyl, een van de grote passagierstreinen die dwars door het land rijdt, werd onder dikke blauwe wolken vlees gebraaid. Het was er een bende. Knalharde muziek, troep op de stoep. Dat was minder waardig, een slecht laatste beeld van Bloem.

Ik vond het jammer om Bloem te verlaten (nu ik er had geslapen, noemde ik Bloem 'Bloem', zoals elke Zuid-Afrikaan). Bloem was een ontspannen stad van een prettig formaat, hij had een functie, er was een behoorlijke voetbalclub, de vetkoek was vers, de zon had er geschenen.

Bloem was een van de steden geweest waarnaar ik het benieuwdst was geweest. Telkens wanneer ik op de kaart van Zuid-Afrika keek, lag daar in het midden van dat grote, onbekende land een stad met die super-Nederlandse naam. Altijd had ik gedacht: wat is daar, wie woont daar, hoe praten ze daar? En nu kon ik altijd als ik op een kaart zou kijken, voor de rest van mijn leven, Bloem voor me zien.

Koffiefontein vond ik ook bepaald geen slechte plaatsnaam. Het lag ongeveer halverwege mijn volgende halte, en al in Amsterdam (Nederland) had ik besloten er aan te leggen om er een bakje te doen.

Een grote koffiekan bij de entree van het stadje beloofde veel goeds. Het dorp had anderhalve eeuw lang voor Voortrekkers en andere passanten gediend als verversingsplaats. Ik verwachtte een hoeveelheid koffiehuizen die me zou doen denken aan Wenen – ik lieg. Ik verwachtte dat er een geopend restaurant zou zijn waar de koffie bitter zou smaken. Een sappige muffin zou mijn leed beperken. Ik zag het voor me.

Hunter, jij als koffieleut zou nog teleurgestelder zijn geweest dan ik: nergens koffie. Er was een koffietentje op de hoek van Groot Trekstraat en De Beersstraat. Dat was gesloten. Jammer. Wel waren er in Koffiefontein vanaf 1870 diamanten gevonden. Daar had ik niet gek veel aan. De Beers had er een mijn geopend, en die mijn was een aantal malen gesloten, op momenten dat de mijn niet langer rendabel heette te zijn. Een jaar of wat later had De Beers de mijn telkens weer geopend vanwege stijgende diamantprijzen. Terwijl ik een banaantje at op de parkeerplaats van de Spar, zag ik een autootje van De Beers langstuffen. Een bakkie met schapen achterin passeerde. Het leven in Koffiefontein leek vredig, op het duffe af. Na mijn banaan reed ik verder.

De afstanden in het hart van Zuid-Afrika zijn groot. Orania lag op de westoever van de Oranjerivier – de grootste rivier van het land – waar de provincies Vrijstaat en Noord-Kaap aan elkaar grenzen. Ik zag op de kaart dat het een eind zou zijn. Er viel weinig oponthoud te verwachten op een weg van nergens naar nergens, maar een eind bleef het.

De onlusten waren klopjachten aan het worden. President Mbeki vloog naar Zimbabwe om zijn collega Robert Mugabe te overtuigen dat-ie beter kon opkrassen. Inmiddels schreven de Zuid-Afrikaanse kranten dat Mbeki zelf beter zou kunnen opkrassen. Want waarom deed hij niet eerst even iets aan de crisis in eigen huis? President Mbeki vond het allemaal nonsens. Vicepresident Phumzile Mlambo-Ngcuka verving hem toch uitstekend?

Dat hoorde ik in een krantenoverzicht op de radio, die ik voor de verandering had aangezet. In mijn eentje tussen de maïs honderden kilometers over stille wegen rijden was leuk, ik kon me goed concentreren en ontweek veel potholes, maar soms werd het wat stil om me heen.

De velden raakten langzamerhand minder uitbundig begroeid, de gewassen stonden minder hoog; ik reed vanuit de hypervruchtbare Vrijstaat naar de halfwoestijn Karoo.

De xenofobie breidde zich uit, vertelde een nieuwslezer in een zo deftig soort Engels dat volgens mij alleen Koningin Victoria het ooit sprak. Er vielen doden, er werd geschoten met rubberkogels, winkels werden in brand gestoken. Zorgelijker waren de vluchtelingenstromen die door het hele land op gang kwamen. Tienduizenden wilden naar de grote steden om daarvandaan met treinen en bussen naar hun eigen landen te worden teruggebracht, of tenminste in de luwte van een groot politiebureau op vervoer te kunnen wachten. Onzin, vertelde een man op de radio, die vluchtelingen overdreven het. Die rellen, daar wist de politie en desnoods het leger wel raad mee, let maar op. Maar op die vluchtelingen was de infrastructuur niet gebouwd. Zo kon men er ook naar kijken.

Ik reed daar tussen het wuivende graan, onder de blauwe lucht met een decoratief wolkje erin, met een open dak, ik zag af en toe een aap – het nieuws op de radio kwam uit een andere wereld.

En mijn volgende halte was het meest xenofobe dorp in Zuid-Afrika.

Orania bestaat pas kort, zelfs voor Zuid-Afrikaanse begrippen. Het werd opgericht in 1990, niet als dorp maar als bedrijf. Het is gevestigd op privégrond in de Karoo en nadat ik bij de Oranjerivier honderden kleine apen in de berm zag springen en de rivier was overgestoken, stonden er borden langs de weg die meldden: 'Privé Eigendom', en 'Private Property'. Op een volgend bord: 'Afrikanertuisstee'. Ik ben in spookhuizen geweest waar ik het minder eng vond.

Naast de doorgaande weg liep een parallelweg die via een openstaande slagboom toegang gaf tot het Saamstaan Winkelsentrum, een koffieshop en een parkeerplaats. Erg florissant zag het er allemaal niet uit. Dat een halfwoestijn stoffig zou zijn, had ik kunnen verwachten; dat men zich hier uit ideologische motieven had gevestigd, vond ik pathetisch. Als men zo ongewenst is dat men de woestijn in moet vluchten – je zou zeggen dat de geschiedenis daar iets over leert.

Orania was opgezet door de schoonzoon van apartheidsarchitect Hendrik Verwoerd. Deze laatste, een geboren Amsterdammer, heeft meer voor apartheid betekend dan de uitvinders ervan. Hunter, eerder schreef ik je dat apartheid noch in woord, noch in uitvoering bijzonder Nederlands was. Dat was buiten Verwoerd gerekend – al kwam hij al op zijn tweede naar de Kaap en studeerde hij in Duitsland.

Verwoerds schoonzoon Carel Boshoff meende in 1990 dat hij de bui van zwarte suprematie zag hangen en kocht een lap grond in de Karoo. Alleen wie zich inkocht en de idealen van Orania onderschreef, mocht er komen wonen. Die idealen zijn, samengevat, een wit Afrikanerland voor de witten. Men moet Afrikaans spreken – dus geen Engels. Men moet zelf werken – dus geen zwarte knecht of huishoudster willen hebben (een witte mag wel). Men moet de Afrikaner cultuur onderschrijven – er staat een beeld van Verwoerd op een heuveltje. Van apartheid, zegt de huidige geestelijk leidsman, Carel Boshoff junior, moet hij niks hebben. De Afrikaner normen en waarden in stand houden, daar draait het om.

In interviews gaf Carel Boshoff junior (Verwoerds kleinzoon dus) telkens te kennen dat hij en zijn zeshonderd dorpsgenoten (of gezinnen, dat werd nooit helemaal duidelijk) in een traditie stonden: de traditie van de Grote Trek. Destijds waren de Afrikaners voor de Engelsen op de loop gegaan, nu waren ze gevlucht voor de zwarte overheersing. Het idee was dat hun kinderen geen Engels zouden spreken, niet in een steeds gemengder samenleving hoefden te wonen, niet verspreid en machteloos in dat grote land zouden verdwijnen.

Een succes was Orania niet. In de achttien jaar dat het bestond was er amper aanwas geweest en ik zag meteen waarom. Deze mensen waren zo extreem dat ze me rijp leken voor het gesticht.

Want in tegenspraak met hun ideaal keken ze de vreemdeling aan vol achterdocht. Het was toeval dat ik in deze plaats aankwam op een dag dat xenofobie het land regeerde. Het was geen toeval dat ik er die dag meteen weer vertrok.

Natuurlijk had ik daar praatjes kunnen aanknopen, natuurlijk had ik er 's avonds een biertje kunnen drinken en natuurlijk had ik tegen luttele betaling kunnen overnachten in Herberg Oranje en de volgende dag kunnen denken: op naar een nieuw avontuur.

Ik had daar helemaal geen zin in. Ik wilde mijn geld niet aan die engerds geven, ik wilde niet goedmoedig en braaf knikken als ze hun reactionaire praatjes verkondigden (bewaar me, ik zou ze af en toe gelijk hebben moeten geven om het gesprek op gang te houden), ik had geen zin voor te wenden een fijn verslag over Orania te schrijven terwijl ik al meteen wist dat ik ze uiteindelijk af zou doen als enge mensen.

Hunter, excuus. Ik weet dat je van me verwacht dat ik onderzoek doe, ga waar jij niet bent en je verslag uitbreng. Nou, doe het lekker zelf. Ik werd er bozig van. Ik weet dat de Heer de mens niet op de proef stelt boven diens kunnen, maar dit was uitlokking. Het was niet dat deze lui van mij hun experiment niet mochten laten mislukken – ze gingen hun gang maar. Maar ik wilde er niets mee te maken hebben.

De koffie op het terras van de Afsaal Koffiekamer smaakte me niet, al was het best lekkere koffie. Op het mededelingenbord van dat cafeetje werden spullen en diensten aangeboden: een Opel Corsa voor 80.000 rand, er was een Kerk Aksie gaande, en iemand bood een pistool te koop aan, een 6.35, voor 100 rand.

Ik rekende 8 rand af, sprong in de BMW, en reed zo hard mogelijk de slagboom onderdoor, de openbare weg op. Achter me waaide het stof op, en verdwenen was Orania. Orania was voor mij niks meer dan een vrijwillige gevangenis, en ik was er niet klaar voor om een balling te zijn.

En nu iets anders. En toch hetzelfde.

Orania was precies waarom ik in Joburg geen townshipbezichtiging had willen doen. Die tours werden me van alle kanten aangeboden. Heel duur, met eten en *shebeen*-bezoek en overnachting, met bezoek aan de voormalige huizen van Mandela en Tutu of gratis en voor niets, met een ritje langs het huis van Winnie voorheen Mandela (die je beter kent als Nomzamo Winifred Zanyiwe Madikizela), het kon allemaal. Maar, mijn probleem was dat het bij een rondrit zou blijven. In een bus, of niet in een bus.

In Orania moesten ze me per definitie niet, in een township zou ik louter als toerist kunnen komen. Van beide mogelijkheden moest ik niets hebben. Het zou van de gastvrijheid tot de veiligheid kunstmatig zijn. Ik zou iets zien, maar ik zou vooral zien wat men me wilde laten zien. Hoe ik dat probleem in de townships ging oplossen, wist ik – ik zou Odwa Pani op een dag vragen me mee te nemen naar zijn hut in Khayelitsha – maar zelfs als me dat niet zou lukken, was er niets aan de hand.

Ik wilde Zuid-Afrika verkennen, ik wilde het leren kennen op een manier die ik zelf kon organiseren. Iedereen die dat wil, kan een township bezichtigen, net zoals iedereen naar een wildreservaat zou kunnen gaan en de Big Five binnen een dag zou kunnen zien (en iedereen een ticket voor een ruimtereis kan kopen).

Ik wilde dingen op mijn eigen houtje doen. Ik was niet gekomen om alles te zien, ik was gekomen om te zien wat ik kon zien. Het leven van alledag in Zuid-Afrika leren kennen, was misschien niet op elk front voor me weggelegd. Zo was mijn verzoekje om een dag met president Mbeki mee te lopen bruutweg afgewezen. Als die houding me zou beperken – en natuurlijk zou ze dat doen – dan was dat wat het was. Ik maakte een reis. Alles wat ik tegenkwam, overal waar ik binnenkwam, iedereen die ik ontmoette was welkom. Waar ik werd buitengesloten, wilde ik per definitie niet heen. Uitsluiting zegt ook iets, zal ik maar zeggen.

Mijn krachtdadige vertrek uit Orania stelde me voor een probleem. Ik had al ver gereden, ik was in de Noord-Kaap beland, in de Karoo maar liefst, het was niet alsof ik me in de bewoonde wereld bevond. Het zou lang kunnen duren voordat ik een bed zou zien, vermoedde ik.

Eerst reed ik vijftig kilometer naar Hopetown. Dat daar zwarten rondscharrelden, vond ik ineens heel leuk (is een mens dan een racist? De kleurloosheid van Orania had ik muf gevonden). Een enorm gebouwencomplex waarop *Correctional Services* stond ontnam me de lust om in Hopetown te overnachten. Ik had niet de ballingschap van Orania geweigerd om even verderop in een gevangenisstadje te gaan slapen. Hopetown was best geinig, verder. Het had een waarachtige *western look and feel*. Het kon zo meedoen in een cowboyfilm.

Weet je, ik was kregel van Orania geworden. Ik wilde het fysiek van me afschudden – dat stomme rurale gedoe. Ik keek op de kaart. Mijn oplossing heette Kimberley.

In Kimberley was ik pas geleden geweest, die keer met de trein. Ik had er goede herinneringen aan. De dikke Alfred Kaminsky bij dat enorme gat: ik zat achter het stuur te lachen toen ik aan dat beeld dacht. Kimberley was nog eens tweehonderd kilometer verderop in Noord-Kaap. Dat zou het totaal voor vandaag op vijfhonderdvijftig kilometer brengen.

Op de Duitse *Autobahn* zou je erom lachen, wellicht, maar in Zuid-Afrika was er altijd wat. Potholes, wegopbrekingen, bakkies, smalle wegen, politiecontroles – echt opschieten deed men nooit, een gemiddelde van zestig tot zeventig kilometer per uur was doorgaans het hoogst haalbare.

Die middag schoot ik goed op, en toen ik dat ondiepe meer vol met flamingo's zag (nu aan mijn linkerkant), werd ik bevangen door het gevoel door te kunnen rijden tot ten westen van de zon. Vanaf de flamingo's was het niet ver meer.

Vorige keer had ik alleen de stationskant van Kimberley gezien, en het grote gat, dit keer zag ik dat de halve binnenstad was afgezet aan de grotegatkant. Klaarblijkelijk dreigde er instortingsgevaar onder de Bultfontein Road. Dat maakte het centrum van Kimberley niet direct handig te berijden. Het navigatiesysteem begreep er evenmin iets van, zodat ik de

BMW achterliet bij mijn b&b, Milner House.

Ik trok te voet het centrum in. Niet doen, zouden de mensen hebben geroepen, gevaar! Pas op voor buitenlanders, voor binnenlanders, voor stroomuitval, voor het verkeer, niet pinnen want dan zien ze dat je geld hebt, zal de zon je niet verbranden, heb geen seks, loop niet voorbij het ziekenhuis want daar zijn arme mensen, neem je creditcard niet mee, en pas ten slotte vooral op voor het grote gat.

Ik zei niets en vertrok stilletjes. Men kan zeggen, overwoog ik, dat de Zuid-Afrikanen, voor een volk dat met zo veel gevaar leeft, nogal aan de bescheten kant waren. Men kan evenzogoed zeggen, overwoog ik, dat ze geleerd hebben van dat gevaar. Wat men in elk geval kan zeggen, concludeerde ik, is dat de Zuid-Afrikaan niet buitengewoon vaak spontaan of zonder plan zijn huis verlaat. Dat doet de Zuid-Afrikaan juist alleen omdat dat niet kan. Dan vertrekt hij meteen voor altijd naar Melbourne, Calgary of Auckland.

Kimberley-Centrum was verrassend vriendelijk. Bij het gemeentehuis stond een groot bord: 'delfvergunningen aan te vragen van 8-11, van 12.30-15 en van 16-17 uur'. Ik schreef het je al eens eerder, en daar ga ik opnieuw: een andere wereld. Er stond echter geen rij met hele en halve cowboys. Zanderig was het wel in Kimberley. Het zand knarste tussen mijn tanden, het plakte in mijn schaarse haren, mijn schoenen zaten er vol mee. Toen ik 's avonds mijn broek uittrok, vormde zich naast mijn grote, lekkere, zachte bed een mini-Kalahari, vermengd met een paar witte Karoo-korrels.

Mario's was een Italiaans restaurant aan de Du Toitspan, een doorgaande weg. Waarom ik ineens at aan doorgaande wegen in plaats van gewoon in het beste restaurant van de stad?

Ten eerste was er dikwijls helemaal geen beste restaurant van de stad. Het was allemaal ketenwerk, Spur voor vlees en

Ocean Basket voor vis, en overigens sloeg de klok vetkoek en pap. In de winkelcentra, de malls, zaten doorgaans ook ketens, maar andere ketens. Als ik moet kiezen tussen een mall en een doorgaande weg – juist, Hunter, daar zat ik, bij Mario's. Jij zou er ook hebben gezeten.

Deze Italiaan serveerde als dagschotel een springbok-*pie*. Wat dat was? 'Als je het eet, zul je ervan genieten', zei de serveerster. Dat was niet waar. De springbok-pie zat vol lastige botjes. De Lord's Sauvignon Blanc 2007 uit McGregor compenseerde dat spectaculair. De wijnmaker was pas net begonnen, dit was zijn eerste oogst. Whoepa. Een 8,5. Toegegeven, ik had al een week geen wijn gedronken.

Ik genoot ook behoorlijk van de vrouwen die Mario's bezochten. Je zou denken: behangen met diamanten. Dat niet. Wel rijk. Het waren een soort Halle Berry's, maar knapper, stijlvoller en sexyer, en ze zaten met zijn drietjes gezellig aan een tafeltje te drinken, ze aten er een pastaatje bij. Dat is niet de situatie waarin ik op mijn best ben – zoals je weet ben ik misantroop en een misantroop die solo eet met uitzicht op drie amberkleurige parels, die druipt beter af. Zo ben ik.

Gelegen op dat grootse bed in mijn b&b wipte ik een Windhoekie open. Men moet toch wat. Mijn mobiele telefoon was in de buurt en zo kwam het dat ik, zonder plan of duidelijk doel, een sms stuurde aan Louise Oakley in Joburg. Of ze een tip had. Een open vraag, wat je zegt. Soms lijk ik niet goed wijs.

Ik besloot een tweede nacht in Kimberley te blijven. Net nadat ik dat had verteld aan het aardige meisje van de b&b, begon het te motregenen. Nou vraag ik je, Hunter: mótregen? Wat had dat met Noord-Kaap te maken? Het meisje keek gelukkig. 'Regen is voor ons altijd goed nieuws', zei ze. 'Vanmiddag zal alles bloeien en lekker ruiken.' Ik wil je al te veel meteorologie besparen. Inderdaad miezerde het de hele dag en tegen het eind van de middag rook het in Kimberley naar de bloemenkust bij Hilo, op Hawaï.

Het hoofdkantoor van diamantgigant De Beers had Kimberley officieel nooit verlaten, al kwam het bestuur er naar verluidt maar eens per jaar bijeen. Desalniettemin was het een prachtig gebouw, feilloos onderhouden bovendien. Het was koloniaal, twee verdiepingen met een balustrade op de eerste etage en wat er vooral zo leuk aan was: het was niet groots. Het was vooral zo leuk omdat je er zonder probleem langs kon lopen. Niemand die je aankeek of wegjoeg.

Kimberley was geen stad waar men doodgegooid werd met beveiliging. Men zag de autootjes en bakkies met gewapende mannen rijden, vanzelfsprekend; er waren hekken, natuurlijk; wie bij een restaurant parkeerde werd meteen voor de wielen gesprongen door een bewaker, logisch. Verhoudingsgewijs vond ik het meevallen – Joburg, Kaapstad en Stellenbosch waren fanatieker beveiligd geweest. Dat er in Kimberley amper nog een diamant uit de grond kwam, kan daar iets mee te maken hebben gehad. Dat het niet tot de nok toe was beveiligd, maakte Kimberley vriendelijk.

Wat me de stuipen op het lijf joeg, was de krant van die dag, 18 mei. *The Star* schreef over grootscheepse rellen in Diepsloot, ten noorden van Johannesburg. Volgens een Pakistaanse textielhandelaar was het motief hetzelfde als het motief van apartheid: geld. Over xenofobe drijfveren schamperde hij. 'Het is georganiseerde misdaad, het enige doel is ons te beroven.' Dat was niet waar. Er werden heel veel heel arme mensen aangevallen. De kranten stonden er vol mee, de televisie had het amper over iets anders.

Met een trui aan en onder een geleende paraplu liep ik naar het McGregor Museum. De voertaal in Kimberley is Engels, geen Afrikaans. Dit gebied was pas echt gekoloniseerd – door Cecil John Rhodes – toen er eenmaal diamant was gevonden. Tijdens de Tweede Boerenoorlog werd de stad belegerd en Rhodes nam zijn intrek in dat museum, dat destijds een sanatorium was – het was gebouwd op voorspraak en kosten van Rhodes zelf. Opgelucht haalde hij adem toen hij te horen kreeg dat de Boeren de aftocht bliezen. Daarna ging hij rap dood.

Het museum was een kleine versie van wat ik eergisteren in Bloem had gezien: opgezette dieren, fossielen, stenen. Op de eerste verdieping waren parafernalia van het Kimberley Regiment in stoffige kasten neergezet. Ik sufte net wat weg voor een vitrine vol medailles toen de beheerder me vroeg of ik alles kon vinden wat ik zocht. Hij was duidelijk lid geweest van het infanterieregiment, om dat te kunnen zien hoefde ik geen polemologie te hebben gestudeerd. Ik werd gered door een piep.

Dat was Louise Oakley, ik voelde het. Inderdaad. Ze had me een e-mail gestuurd, schreef ze, die me zou kunnen interesseren. Die bevatte een artikel over de xenofobie.

Tegen de oud-strijder maakte ik mijn excuses: 'Mijn vrouw wil dat ik naar huis kom.'

Dat zei ik in de bijna-Kalahari. Als men lang genoeg alleen onderweg is, wordt men vanzelf stapelgek.

Aan het eind van de dag scheen de zon door de wolken, en toen de zon onderging was er oranje, blauw, roze en paars alsof er nooit meer een zonsondergang zou zijn.

In de tuin van de b&b at ik wat chips en daar dronk ik een hele fles wijn bij leeg. Voor je informatie: een Asara Sauvignon Blanc uit Stellenbosch, 2007. Een 7. Niet vies, lekker strak, maar echt geen Lord's.

Ik bedacht in hoe weinig tijd ik dol op dit land was geworden. Je kunt me voor de voeten werpen dat ik altijd veel sympathie kreeg voor het land waar ik doorheen reisde om er een boek over te schrijven. Dat is zo. Voor een gedeelte is dat zelfbescherming. Houd het maar eens leuk als weerzin 's mans drijfveer is. Zuid-Afrika was anders dan Duitsland, Suriname, Aruba of België (de Nederlandse Antillen laat ik er even buiten, die haat ik).

Zuid-Afrika was in dit stadium van mijn reis al zo veel meer, zo veel kleurrijker, zo veel diverser en zo veel opwindender dan ik ooit had bevroed dat het me dagelijks met stomheid sloeg. De mensen waren zo aardig. Het weer was zo lekker. Elke provincie was zo anders dan de vorige. De Zuid-Afrikaanse BMW reed zo goed. De wijn smaakte goed, de sigaretten smaakten goed, het eten was regelmatig best eetbaar. Ik hoefde aan niemand verantwoording af te leggen. Ik werd niet lastiggevallen. Ik ging waar ik wilde gaan en nooit viel het tegen. Ik schreef het je eerder: elke dag was een avontuur. Ik was gelukkig. Saai hè?

Prompt ging het mis. Niet echt, maak je niet dik. Het begon ermee dat ik me compleet vastreed in het centrum van Kimberley – dat ik tegen die tijd had moeten kennen. Nee hoor. Cirkelend en scheldend reed ik om dat gat heen. Pas na een half uur kwam ik de stad uit, vraag me niet hoe.

Ik koerste over Warrenton, Christiana, Boipumelong, Bloemhof (waar restaurant Why Not? was gesloten), Trotsville, Wolmaransstad, Freemansville en Uraniaville naar Klerksdorp. Dat was me een stug end. Om precies te zijn: driehonderddrieëntachtig kilometer. Dat je de helft van die plaatsen niet op enige kaart zult kunnen vinden – ze liggen allemaal aan de N12 – komt omdat het townships zijn.

Dat maakte het rijden nooit makkelijker. Bij townships

staken de mensen de snelweg over alsof er zebrapaden op stonden geschilderd. Dat was niet zo. De maximumsnelheid was op die plekken zestig kilometer per uur, toch was het linke soep.

Van Klerksdorp was het tweeënzeventig kilometer over de R30 naar Ventersdorp. Ik was, hopla, in de provincie Noordwest beland, en Ventersdorp was de geboorteplaats van de schimmelrijder annex leider van de Afrikaner Weerstandsbeweging Eugène Terre'Blanche. Ik reed er wat rond. Ik dronk er een colaatje. Ik dacht: wegwezen. Het was een nette, verzorgde plaats, niet te klein, al helemaal niet groot, maar zo verschrikkelijk wit. Het had niets met Orania te maken, denk dat niet. Dit was een normale plaats, prima verder, maar ik had net zo goed in Hilvarenbeek kunnen aankomen.

Wat dan gedaan? En daar maakte ik een fout. Uiteindelijk zou ik die dag belanden in Potchefstroom, en dat lag vlak achter me aan de N12, vijfenvijftig kilometer van Ventersdorp vandaan. Nee, ik dacht dat ik beter eens een kijkje zou kunnen nemen in Rustenburg. Dat was een kilometer of honderd verder, over de R30.

Rustenburg is met afstand de platinahoofdstad van de wereld. De twee grootste platinamijnen zijn er, en 's werelds grootste platinaraffinaderij. Dat leek me aardig, daar moest iets aan verbonden zijn: sfeer, geld, weet-ik-wat. Rustenburg is de snelst groeiende stad van Zuid-Afrika. Rustenburg is een van de steden waar het WK voetbal van 2010 zal worden gehouden. Daar ging ik. Op naar Rustenburg.

Nooit viel het tegen, schreef ik je. Ik had op mijn hoede moeten zijn. Rustenburg was een industriestad die zeven dagen per week werk bood aan duizenden mijnwerkers uit de omgeving. Dat impliceerde honderden taxibusjes die af en aan reden, grote, doorgaande wegen, een drukte van jewelste. Na de rust van mijnbouwstad Kimberley zat ik niet te wachten op dit mijnbouwgeweld.

Wel bekeek ik in Rustenburg het Royal Bofakeng Stadium met tweeënveertigduizend plaatsen. Welke ploegen zouden hier over twee jaar voetballen? Dit stadion werd gerenoveerd, niet nieuw gebouwd. Als ik als volslagen leek die stadions en de bouwprogressie zag, kreeg ik de indruk dat Zuid-Afrika behoorlijk vaart maakte voor 2010. Andere koek was dat de FIFA daar niet overtuigd van leek. En de blanke Zuid-Afrikanen die ik sprak al helemaal niet. Daarbovenop was nu die halve burgeroorlog uitgebroken. Daar was de FIFA niet echt gek mee.

De blanke Zuid-Afrikaan had weinig fiducie in het WK. De stadions en wegen en hotels zouden niet op tijd klaar zijn, tenzij er honderdduizend Chinezen zouden worden ingevlogen. En dus leed het geen twijfel, wisten deze mannen in cafés, dat Australië er met het WK 2010 vandoor zou gaan.

In Bloem had ik vol scepsis mijn wenkbrauwen opgetrokken: hoe dat zo? 'O, Australië is altijd de reservekandidaat, voor elke Olympische Spelen, voor elk wereldkampioenschap rugby of voetbal.'

Hoe dat zo? 'Politiek stabiel, goed weer, een volledige infrastructuur en sportminnende mensen.' Nou, ik had het nooit geweten, al klopte het wel. 'O? Dat weet toch iedereen?'

Tot de FIFA sprak, later deze week. De FIFA liet weten dat Spanje het WK zou overnemen als de Zuid-Afrikanen hun xenofobe geweld zouden doorzetten en/of niet hard zouden doorbouwen. Zelfs president Mbeki schrok er helemaal in Japan wakker van en stond als een gratie Gods op een stille zondagochtend toe dat het leger werd ingezet om de Zoeloes in toom te houden. Het leger inzetten, dat leek me de definitie van oorlog.

Ik reed door naar Potchefstroom, waar ik drie dagen geleden ben aangekomen. Die dag was het geen reizen geweest wat ik deed, dat was verplaatsen geworden.

Na honderdzestig kilometer over binnenwegen kwam ik laat in de middag in Potchefstroom aan. Ik vond in Guesthouse Akkerlaan een b&b naar mijn wens: het meisje achter de balie was zo behulpzaam dat ik haar gisteren mee uit eten heb gevraagd.

Deze Maritsa wees me de weg in Potchefstroom: ze wees me het beste restaurant van de stad, een café waar ik voetbal kon kijken, en verklaarde hoe het zat met alle straatnaamwijzigingen. Potchefstroom heet trouwens Tlokwe. Dat werd zo straal genegeerd dat niemand er een woord aan vuil maakte – die naamsverandering leek nooit te zijn voltrokken, maar was het wel. De voormalige Jan van Riebeeckstraat heet de Peter Mokaba Avenue. Uit protest hadden bewoners de oude straatnaambordjes tegen hun eigen gevels gespijkerd.

Ook andere straten waren hernoemd. Om je een idee te geven hoe grootscheeps dat is gebeurd: de Andries Hendrik Potgieter Hal was de Madiba Banqueting Halls geworden, Pietersenstraat werd de Promosa Road, de Poortman-, Potgieter- en Holtzhausenstraten werden samen de Nelson Mandela Drive. De Krugerstraat werd de Dr. Beyers Naudé Avenue, de Greylingstraat werd de O.R. Tambo Avenue, de Kerkstraat de Walter Sisulu Avenue (al staan de kerken er nog wel), de Gouwsstraat heet nu de Sol Plaatjie Avenue, Mooirivierweg is de Govan Mbeki Drive geworden, de Van der Hoffweg is de Thabo Mbeki Drive, de Bothastraat heet de Chris Hani Drive, de Von Wiellighstraat is de Chief Albert Luthulirijlaan en Tomstraat is Steve Biko Avenue geworden.

De Stasieweg heet, op instigatie van de Democratische Alliantie en als gebaar van het ANC, nu de Piet Bosmanstraat.

Dat was best lastig bij het vinden van de weg. Toen ik er eens over begon tegen iemand anders dan Maritsa, zuchtte deze persoon heel diep en keek de andere kant op. Daarna snoot hij zijn neus.

Het beviel me meteen goed in Potchefstroom. Het was zo'n stad geweest waarbij ik me helemaal niets had kunnen voorstellen, waar ik niets van wist.

In de gemeente Potchefstroom wonen honderdtwintigduizend mensen – van wie de helft in het stadje zelf. Er was een grote universiteitscampus, er stonden tachtig kerken, er lag een macht aan sportvelden, er waren koffiezaakjes, terrasjes en niet-geketende winkeltjes. De ketens zaten in een gigantische mall die zo ver buiten het stadje lag dat men er geen last van had. En toen ik iets nodig had om mijn stadse look te vervolmaken – ik ging na Potchefstroom naar Joburg – vond ik er alles wat ik wilde.

De hoofdstraat, ex-Tomstraat, was 'de langste met eiken omlijnde laan van het zuidelijk halfrond', achtenzestighonderd meter lang en met zevenhonderdachttien eikenbomen. Ik heb ze niet geteld, maar dat zag er rustiek uit. Omdat Akkerlaan tegen het centrum aanlag, kon ik de BMW laten staan en wandelend de stad verkennen. Dat was een genoegen op zich. De meeste Zuid-Afrikaanse steden waren zo ruim gebouwd dat ik altijd met de auto op pad had moeten gaan.

Aan Maritsa vroeg ik of ik hier een paar dagen kon blijven. Ze zei: 'Ik zal uw kamer elke dag, zo lang u wilt, tot twee uur 's middags vrijhouden. Dan hoeft u niet een avond van tevoren te beslissen of u 's ochtends wilt vertrekken.' Zou ze voor vanavond maar een tafeltje me reserveren bij het beste restaurant van de stad?

Het restaurant had geen naam, het was aan ex-Tomstraat, waar op de eerste verdieping de luiken openstonden en de paarse gordijnen naar buiten wapperden. Dat leek een curieuze beschrijving. Later verifieerde ik haar, en bleek ze precies te kloppen.

Ik at voor een haardvuur een portie *satay hoender, bedien op 'n bed van kokosneutrys en satay sous*. Glaasje vieze zoete rosé erbij. Ik betaalde opzettelijk met een creditcard zodat ik het naamloze restaurant van een naam zou kunnen voorzien – 82 B Tom 82 B.

Terug in Akkerlaan keek ik op televisie eerst naar Malawi tegen Botswana (wát een baggerwedstrijd) en toen naar de vrouwenvoetballers van Bafana Bafana tegen Kameroen. Met de gelukzalige gedachte dat in Zuid-Afrika iedereen zo gelijk is dat zelfs de vrouwenvoetballers 'onze jongens' worden genoemd, viel ik in slaap.

Op zaterdag deed ik wat iedereen ter wereld op zaterdag doet. Ik pakte de BMW en reed naar het winkelcentrum. Ik kocht er voornoemde outfit, ik kocht een zakje impalabiltong voor jou, ik kocht wat Windhoekies voor op mijn terras in Akkerlaan, ik kocht een pakje sigaretten en een krant.

Wat me in dat winkelcentrum opviel, zoals me dat eerder was opgevallen, was dat geld de grote gelijkmaker is. Wit en zwart liepen te winkelen alsof er nooit apartheid was geweest. Een zwarte man liep met een grote braai in een doos naar zijn auto. De parkeerwachters waren witte mannen. Dat had ik allebei nog niet eerder gezien.

In de namiddag zag ik iets wat me dit keer opviel, iets wat ik eerder had gezien maar me toen niet was opgevallen. Het betrof een café in twee delen. Ik herinnerde me het Park Hotel in Bethlehem, dat overal twee deuren voor leek te hebben gehad, en ik herinnerde me het station van Kaapstad, waar elk perron twee ingangen had. Dit café leek aan de buitenkant twee cafés te zijn, en racistisch als ik ben, stapte ik zonder er echt bij na te denken het wittemensencafé binnen.

Toen ik na een Windhoekie (van de tap, de lekkerste Windhoek) van de wc kwam, ontdekte ik een gangetje naar – ja, wáár naartoe? Ik liep erdoor, en belandde in het andere cafégedeelte. Daar werd in warm lampionlicht voetbal gekeken door zestig zwarten. Ze keken op van mijn verschijning, op een soort vermoeide manier. Door de voordeur verliet ik dat café en liep over de veranda weer naar mijn versgetapte glas Windhoek. Twee ingangen: een overblijfsel van de apartheid.

In het wittemensendeel keken drie blanken naar de Natal Sharks tegen de Christchurch Chiefs. Ik zag Bismarck du Plessis scoren voor de ploeg uit Durban en viel ongeveer flauw toen zijn naam in beeld verscheen. *Bismarck du Plessis.* Ik vind Hunter heus geen slechte naam, ik had 'm zelf kunnen verzinnen, maar je moet toegeven dat dit andere koek is.

De barman vroeg me of ik Nederlander was.

Waaruit leidde hij dat af? 'Je gezicht,' zei hij, 'je zou zo op een schilderij van Rembrandt kunnen staan. Die wallen!'

Hij kende nog een Nederlander. Hein. Zou hij Hein even bellen? Dat hoefde eigenlijk niet, zei hij meteen tegen zichzelf, want Hein kwam elke avond, maar toch, even bellen voor de zekerheid. Ik dacht: nee, inderdaad, die Hein zal zijn huis uit komen rennen om een Nederlander te ontmoeten. Dat is precies wat Hein deed. Want zes minuten later stopte een enorme Mercedes voor de deur van het café.

Hein was een meter of twee lang en niet echt dun. Hij gaf me meteen zijn kaartje. Deze Hein Neomagus werkte aan de Potchefstroomkampus van de Noordwesuniversiteit als medeprofessor aan de Skool voor Chemiese en Mineraalingenieurswese. Zozo, zei ik, dat is niet niks. Hein klokte in één beweging een flesje Windhoek Light naar binnen en lachte. 'Echte Hollander, hè. Kun je het niet belachelijk maken, relativeer het dan. Je komt uit Amsterdam?'

Neomagus woonde een jaar of zes in Potch – zoals ik het na een overnachting net als de inlanders mocht noemen. Potch hier Potch daar, dat klonk goed. Hij vertelde me over de plaatselijke universiteit, die samen met die van Stellenbosch de laatste Afrikaanstalige, wetenschappelijke onderwijsbolwerken waren. Om onderwijs in het Afrikaans te mogen blijven geven, was Potch met een Engelstalige universiteit gefuseerd tot de Noordwesuniversiteit. Dat was helder. Wat was het niveau, vroeg ik. En, hé, sprak Neomagus dan Afrikaans?

'HBO,' zei hij, een Windhoek Light achteroverslaand, 'ze leren wel, ze snappen het wel, maar begrijpen ze het ook? Kunnen ze het gebruiken? Echt academisch is het niet.' En nee, Afrikaans sprak hij maar een beetje. Hij doceerde in het Engels. Hij woonde alleen en verdiende 20.000 rand per maand. 'In Holland niet veel, maar hier wel.'

We dronken Windhoek en we hadden het over Hein, over Nederland en over Zuid-Afrika, en over mijn huidige bezigheden.

'Wat zoek je dan, voor je boek?'

'Nou, een braai. Een braai op zondag.' Terwijl ik dat zei, wist ik: morgen is het zondag, en morgen ga ik braaien.

'We gaan morgen naar ome Jan. Ik pik je op, ik bel je wel', zei Hein Neomagus, dronk twee Windhoekies Light achter elkaar leeg, startte zijn Mercedes en reed weg.

Hein Neomagus haalde me om half elf op bij Akkerlaan in zijn Mercedes 500 SEL. Hoewel Zuid-Afrikanen en Nederlanders over het algemeen zeer stipte volkeren zijn, verbaasde dit me. Het was zondagochtend, de meeste mensen zouden zich nog eens hebben omgedraaid en gedacht: nou, laat ook maar, het was een kroegafspraak. Zo niet Hein. Hij hing om kwart over tien aan de telefoon van Akkerlaan en nadat we ophingen, hoorde ik zijn acht cilinders al de hoek om komen.

Onze auto's stonden daar eventjes naast elkaar: mijn ranke, snelle, knalblauwe BMW'tje en Heins mastodont van een mosgroene Mercedes, een auto die ik vroeger wel degelijk begeerde. En jij vast ook, Hunter, ouwe Benzvriend. Hein klopte op het dak van zijn auto en zei: 'Mijn jeugddroom.' Inderdaad, die auto stond hem goed; ze waren voor elkaar gemaakt.

Werd hij nooit aangehouden vanwege dronken rijden, vroeg ik. We stonden als twee middelmatige autohandelaars om zijn Mercedes heen, alleen het tegen de banden schoppen ontbrak. 'Nee,' zei Hein, 'maar je moet goed opletten bij kruisingen. Altijd stoppen.' Zuid-Afrikaanse kruisingen zijn doorgaans gelijkwaardig: wie het eerst komt, rijdt het eerst op, waarbij menigeen vriendelijk zwaait. 'Ook 's avonds, ook als je weet dat er echt niemand aankomt omdat een zijstraat is opgebroken, moet je altijd stoppen. Want ze staan net na de kruising en ze pakken je.'

Ook voor dronkenschap?

'En als je hebt gedronken, niet te hard rijden. Daar houden ze niet van.'

'Maar jij bent nooit gepakt, toch?'

Natuurlijk wel. Hein Neomagus was gepakt – ik weet niet of hij een stopbord had genegeerd of te hard had gereden – en kreeg een boete van heb ik jou daar. Zo hoog was die boete, dat hij er maar eens over was gaan praten. Vooruit dan, zeiden de *constables*. Als hij al het bier en al het vlees voor de jaarlijkse politiebraai van Potch zou betalen, werd de bekeuring meegebraaid. 'Mooi', zei ik, tevreden om zo'n fijn verhaal.

Hein, mopperend: 'Maar die gozers kunnen vreten en zuipen, hoor.'

We stapten in zijn auto, ik verdronk er half in, en we reden naar een buitenwijk van Potch. Daar bevond zich de Discovery Sports Bar waarvan de eigenaar ons wel onderhands een krat Windhoek wilde verkopen. Je moet weten dat het op zondag in Zuid-Afrika nagenoeg onmogelijk is alcohol te kopen – dat is verboden.

Het leek me echter attent om voor ome Jan iets te drinken mee te brengen. We kochten van de barman ook droëwors, espatada – vlees voor aan een spies, en wat rosbief. Hein dronk er even twee Windhoekies, ik een colaatje. André, een man die aan de bar rustig een kop koffie zat te drinken, werd door Hein namens mij ondervraagd: wat was het interessantste dat hij over Zuid-Afrika aan mij kon vertellen?

'Jody Scheckter, ooit van gehoord?' André lachte – 'nee, daar ben je te jong voor.' Zuid-Afrikanen in Potch zeiden graag iets over mijn uiterlijk, kennelijk.

'Echt wel,' zei ik, 'de Formule 1-coureur.'

'Wereldkampioen voor Ferrari in 1979', zei André.

'Tijdens de boycot?' Daarop bleef het even stil.

'Niet voor sporters', zei Hein. 'Denk ik.'

'Scheckter verdient nu in Engeland meer dan hij ooit met racen heeft verdiend', vervolgde André. 'En weet je waarmee? Hij is veehouder in Hampshire. Hij maakt zijn eigen biltong daar, en verkoopt die aan Harrods. Alle Zuid-Afrikanen in Londen kopen hun biltong daar, hij maakt de beste biltong van heel Engeland.'

Hunter, ik wed dat ik deze brief verder in het luchtledige schrijf omdat je reeds onderweg bent naar Knightsbridge.

We reden naar Jan Kroeze. Deze man was de klusjesman van de Potchefstroomkampus en een vriend van Hein. Hij woonde op een erf, pal achter de campus. Daar graasde een pony, er stond een koe of wat, nu en dan stak een schaap de kop op. Kippen lagen in de zon. Een hond scharrelde er rond, een paar katten, een pauw maakte een geluid.

Ome Jan was wat je noemt een goeie peer. Hij was buikig, bebrild, droeg Crocs en was geenszins van plan zich in te spannen voor de braai. Hij kwam erbij zitten, doneerde wat stukken lamslever, *sosaties* (worstjes) en een dag eerder gebraaide kaasworst en wees op zijn ijskast. 'Pak maar drinken.'

Hein en ik dronken aanvankelijk gelijk op, maar na twee flesjes Windhoek Light demarreerde Hein en ik zag hem de rest van de middag niet meer terug. Excuus voor de metafoor. Wat kon die gozer drinken, zeg.

Het braaien viel me vies tegen. Op een in de breedte doorgezaagd olievat braaiden we vrolijk, maar als de kaasworst het beste was, weet je genoeg. De sosaties waren aan de droge kant, het vlees dat ik bij de Discovery Sports Bar had gekocht was het slechtste, hardste en oninteressantste vlees dat ik tot dan toe in Zuid-Afrika had geproefd.

Halverwege de middag kwam een student het erf op gelopen. Of we al hadden gehoord dat het echt mis was? De Zoeloes waren de immigranten aan het doodslaan. Ome Jan vond het een schande. 'Ze moeten', zei hij in een voor mij heel verstaanbaar Afrikaans, 'dit land het wereldkampioenschap voetbal afpakken. Als de regering dit gedoe niet onder controle kan krijgen, waarom hebben ze dan recht op de eer om zo'n evenement te mogen organiseren? In 2010 zullen ze mooi weer spelen.'

Dat was waarschijnlijk niet onwaar. Maar dat was ook het argument geweest bij andere grote sporttoernooien, zei ik. In

1978 in Argentinië, en de volgende maand zouden in China de Olympische Spelen worden gehouden. 'Die landen hadden iets te verbergen,' zei ome Jan, 'wij niet. Wij zijn het gewoon niet waard.'

Dat zei misschien iets over Jan, maar dat zei vooral veel over de bescheiden houding van de witte Zuid-Afrikaan in de wereld van vandaag. Ze hadden lang gedacht het bij het rechte eind te hebben. Ze hadden 90 procent van hun bevolking genegeerd en geprobeerd om met een paar miljoen mensen een autarkische maatschappij op te bouwen. Dat was mislukt, of in elk geval misgelopen. Ze waren onzeker.

Beeld, editie Pretoria, brulde op maandag 19 mei in dikke letters op de voorpagina: '*Oorlog in Gauteng*'. Aan de foto's bij het artikel te zien, was daar niets aan overdreven. '*13 immigrante reeds dood*'. Dat was het belangrijkste nieuws. Een gruwel voor de zelfverklaarde regenboognatie. Een grotere gruwel voor de doden en hun familie, vanzelfsprekend, en de grootste gruwel was wel dat niemand een plan leek te hebben. De politie voerde charges uit en arresteerde mensen, ja. De politiek sprak er schande van, welzeker.

President Mbeki was net terug van een belangrijk bezoek aan Tanzania en rookte een pijpje voor zijn haard. Een wegens geweldsmisbruik geschorste commandant van politie ging op eigen initiatief met een paar agenten naar Alexandra (of naar Klipfontein View of naar Diepsloot, daar wil ik af zijn) en probeerde daar te práten met de mensen. Daar waren foto's van, dat kwam op televisie. Dat was schokkend om te zien. Een dikke, geüniformeerde Afrikaner met een geweer in zijn hand die met argumenten Zoeloes wilde kalmeren opdat ze geen Zims zouden aanvallen – goeie help, hoe kon die vent geschorst zijn?

Praktisch gezien was er een grotere ramp op gang gekomen. Al honderdduizend immigranten waren op de vlucht geslagen. Ik schreef het je eerder in deze brief, ik weet het. Die mensen, ontheemd en wezenloos, zonder geld en bezig met een onduidelijke terugweg naar de plaatsen die ze waren ontvlucht, waren het echte probleem voor het ANC. Jammer voor de regering, schreven cynici. Want een paar doden kon je wel verdoezelen, wel verklaren, wel afschuiven op een stel engerds – maar hoe pakte je dat aan als ineens al je binnensteden vol zaten met doodsbange, rillende mensen die enorme canvas tassen bij zich hadden waarin al hun spullen zaten, mensen die smeekten om bescherming en huilden om naar huis te mogen? Die waren niet te versteken. Die werden gezien. Die werden gezien door de lui van de FIFA (dan toch nog eens ergens goed voor), door ambassademensen, door toeristen. Dat was het echt slechte nieuws voor president Mbeki, die zich ondertussen, aldus *Mail & Guardian*-cartoonist Zapiro, een extra whisky'tje inschonk.

Wat deed ik, deze afgelopen dagen in Potch? Ik schreef jou, ik las kranten. Ik keek geobsedeerd naar het televisienieuws, zelfs als dat in Xhosa werd uitgezonden en zodoende *Dikgang* heette.

Op dinsdag 20 mei schreef *Pretoria News*: '*Nation in Disgrace*.' Ik las alle kranten. Het aanbod was groot in Potch, het was een centraal gelegen universiteitsstad. Ik vroeg me dingen af. Hoe kon het dat dit land, dat ik een beetje had leren kennen en zo vriendelijk achtte, zo ontplofte? Tijd voor bescheidenheid. Zo goed kende ik Zuid-Afrika dus niet; zo goed begreep ik het allemaal niet. Er was werk aan de winkel.

Ook maakte ik me zorgen. Zorgen om Odwa Pani in Khayelitsha, om Lili in Nyanga, en om Louise Oakley in Joburg. Zorgen om mezelf had ik totaal niet. Ik had de BMW als cocon en ik vertrouwde op mezelf.

Ik sms'te Louise Oakley. Mocht ik langskomen?

Op de ochtend dat de drijfjachten in moorden waren ontaard en een aantal van die moorden werd gepleegd door middel van *necklaces*, vertrok ik uit Potch. Geen enkele manier van sterven spreekt tot mijn verbeelding, maar doodgaan met een met benzine overgoten, brandende autoband om je nek was een geweldsextravaganza dat ik me zelfs niet kon voorstellen toen ik er foto's van zag.

Tot spoedig.

Hou je taai,

je vriend
Dylan

Brief als intermezzo

Kaapstad Internasionale Lughawe, juni 2008

Beste Hunter,

Daar was ik dan, terug in Joburg.

Louise Oakley zei tijdens de lunch in het Westcliff-restaurant La Belle Terrasse: 'De tegenbeweging is er snel bij', en al was het geen beweging, dat was waar.

Burgers in de Zuid-Afrikaanse steden demonstreerden tegen de xenofobe moorden. Er stonden teleurgestelde, meelevende en woedende artikelen in alle kranten die ik las. Politiebureaus werden opengesteld voor vluchtelingen, scholen boden hun onderdak, particulieren vingen mensen op. Inzamelacties kwamen op gang.

Mandela's pacificerende aforismen werden meer aangehaald dan ooit tevoren en zoals ik je een week geleden schreef: president Mbeki kreeg er flink van langs. De regenboognatie, zei alles en iedereen, was dít waar de regenboognatie toe was gekomen? Ja, dat was precies wat het was, leek mij. Wat was het anders?

Men kan discussiëren over het gewicht van retorische vragen, maar de mensen die deze vraag stelden, waren tenminste verbaasd.

Anderen zeiden: *ag*, onverwacht was het niet. Op dat bekende type geleuter was het wachten geweest. Ze doken altijd op, die achterafgelijkhalers wier gelijk vooraf nooit tot iemand was doorgedrongen. Ik ben nooit zo gek met die lui geweest.

Een bezoekje in 1987 aan de DDR maakte me duidelijk dat het Duits-Russische communisme een nogal repressieve staatsvorm was. Na een bezoekje aan China in 1990 wilde ik nooit meer naar een communistisch land – ik begreep toen dat een rigide regime makkelijker een land met een miljard mensen kon besturen dan een olijke democratie, maar wat had dat met de mensen zelf te maken? Het was, zoals apartheid, economische uitbuiting.

Als ik terugdenk aan het Unter den Linden van 1987, of aan het Plein van de Hemelse Vrede in 1990, of aan het platteland van Transsylvanië in 1988, desnoods aan de ellende van Warschau in 1986: dat was allemaal je reinste slavernij. Miljoenen, miljoenen, miljoenen mensen werden geknecht en uitgebuit en vermoord namens en ten faveure van een handvol anti-menselijke ploerten. Achteraf zeggen dat je het altijd had geweten, was na de val van het communisme heel makkelijk. Iedereen kon het. Maar zovelen hadden geheuld met die onmenselijkheid.

Hunter, voor je je afvraagt of ik het nog wel over Zuid-Afrika heb: jazeker.

In de jaren negentig werd iedereen democraat, en even later kapitalist. Dat was op zich niet zo erg, maar de ontkenning van het verleden stoort me. Precies die semi-automatische reflex zag ik rondom het ANC en vooral rondom de xenofobe aanvallen van afgelopen maand opduiken.

De mensen zeiden: zie je wel dat het ANC een gelijkhebberige, eenkennige, militante bende is, en dat de Zuid-Afrikaanse regering niks waard is. Dat hadden ze dan weleens wat eerder mogen opmerken. Dan hadden ze weleens op een andere partij mogen stemmen. Dan hadden ze weleens mogen demonstreren. Dan hadden ze weleens iets meer mogen doen dan zitten klagen tegen andere blanken in blanke kroegen, zoals zwarten tegen andere zwarten in de shebeens hadden zitten klagen. Dat was de cultuur van de dictatuur, althans de cultuur van de apartheid – iets te kiezen viel er niet, dus klaagde men op obscure plekken. Democratie vraagt om burgerlijke inspanning, om betrokkenheid. Een volk dat een beetje moeite niet kan opbrengen, verlaat zich op een leider.

Als de wereldgeschiedenis ons iets leert, is het dat leiders enge mensen zijn (en als ze het niet al zijn, dan worden ze het). Op Churchill, Ghandi en Mandela na – die alle drie in zekere mate door de apartheid van Zuid-Afrika werden gevormd.

Men kan tegenwerpen: de Zuid-Afrikanen hebben een lange vrijheidsstrijd gevochten, ze zijn dus wel degelijk betrokken bij de politiek. Ja? Evenzeer is het zo dat een vrijheidsstrijd iets heel anders is dan een democratie handhaven. De beroemde, voormalige activisten bleken – ik schreef het je eerder in een andere context – zelden goede bestuurders, laat staan goede politici. Iemand die in een township met molotovcocktails naar Casspirs had gegooid, werd niet automatisch een sociale welzijnswerker of altruïstisch deelraadslid.

De mondige, diverse, vrije, vrolijke pers van Zuid-Afrika had kritiek op president Mbeki geoefend, ze hadden hun mond niet gehouden. Al te visionair waren ze evenmin geweest. Ik ken Zuid-Afrika nog niet lang. Dat de vrije pers echter vooral een democratische symboolfunctie vervult, had ik meteen gezien. De kranten waren leuk om te lezen, want zowat alles werd geschreven. Waarom? Omdat het kon.

Wat was dat waard als het gelezen werd door burgers die instemmend knikten en daarna op café gingen? Inderdaad, heel goed dat dat eens werd gezegd. Nu ga ik weer klagen tegen de buurman. En door wie werd het opgeschreven? Door een jonge garde journalisten, allemaal onwennig, allemaal net van school. Een oudere generatie verslaggevers had dit land simpelweg niet: oudere mensen waren onder de apartheid grootgebracht.

En wat was het nut van een vrije pers als de staat uit één partij bestond, en die partij voor de hegemonie niet hoefde te vrezen? Zelfs al viel de hemel naar beneden, en dat wist iedereen binnen het ANC, dan nog zou de partij driekwart van de stemmen krijgen. Met dank aan opgebouwd krediet, cliëntelisme, stamverbanden, corruptie.

Louise Oakley zei het eerlijk: 'Niemand zag dit aankomen.'

Zo was het. Iedereen die iets anders beweert, liegt. We aten een geflambeerde carpaccio en een *kingklip* met champagnesaus. We dronken een Stellenbosche Sauvignon Blanc van Jordan uit 2008 (heel fris, een 8).

Ik was dus teruggekomen naar Joburg, en nog wel naar The Westcliff. Dat hotel is onweerstaanbaar, en de mensen die er werkten vond ik nog onweerstaanbaarder. Al was het zevenentwintig graden, zomer was het niet. Louise Oakley memoreerde dat ik later terug had moeten komen, ten tijde van de bloei van de jacaranda's. 'Misschien doe ik dat alsnog', zei ik.

'Ga je er een gewoonte van maken te pendelen tussen Nederland en Zuid-Afrika?'

Ik vertelde haar dat ik in oktober of november in elk geval weer naar haar land zou komen – al viel te bezien of dat naar Joburg zou zijn. 'Dan bloeien de jacaranda's wel', zei ze. 'Houd die gedachte vast.'

Op mijn tweede dag in Joburg diende ik de BMW in te leveren. Het was de eerste auto in mijn leven waarmee ik meer kilometers had gereden dan iemand voor me in die auto reed (de BMW was afgeleverd met honderdtwaalf kilometer op de teller, inmiddels stonden er bijna vierduizend op).

Door een Gauteng dat vergeleken met een maand eerder veel en veel gevaarlijker en moorddadiger was geworden, reed ik naar Midrand. Ik zag donkere wolken opstijgen uit een township en ja, ik dacht aan die brandende autobanden. Evengoed kan het een namiddaglijk paraffinebraaitje zijn geweest – weet jij het, weet ik het?

Ik beperkte me tot de hoofdwegen.

Bij BMW zei de dienstdoende functionaris: 'Maar hoe gaat u dan terug naar uw hotel?' Ik had een taxi gebeld, zei ik. 'Wat een onzin', zei de man. 'Neemt u die auto lekker mee. Houd hem zolang u wilt. Als u er klaar mee bent, laat u maar weten waar-ie staat, dan halen we 'm daar wel op.'

Dat was ook Zuid-Afrika, dat kon men tussen de moorden door weleens vergeten. De vriendelijkheid, het vastomlijnde idee om het leven voor een ander prettig te maken, de informele, makkelijke manier van doen.

Zo reed ik in de BMW terug naar The Westcliff. Met Wony, een van de portiers, stond ik op prima voet. 'Ik dacht dat u die auto ging wegbrengen', zei hij, zijn voorhoofd fronsend.

'Dat was ik van plan, maar ik kreeg 'm cadeau', zei ik.

Wony keek me meewarig aan. 'Ik dacht het niet', zei hij. 'Maar wel fijn dat u niet met een taxi terug hoefde. Wanneer komen ze 'm ophalen?'

Wony en ik praatten over van alles en nog wat, dat hadden we de afgelopen maand gedaan en dat deden we weer. Van

Volkswagens Citi tot het weer, over zijn vriendin, over voetbal, over zijn werk.

Nu praatten we over Alexandra, de buurt van Johannesburg waar hij woonde, over de rellen en de moorden. 'Ik merkte er niks van,' zei hij, 'u moet weten dat ik aan de goede kant woon.' Hij vertelde dat er een tot twee miljoen mensen in Alexandra woonden. Allemaal laagbouw, en dus enorm uitgestrekt. 'Ik las erover in de krant, net als u.'

Op zich had ik geen reden aan Wony's woorden te twijfelen. Maar Louise Oakley had me de vorige dag iets anders verteld. Patience, haar huishoudster annex oppas, woonde ook in Alexandra. Bij Patience waren gedurende de afgelopen maand 's avonds laat groepen Zoeloes aan de deur gekomen. Die hadden haar in het Zoeloe de vraag gesteld of ze Zoeloe sprak. Ook hadden die lui, burgers dus, Patience om haar identificatiebewijs gevraagd. Bij het weggaan, hun bloederige voornemens onvervuld, hadden ze gezegd: we komen terug. Dat was bangmakerij geweest van de ergste soort. Patience, die geen Zoeloe was, was als de dood voor hen.

Louise Oakley had me een weekje eerder een artikel gestuurd dat de problematiek van de sociale woningbouw in verband bracht met de xenofobie.

Dat zat zo. Het ANC annex de regering had in en rond de townships huisjes gebouwd voor arme mensen. Degenen die die huisjes moesten toewijzen, huisvestingsambtenaren, waren zo corrupt als de neten gebleken en hadden die huisjes verkocht voor 6500 rand, of verhuurden ze doodleuk door zelf aan het eind van de week 50 rand bij de bewoners op te halen.

Zodoende waren de wachtlijsten in de war geraakt, en woonden mensen die recht hadden op een huisje nog altijd onder golfplaten en tussen kartonnen wandjes. De buitenlanders, die nergens recht op hadden, hadden die corruptie gezien en er subiet gebruik van gemaakt. Zodoende waren de Zuid-Afrikaanse armen in opstand gekomen tegen de 'criminele' buitenlanders.

Het artikel meldde verder dat ANC–secretaris-generaal Gwede Matashe een order had uitgevaardigd de corrupte ambtenaren op te sporen. Inmiddels liepen er 7363 zaken vanwege onrechtmatige woningtoekenning.

In mijn kamer had ik dat artikel nog eens aandachtig zitten lezen en ik dacht: is dat het? Is het zo simpel? Dat kan natuurlijk best, het klonk plausibel, maar was het zo?

Ik belde Louise in haar kantoor en vroeg het aan haar.

Ze lachte en stuurde een portier naar me toe met een artikel dat was geschreven door Mamphela Ramphele, een intellectuele arts en bankier, en de moeder van de zoon van Steve Biko. Ze trok in dat artikel flink van leer tegen de regering. De asielzoekers en vreemdelingen waren behandeld als criminelen – terwijl de ANC'ers zelf tijdens hun ballingschappen in de buurlanden met alle egards waren ontvangen.

En als de buitenlanders dan eens werden gehuisvest, werden ze in groten getale in kleine dorpen ondergebracht. Daar was de autochtone bevolking in opstand gekomen: wat moest een armoedig dorp van een paar duizend mensen met drieduizend Zims?

Het derde probleem was volgens Ramphele de Zuid-Afrikaanse, ingesleten gewoonte de regering de regering te laten. De democratie was nog zo jong dat deze door de bevolking niet echt werd getest. Ze pleitte voor meer mondigheid, voor mensen die hun regering om verantwoording vragen.

Dan was er de armoede. De vicieuze cirkel van geen opleiding, geen vakkennis, geen baan en geen hoop.

Het bedrijfsleven trof ook blaam: de buitenlanders, hoe geschoold ook, kregen nooit een behoorlijke baan aangeboden.

Haar oplossingen: hard ingrijpen door het leger zodat de rellen zouden stoppen; buitenlanders goed onderbrengen en degenen met kennis aan goede banen helpen – dat zou zelfs de hele Zuid-Afrikaanse economie helpen; niet zo vreselijk materialistisch proberen te zijn; het zelfrespect van de zwarte Zuid-Afrikanen opvijzelen door hen aan werk te helpen.

Dat was dat.

Ik was wel in voor een loopje. Louise Oakley had me ook een culturele tip aan de hand gedaan.

Fotograaf Pieter Hugo (van 1976) exposeerde in de Standard Bank Gallery. Die bank lag zo downtown als men in Joburg downtown kon komen. Het was een van de weinige bedrijven die het centrum van de stad trouw was gebleven. Ik sprong in de BMW en reed erheen. Halverwege bedacht ik: o, oeps, daar zit het vol vluchtelingen. Het was mijn eer te na om terug te rijden.

Net als vorige maand zag ik de hekken, de beveiligingsmensen, de afzettingen. Het leek niet meer of minder geworden. Bij de Standard Bank werd ik, door toedoen van Louise Oakley die mijn komst had aangekondigd, ontvangen als een dignitaris. Slagbomen, hekken en poorten gingen open, een parkeerplaats werd geregeld, een begeleider dook op. Ik was de enige bezoeker.

Hugo's foto's waren genomen in en om Messina-Musina, zodat de expositie *Messina/Musina* heette. Ik was eerder deze maand in die stad geweest, zoals je weet. De mensen die Hugo had geportretteerd en op metersgrote doeken had afgedrukt, waren godsdienstwaanzinnigen, arme witten, veldwachters, zwarte gezinnen. In de begeleidende brochure benadrukte de fotograaf dat hij er vooral niet op uit was geweest om een serie over verarmde witten te maken. Die foto's sprongen het meest in mijn oog. Wat was dat? Snapte ik een wit leven beter, identificeerde ik me met hen? Een zwarte dominee in een kleurrijk pak zei me niet zo veel. Een halfgaar, wit echtpaar met een aanzienlijk leeftijdsverschil, de man met een beenprothese en tussen hen in een geadopteerd, zwart peutertje, dat was de foto waar ik mezelf met open mond voor terugvond. Was dat racisme? Zeg jij het maar.

Mijn eigen Messina-Musina was een druk, bezig grensstadje geweest, warm en kleurrijk. De 501 die ik er had gekocht, droeg ik die middag. Dezelfde plaats door andere ogen is per definitie niet dezelfde plaats, maar Hugo had wel iets heel anders gezien dan ik. Deze foto's waren stuk voor stuk, en het waren er heel wat, treurig tot tragisch. 'Ik heb nooit de foto's gekozen waarop de mensen lachten,' legde hij in de brochure uit, 'ik wil de werkelijkheid niet mooier maken.'

Zijn foto's waren haarscherp en rauw en heel, heel mooi. Omdat er niemand anders was (en mijn begeleider bij de ingang in slaap was gevallen) kon ik er uitgebreid over nadenken. Terwijl ik me tussen Hugo's foto's liep te verwonderen, kwamen grote delen van mijn reis levendig in mijn herinnering terug. Dat was een extraatje, een bonus, een prachtig afscheidscadeau.

Ik zou Louise Oakley later een briefje schrijven, nam ik me voor, om haar te bedanken voor al die tips en de informatie die me ze had gegeven, en speciaal om haar te bedanken voor deze tip.

Ik keek naar de foto's van Hugo. Ik begreep hoeveel verbeelding en kennis van dit land ervoor nodig waren om ze zo te maken. Ze waren zo anders dan mijn eigen belevenissen, maar er stak een hele wereld achter – een wereld die ik had leren kennen – door Hugo's foto's beleefde ik een retrospectief van mijn eigen reis. Ik bleef die middag lang in de Standard Bank.

Dit was de stad waarvan Winston Churchill had gezegd: 'Johannesburg, dat is Monte-Carlo boven op Sodom en Gomorra gebouwd.'

Ag, dat was geschiedenis. Nu stond ik op een winterse, Afrikaanse avond op Oliver Reginald Tambo International Airport – waar cargodiefstallen het afgelopen jaar een hogere omzet hadden gehaald dan er geld met landingsrechten was verdiend.

Ik voelde me zoals Haruki Murakami schrijft in zijn roman *Dans dans dans*: 'Je moet er het beste van maken. Er is niets om bang van te zijn. Je bent vast moe. Je bent moe en angstig. Dat overkomt iedereen weleens. Alles lijkt dan fout te gaan, en dus vallen je voeten stil. Maar er zit niks anders op dan te dansen. En je moet dansen als de beste. Zodat iedereen vol bewondering is. Je moet dansen. Zolang er muziek is.'

Wat een Japanse schrijver in 's hemelsnaam te maken heeft met mijn vertrek uit Johannesburg, is me niet duidelijk. Ik las dat boek op dat moment, dat zal het zijn. Er was meer. Wacht, laat me je eerst dit zeggen, voor je begint te zeuren. Ja, ik lees doorgaans altijd de lokale literatuur, indien op reis. Dat past, dat is nuttig, dat loutert. Nu niet.

1. Die hele Zuid-Afrikaanse literatuur, die is geweldig. Alleen: ik vind het niks. Langzaam, makker. Traag als stroop. Er zijn veel liefhebbers van, ik noem het Nobelprijscomité, maar ik hoor daar niet bij. Ik heb een paar van die boeken gelezen, eigenlijk wel een hele stapel, van alles en nog wat, maar ik werd er zo rusteloos van. Dan zul jij zeggen: dat hoort zo bij goede literatuur. Ja, ja, dat zal allemaal wel, maar ik houd er gewoon niet van.

2. Murakami, dat is het helemaal. Ik heb tijdens deze reis zijn roman *Ten zuiden van de grens* gelezen, en daarna voornoemd boek, en ik ben niet van plan nog iets anders te gaan lezen de komende tijd. Goeie help, wat is die gozer goed.

Misschien kun je, mocht je de tijd vinden na deze brief te hebben gelezen, ook een Murakami op de kop tikken.

Ik danste dus op Tambo.

Tambo is het oude Jan Smuts Vliegveld. Tussen Smuts en Tambo door heette het vliegveld nog even Johannesburg International Airport – het ANC vond na de machtswisseling aanvankelijk dat vliegvelden niet naar politici moesten worden genoemd. Maar in 2004 werd oud-ANC-voorzitter Tambo eenendertigste in de SABC-verkiezing van de Grootste Zuid-Afrikaan. Zelfs Hendrik Verwoerd eindigde hoger, zodat het door ANC'ers geleide SABC besloot de verkiezing te annuleren.

Daar liet het ANC het niet bij zitten. Wat te doen om Tambo te eren? Was Tambo niet dood én de beste vriend plus strijdmakker van Mandela geweest? Nou, dan verder geen gezeur. In 2006 werd het vliegveld opnieuw herdoopt.

Ik voelde me op Tambo behoorlijk eenzaam en alleen. De comfortabele cocon die de BMW wekenlang voor me was geweest, het gezellige thuis dat The Westcliff voor me was geworden met de praatgrage portiers en met de charmante Louise Oakley – ik liet altijd alles achter. Dat motiveerde me meestal, nu deprimeerde dat idee me. Ik ging verder, iets anders doen, en weer niet naar huis. Ik had geen enkel verlangen naar huis, dat niet, maar een beetje ontheemd voelde ik me wel. Ik was blij dat ik Louise Oakley een bedankbriefje had geschreven.

Ik vond dit de mooiste reis van mijn leven, dat schreef ik je eerder, en dat maakte het moeilijker dan anders om overal de deur steeds dicht te trekken en nooit meer terug te komen. Ik begon mezelf te zien als een opportunistische parasiet – alle welwillendheid, alle vriendelijkheid en alle openhartigheid strafte ik af door aan het eind van de dag consequent 'bedankt en vaarwel' te zeggen. Dat beviel me slecht. Ik wilde eigenlijk weleens ergens naar terugkeren, in plaats van altijd vooruit te vluchten.

Hunter, je zult zeggen: volgens mij stond je op het punt naar Kaapstad te gaan, en daar kon je Hans en Dale en Odwa en Lili opzoeken. Daarna vlieg je naar Amsterdam, man, doe niet zo melodramatisch.

Er was iets anders. Iets onbestemds. Ik herkende het niet. Ik voelde het wel – maar vaag, als een pijntje ergens tussen je ingewanden. Het maakte me onrustig.

Tijdens de vlucht van South African Airways las ik de krant *Business Day*. Het is twee uur vliegen van Joburg naar Kaapstad, dus ik had precies de tijd om de hele *Special: Xenophobic Violence* door te nemen. Hoe was het gekomen, was de centrale vraag. Grenscontroles waren 'slecht en corrùpt', sociale woningbouw was volgens minister Lindiwe Sisulu 'alleen voor Zuid-Afrikanen', veiligheidsdiensten waren 'al lang voor de onlusten uitbraken op de hoogte van de xenofobie', de Joburgse politie 'discrimineerde stelselmatig buitenlanders', en de immigratiewetten werden 'genegeerd'.

In Kaapstad haalde Robert le Roux me op en transporteerde me in zijn zilverkleurige Corolla naar het Mount Nelson Hotel. Hij foeterde op de xenofobie, het was allemaal de schuld van de Zoeloes. Hoewel dat wellicht waar was, was het gekste dat ik van veel andere mensen zo'n litanie niet had kunnen verdragen. Le Roux was zelf gekleurd, dat scheelde, en hij bracht het allemaal met veel *ag*'s en gezucht. Het was niet klagerig, het was een soort conference.

Ik bleef een paar dagen op de Kaap, tot mijn vliegtuig naar Amsterdam zou vertrekken.

Op Afrikadag kwam president Mbeki ineens tevoorschijn.

Hij hield een toespraak op televisie. Ik zal die niet integraal voor je citeren, dat duurt een maand en daarna slaap je een jaar. Om je een idee te geven wat voor politiek correct, voorspelbaar gewauwel hij uitkraamde, even dit:

'We moeten erkennen dat de gebeurtenissen van de afgelopen twee weken een absolute schande voor ons land zijn. Het geweld dat door een paar Zuid-Afrikanen is gepleegd, staat haaks op wat onze vrijheid sinds de apartheid is, en haaks op de menselijke en zorgzame maatschappij die we hebben willen bouwen op basis van *ubuntu*.'

Toen praatte president Mbeki een poosje over kinderen van immigranten die veel voor het land hebben betekend, zoals Oliver Tambo, Mandela en Joe Slovo. Kun je een grotere dooddoener verzinnen?

'Al het mogelijke zal worden ondernomen om de daders voor de rechter te brengen. Leger en politie hebben al meer dan tweehonderdvijftig verdachten gearresteerd. We zullen de gemeenschappen uitkammen, want deze criminelen verdienen niets anders dan celstraf.' Zo. Die zat.

'Mijn mede-Zuid-Afrikanen, burgerlijke waakzaamheid is de oplossing. Mensen moeten beseffen dat dit niet kan.' Hij begon over een interdepartementale stuurgroep die hij had opgericht. Die moest 'alle mogelijke oorzaken van de aanvallen op buitenlanders onderzoeken en adviseren welke actie moet worden ondernomen om herhaling te voorkomen.' Ja, president Mbeki ging 'alle denkbare maatregelen nemen om te voorkomen dat het goede imago van Zuid-Afrika in het buitenland zou worden beschadigd. Ik wens iedereen een gelukkige en vredige Afrikadag.'

Wat ik me daarna afvroeg: wanneer verdwijnt-ie? Ik wil mezelf nog niet opwerpen als een groot en belangrijk Zuid-Afrikakenner, maar dat deze kluns het veld ging ruimen, leek me evident.

Wat ik in Kaapstad deed, was een beetje omhangen. Mijn eerste ochtend, terwijl ik de Florentijnse eieren at aan het zwembad van het Mount Nelson, kreeg ik een sms van Louise Oakley. Mocht ik nóg eens zin hebben om in Joburg langs te komen, moest ik dat haar vooral laten weten. Ze vond me 'heerlijk lunchgezelschap.' Dat wilde ik best zijn.

Op een avond ging ik naar Cubaña, een kroeg in de wijk Green Point. Ik dronk er Windhoekies en zoog er samen met een stuk of wat hippe Zoeloes aan een waterpijp. Ik zou Lili hebben kunnen bellen, maar ik had last van dat vage gevoel tussen mijn ingewanden.

Ik wandelde door Langstraat. Geen Odwa.

Hunter, je zult je afvragen of ik lol had. Ik twijfelde er zelf ook aan. Ik had het goed naar mijn zin, dat wel. Het was winter, maar het was zesentwintig graden en zonnig. Het weer was lekkerder dan ik in januari had gehad. Dat vage gevoel in mijn binnenste bleef, en na een paar dagen besefte ik waarom ik het in Kaapstad dit keer niet zo opwindend vond. Mijn reis was zo opwindend geweest dat Kaapstad wat aan de saaie kant leek. Ik had Joburg overleefd, ik had kriskras door de noordelijke helft van het land gereden terwijl er steeds erger geweld plaatsvond, ik had in die luxe trein gezeten, en nu liep ik in Kaapstad rond alsof ik er woonde. Ik vond het allemaal nogal gewoontjes.

Wat ik in januari armoedig had gevonden, was nu bovenmodaal: ik had veel erger gezien.

Wat ik in januari vreemd had gevonden, had ik inmiddels veel vreemder gezien: nu liepen zwart en wit hier ook weer niet de hele dag hand in hand over straat, maar in Orania waren helemaal geen zwarten.

Had ik in januari Lili als de mooiste vrouw ter wereld geklasseerd, inmiddels had ik Louise Oakley ontmoet – een vrouw die een stukje van mijn hart had gestolen.

Wat wel nieuw was: er waren vluchtelingen in het Kaapstadse centrum gearriveerd. Bij het politiebureau tegenover het District Six-Museum zag ik ze bivakkeren, op het station zag ik ze wachten. Ze leken schuw en moe, hun grote pakketten en tassen waren tragisch om te zien. Het waren mensen die met alles dat ze hadden op de vlucht waren om niet in brand te worden gestoken. Het waren er niet een paar. Het waren er honderden. Het had, als men er vanuit de verte naar keek, iets weg van een openluchtpopfestival.

Ze belden vanuit telefooncellen, ze sliepen op het gras voor het politiebureau, ze kregen voedsel en kleding aangeboden van de bevolking. Het was me een toestand.

Omdat ik je deze brief net voor mijn vertrek wilde schrijven zodat ik de xenofobe rellen tot mijn laatste dag hier voor je kon volgen, vroeg ik Robert le Roux me bijtijds op te halen en naar de Internasionale Lughawe te brengen. Daar zit ik nu al een paar uur in een koffieshop aan je te schrijven. Goeie koffie.

In de *Business Day* op mijn tafeltje las ik net de hamvraag in het hoofdcommentaar. 'Hoelang zal president Mbeki dit land nog niet-leiden?'

Langer in elk geval dan ik nu nog op Zuid-Afrikaanse bodem ben, denk ik. Mijn naam wordt namelijk omgeroepen, ik moet aan boord gaan.

Hunter, vriend, morgen breng ik je deze brief, plus een zak impalabiltong uit Potchefstroom.

Je vriend
Dylan

Brief over de Kusweg

Springbok, november 2008

Beste Hunter,

Alles was anders. Toen ik Zuid-Afrika begin juni verliet, was Thabo Mbeki nog president en was het bijna winter. Nu is Kgalema Motlanthe president en is het bijna zomer.

Jacob Zuma werd ondertussen een keer of drie door rechters ontslagen van rechtsvervolging na aanklachten vanwege corruptie, illegale wapentransacties en weet-ik-wat – van verkrachting was hij eerder vrijgesproken, zoals je weet.

Het ANC is gesplitst, al heeft de afgesplitste partij nog geen definitieve naam.

Ik heb ook goed nieuws voor je. De bouw van de voetbalstadions ligt op schema. En aan een kredietcrisis doet Zuid-Afrika niet mee.

Ik schrijf je vanuit Springbok, het eind van de wereld en het eind van mijn reis. Maar niet heus. Ik heb nog van alles te doen en ik moet nog mensen bezoeken. In Springbok is echter iets te vinden waar ik geen genoeg van krijgen kan. Nadat ik dat had gezien, dacht ik: dit is de plaats waarvandaan ik

Hunter wil schrijven over mijn belevenissen van de afgelopen maand.

De eerste dag van oktober, precies een week nadat president Mbeki ex-president Mbeki was geworden (en het had gesneeuwd op de Tafelberg), stapte ik opnieuw in een vliegtuig naar Zuid-Afrika. Ik dacht aan de woorden van Louise Oakley in juni: of ik van plan was om te gaan forenzen. Al wist ik dat dit mijn laatste reis naar Zuid-Afrika zou zijn, zo voelde het inderdaad een beetje.

Een half etmaal vloog ik over het zwarte continent, over Libië, de Soedan, Kenia, Congo en Zimbabwe – weg van huis. Niet dat tien uur en drie kwartier zo lang is, maar doordat ik de landen onder me associeerde met liederlijke ruigheid en exotische levendigheid voelde ik dat onder me het leven doorging, terwijl mijn medepassagiers met open monden sliepen en snurkten.

Vandaag trouwden mensen, ze breiden een sok en kregen hiv, een man ontdekte vloekend dat zijn wc-papier op was, mensen werden verliefd en ontmaagd, machetes deden hun scherpe werk, gelukzoekers wonnen loterijen maar de meeste mensen verloren, iemand beroofde een bank en werd daarna doodgeschoten terwijl zijn maat ontkwam en de mooiste meid van de buurt scoorde, er werd bevallen, gehuild, gestorven, gerouwd, iemand was zo zat dat-ie danste en omviel en zijn middenhandsbeentje brak, okra's groeiden, en ik vloog aan dat alles, lamlendig zittend met een kleffe wrap en een gin-tonic voor mijn neus, haast nietsontziend voorbij. Dat was wat anders dan de tocht van Jan van Riebeeck, en ergens benijdde ik hem. Gehang in wachtruimtes, in rijen, in oncomfortabele vliegtuigstoelen had niets met reizen te maken, het leek zelfs niet op leven.

Hunter, wat had ik me verheugd.

Als het aan mij lag, zou ik de mooiste reis van mijn leven voortzetten alsof er niks was gebeurd, alsof ik niet maanden was weggeweest. Ik had me er zo op verheugd dat het niet bij me opkwam me in te dekken tegen teleurstellingen. Ik had geen plan B; ik zou mijn reis oppakken waar ik was gebleven en 'm voltooien. Ik hoefde me niet meer van de wijs te laten brengen door de verhalen over gevaar en criminaliteit. Ik had een en ander gezien, ik zou tijdens de rest van mijn reis zelf wel inschatten hoe gevaarlijk het was.

Over xenofobie hoorde men niets meer, en toch was er op politiek gebied van alles aan de hand. Dat was goed, dat beantwoordde volledig aan mijn idee over Zuid-Afrika: elke dag een nieuw avontuur.

De N1 had ik afgereden, dit keer zou ik, grosso modo, de N2 nemen. Twee uithoeken van Zuid-Afrika had ik gezien; het was de beurt aan twee andere uithoeken. Ik popelde.

Op Tambo stond een chauffeur met een pet klaar, die stopte me in een zwarte Mercedes en reed me naar The Westcliff. 'Waarom rijdt u binnendoor?' vroeg ik hem, 'staat er file op de N1?'

'Inderdaad, sir,' zei hij, 'maar we zijn er zo.' Missie volbracht, het woon-werkverkeer zat erop. Ik mocht aan de slag.

Ik kreeg er lol in me aan de andere kant van de wereld zo thuis te voelen. Ik kende hier mensen en die keken niet gek op dat ik steeds opnieuw arriveerde. Sterker: ze leken er schik in te hebben. Nou, ik ook.

Ik begroette Wony de portier (hij hield mijn hand zo lang vast dat het een ceremonie leek), Innocent de barman ('Mister Dylan! Vers sinaasappelsap?') en in de namiddag zat ik te wachten op Louise Oakley. Het was gesneden koek.

Louise en ik gingen wijnproeven 'bij iemand thuis'. Daar gingen we heen in haar auto: 'Als je me niet uitlacht.' Geen denken aan, zei ik. Haar auto was een stokoude Toyota Conquest – een mooie naam voor een auto als je het mij vraagt.

De Conquest was de kleinste auto in de parkeergarage van The Westcliff. Ernaast stond een andere witte auto, aanzienlijk glimmender, en de grootste van de garage. Die was voor mij gebracht, het was een Amerikaanse SUV. Ik hield mijn mond en stapte naast Louise in haar Conquest.

Bij mijn voeten stond een doorzichtige boodschappentas vol pepermunt. Was dat om de politie te misleiden na een paar glazen wijn? Nee, dat was om aan de bedelaars bij de stoplichten te geven.

Louise had de vaart er flink in, ze wees me bars, restaurants, kleine winkelcentra, wijken. 'Je kent het hier goed', zei ik. Was ze hier geboren?

'Het is allemaal geen Kaapstad', zei ze. Daar kwam ze vandaan, en ze miste die stad elke dag. 'De frisse lucht, de vrolijkheid, mijn familie.'

Viel er niet iets te zeggen voor Joburg? Bijvoorbeeld dat het niet vrijblijvend is, vroeg ik.

'Een gevangenis is ook niet vrijblijvend,' zei ze, 'dat maakt het nog niet leuk.'

Inanda was zo'n chique wijk dat ik twee keer moest kijken voor ik wist wat ik zag. Dat waren geen huizen, dat waren geen villa's, dat waren complete landgoederen, midden in de duurste stad van Afrika. Wonderlijk. Het verschil tussen rijk en arm viel in Zuid-Afrika niet te bagatelliseren, dat had ik begrepen. Dit was een ander soort rijkdom dan ik tot op heden had gezien. De tegenstelling was mede zo groot omdat het township Alexandra ('Alex', zoals mensen zeiden die er woonden) zo'n beetje aan Inanda grensde. Dat was alweer een bewijs dat apartheid als politiek systeem ook – volgens mij vooral – geënt was geweest op het vervolmaken van het economisch systeem. Goedkope werkkrachten moesten niet van ver hoeven komen. Van Alexandra naar Inanda kon men desnoods lopen.

Je zult mij niet horen zeggen dat Verwoerd dol was op zwarten, maar racisme was maar een deel van het verhaal – het begin, om precies te zijn.

Het huis waar Louise was uitgenodigd was een half kasteel. Opvallender vond ik de straat. Die werd met een slagboom gebarricadeerd, en pas nadat de bezoeker meldde voor wie en waarvoor zij kwam en het kenteken was genoteerd, opende de bewaker de slagboom. Ik vroeg aan Louise hoe zoiets kon, mocht dat allemaal maar, kon iedereen zichzelf verschansen achter een slagboom? 'Wel als je hard genoeg zeurt bij de gemeente,' zei Louise, 'en in een wijk als deze woont, en als er vaak genoeg is ingebroken.'

We liepen door een tuin waarop een normaal en een overdekt terras uitkeken. Zitje in het gras hier, zitje aan het zwembad daar. Een grasveld waar het stadion in Bethlehem jaloers op zou zijn.

Het zwembad was zo groot dat er twee buitenformaat Kreepy Krauly's in aan het werk waren. Die zwembadstofzuiger was net zo'n typisch Zuid-Afrikaanse uitvinding als de Pratley Putty-lijm, de lijm die naar de maan was geweest. Al was het zwembad in Zuid-Afrika nog zo klein (of in dit geval groot), de Kreepy met zijn lange slurf lag er dag en nacht in.

In de wijnkelder van dit halve kasteel had men best een appartement kunnen bergen (bijvoorbeeld het mijne) en waar we ook gingen – een keuken, een zitkamer, een gang, een zaaltje – nergens kreeg ik de indruk dat in dit huis daadwerkelijk mensen woonden. 'In deze vleugel waarschijnlijk niet, nee,' zei Louise, 'dit deel verhuren ze voor feesten en partijen, zoals deze proeverij.'

Leuk ideetje voor thuis, zei ik, en dan nog een plek vinden om te wonen. Dat negeerde Louise. Ze vroeg of ik haar telefoon bij me wilde houden omdat ze geen zakken had.

Louise leek het verstandig om bij het stalletje van wijnhuis Elim te proeven. Dat bleek een goede zet. Uit het lijstje dat ze in mei voor me had gemaakt, had ik kunnen opmaken dat ze het nodige van wijn wist (ze wist er ontzettend veel van), al had ik van die negen wijnen er nooit een gedronken.

Bij Elim kregen we allebei een glaasje Strandveld Sauvignon Blanc 2008. Goeiendag, wat was dat lekkere wijn. Ik weet niet hoe een niet-Franse wijn lekkerder zou kunnen zijn. Een 10-. Hunter, koop dat spul (alleen is het nergens te koop, dit was een proeflichting).

Wijngaardbaas Nick Diemont zag mijn verrukking en zei: 'Onze wijngaarden liggen niet te heet, het wordt bij Agulhas maximaal achtentwintig graden, zodat we een langzame rijping hebben, en we hebben kleine druiven, die vol van smaak zijn. Het is de zuidelijkst gemaakte wijn van Afrika.' Ja, dat begreep ik: Agulhas. Dat was de Kaap waar ik heen wilde, de ware Kaap, de Kaap die de Indische Oceaan echt van de Atlantische scheidde. Dus ik zei: 'Daar ga ik heen.'

'Lekker,' zei Louise, 'neem je een doos voor me mee?'

'Van onze Sauvignon Blanc kun je een fles drinken zonder dronken te worden, van Nieuw-Zeelandse niet', zei Diemont. Agulhas zou het zijn, dat lag vast.

Jo Dick vertegenwoordigde jong belegen en extra belegen kaas van Doornkraal Suiwel Produkte uit diamantdorp Cullinan. De kaasmakers heetten André van der Poel en Seuns. De Hollandse kazen in Jo's kraam zagen een beetje bleekjes naar Nederlandse begrippen. Ze smaakten goed. Ik zei tegen Jo: 'Gisteren at ik Goudse kaas in Amsterdam en vandaag in Johannesburg.'

Louise staarde me een seconde aan, grinnikte en zei: 'Goh. Een man vol verrassingen.'

Lach je, Hunter? Mag ik ter verdediging aanvoeren dat het tempo waarin deze vrouw me meesleepte tamelijk hoog was nadat ik een nacht niet had geslapen? Nu lach je nog harder, ik weet het. Lach maar. Ik at die kaas in Zuid-Afrika, bij dertig graden. Als jij dit leest eet je je kaas in Amsterdam, bij een graad of vier.

Terug in de Conquest demonstreerde Louise een rijstijl die me uitzinnig voorkwam. Ze remde zo laat dat de dood zijn gezicht al tegen het mijne drukte, ze nam verkeersdrempels heel simpel, alsof ze er niet waren, en voorsorteren bleek voor de langzamen van geest. Ze had een beetje haast, legde ze uit: haar oppas moest zo weg.

Terwijl ze ons vlot en efficiënt door de Joburgse spits stuurde – voor je denkt dat ze niet kon rijden – vroeg ze: 'Wat zoek je eigenlijk?'

'Nou,' zei ik, 'het normale leven. Het liefst zou ik bij iedereen die ik ontmoet thuis op bezoek gaan. De restaurants ken ik inmiddels wel. Cafés zijn overal ter wereld hetzelfde, alleen hebben de barmeisjes in Zuid-Afrika fleecetruien aan. En dat huis waar we net waren, dat leek me ook niet echt doorsnee.'

'O, wil je mijn huis zien?'

Eh, nou. 'Eh, ja.' Ze nam een scherpe bocht naar rechts, en we waren er. Deze opgewonden vrouw woonde vrij centraal in die rijke wijk Sandton.

Haar huis lag in een soort kazerne, met een bewaakte toegang en dan allemaal eendere, roodbruine blokken. Best ruim en groen en prettig opgezet, niks mis mee, maar die hekken, dat prikkeldraad, die kerel met dat pistool bij de poort – het verried een verschanst leven.

We renden naar binnen. 'Dit is Patience.' Huishoudster Patience zag van het bezoek op. 'Dit is de tuin.' Groot. 'Dit is de keuken.' Heel gezellig, met zo te zien een wijnliefhebber in de buurt. 'Wil je het boven ook zien?' Ik was er nu toch. 'Dit is de slaapkamer.' Aha.

Vijf minuten later zaten we in de Conquest met huishoudster Patience, dochtertje Mia en Louise achter het stuur (ze had me gevraagd, met haar grote bruine ogen: 'Wil jij rijden?'). Patience, de vrouw die in mei 's avonds aan haar eigen huisdeur in Alexandra door Zoeloes was bedreigd, werd bij een bushalte afgezet.

'Maar u mág hier helemaal niet parkeren,' zei de parkeerwachter bij de slagboom, 'u werkt toch niet bij de bank?'

Louise keek hem lachend aan. Dat kon ze overtuigend, mensen lachend aankijken. 'Het is vanwege mijn gast', zei ze, naar mij wijzend. 'Hij wil dolgraag het beeld van Mandela zien.'

'Ja maar', stribbelde de man tegen. Ze lachte nog eens.

Toen we stonden geparkeerd en we buiten gehoorsafstand van de wachter waren, vroeg ik: 'Wat was dat?'

'Dat?' zei ze. 'Dat was nou het magische woord.'

'Maar ik wil helemaal niet naar dat beeld kijken,' zei ik, 'ik heb het al gezien. Het is zo lelijk als de nacht.'

Dertig seconden later stonden we voor het bronzen beeld van Mandela. 'Het is een Zuid-Afrikaanse wet,' zei ze, 'als je naar Mandela kunt kijken, zul je naar Mandela kijken.' Lelijk was het beeld nog steeds, en daarbij leek het te zijn gekrompen. Of was Mandela zelf gegroeid in mijn verbeelding? Dat wist ik zo snel niet. Louise speelde met de anderhalfjarige Mia in de fontein op het plein.

Er rinkelde iets. Het leek uit mij te komen, maar mijn telefoon was het niet, die rinkelde anders en daarbij belde nooit iemand me op mijn Zuid-Afrikaanse nummer. O – het was Louises telefoon, in mijn zak. Ik gaf het apparaat snel aan haar. 'Te laat,' zei ze, 'mijn man. Ik bel 'm zo wel terug.'

Verrek ja, die vrouw had dat peutertje vanzelfsprekend niet geheel alleen geproduceerd, daar zat een man aan vast.

'Zullen we nog iets gaan drinken?' stelde ik voor. Nee, dat werd te dol, ze moest hollen. Maar morgenavond gingen we wel eten, toch? Ja, morgenavond eten! Weg liep ze, uit de schaduw van de bronzen Mandela, op haar geheel eigen, geagiteerde wijze, met haar dochtertje op de arm. Na tien stappen draaide ze zich om en wees naar een overdekt terras. Ze riep: 'Daar kun je lekkere wijn drinken.'

Daar, dat was The Butcher Shop & Grill, misschien het bekendste restaurant van Joburg. Ja, ik dronk er een lekker glas wijn en ja, nooit eerder zag ik zulke indrukwekkende ijskasten vol stukken vlees en ja hoor, ik at er een best stuk rund maar nee, die avond kwam de stemming er niet helemaal in.

Er kriebelde iets in mijn ingewanden. Ik zou het niet zo vaag omschrijven als ik destijds had geweten wat het was.

De witte Dodge Nitro die me was bezorgd, bleek de volgende ochtend precies te passen op twee parkeerplaatsen van het Oriental Plaza in de centraal gelegen wijk Fordsburg. Toch hoefde ik maar voor één plaats te betalen.

Oriental Plaza bleek een winkelcentrum dat zich helemaal aan het andere uiterste van het winkelcentraspectrum bevond van Sandton City. In dat laatste was het alles Louis Vuitton en Gucci wat de winkels sloegen, in Oriental Plaza was het BB Shoe Centre, Cosmos Ctr, Regal Jewellers, Haniya Bedding, Nasa Communications, Hello Hello Communications, Cutwood Plaza Tailors, Zsá Zsá Mexican Style, MSB Curtains, Mayibuye Store Bridal Boutique, Pank's Dress Fabrics, Just Curtains, N.K. Gobal Casual Wear, Gaf's Linen World, Baboo Bros. Tailors & Outfitters, Quality Leather, Sarafina Fashions, Rex Curtain, Lyme Fashion, Leather World, Shahina's Int. Linen, Plaza Haberdashery, Akhalwayas Masala Centre en Mumsillini Shoes. Om je ervan te overtuigen, Hunter, dat de mondialisering nog niet mondiaal is.

Het waren kleine zaakjes of soms iets groter, hokjes soms, er was een handvol stalletjes en er waren een paar kiosken die vruchtensap en hapjes verkochten. In het midden van Oriental Plaza bevond zich een pleintje met een fontein die niet werkte, er stonden bankjes, de zon scheen.

Onder een bordje NO SPITTING at ik op een bankje een zakje driehoekiekerriekoekies, de Kaaps-Maleise samosa's die me door Louise waren aangeraden. Zwarten en Indiërs deden hun inkopen, op mezelf na zag ik geen witten.

Het gewinkel voltrok zich in een typisch Afrikaanse rust, het winkelcentrum maakte een geordende indruk, het was er schoon. Het was bepaald geen bazaar zoals men die in het Midden-Oosten of in Beverwijk aantreft, noch had het de schijn van een Indiase markt. Winkeliers riepen niet naar passanten. Ze zaten achter een kassa of een bureau of babbelden wat met hun personeel. Een man stond voor zijn keukenspullennering met zijn kin op een lichtblauwe bezem geleund. Zijn ogen waren gesloten. Toen ik aan hem voorbij liep, zei ik zachtjes: 'Boe'. Hij deed zijn ogen open, keek me aan en zei: 'Het was maar om na te denken.'

De Dodge Nitro R/T 3.7 was een auto waarmee men in centraal Joburg wel een potje kon breken. Men keek er verschrikt van op – en ik reed er verschrikt in rond. In Breestraat stond het verkeer muurvast zodat ik aardig bekijks van passanten trok: wie was die gozer in die mastodonteske auto? Een filmster?

In Jeppestraat stond een agent midden op de weg. Dat kon niet voor mij zijn, had ik in mei geleerd. Toen had ik tientallen politiefuiken gezien, en altijd was ik doorgewuifd. Zo niet hier. Hij wilde mijn rijbewijs zien. De voorkant, met personalia en een pasfoto, vond hij irrelevant. De achterkant bekeek de jonge agent een seconde of zeven, en zei toen: 'In orde, sir! *Have a nice day*, sir!'

In de wijk Braamfontein stond een verlicht bord dat aangaf dat het WK voetbal over zeshonderddertien dagen zou beginnen. Ik was op weg naar de chique buurt Rosebank, daar was het volgens Louise goed koffiedrinken.

Lastig te vinden, vond ik, dat Rosebank, ik was volstrekt de weg kwijt, eigenlijk. Die brede, doorgaande wegen in Joburg met automobilisten die allemaal een beetje reden zoals Louise, dat hielp niet echt.

Met een kaart op schoot en stumperend op de linkerbaan, besloot ik een straat links van Oxford Road in te gaan, dan kon ik misschien wat rustiger de weg zoeken – en terwijl ik dat dacht, nog half naar de kaart kijkend, reed ik de Nitro niet keihard maar uiterst doeltreffend tegen een stoeprand. Het was echt geen kleine auto en de banden waren zelfs heel groot, maar tats – dat was een lekke linkervoorband.

Ik kon na tien meter linksaf, parkeerde meteen om de hoek, stapte uit. Daar stond ik bedremmeld te kijken. Een lekke band in Joburg. Handig.

Wat te doen? Iemand bellen? Wie dan? En ik wist niet eens

waar ik was. Ik had geen telefoonnummers bij me. Ik zag maar één oplossing: hoogstpersoonlijk de band van de Nitro verwisselen. Het was een paar jaar, nou ja, een paar decennia, geleden dat ik zoiets nog had gedaan, maar jong geleerd is oud gedaan, et cetera.

De krik vond ik wel, het reservewiel met wat moeite ook, en toen kwamen er drie zwarte gozers aangelopen.

Zou het zo eindigen?

De drie spraken niet met of tegen mij. Een pakte de krik. Een ander bekeek de wieldop, de derde begon het reservewiel los te schroeven. Werd ik bestolen van een aan mij geleende, gloednieuwe Dodge waar ik levend en wel bij stond?

Nee, natuurlijk. Ze deden een kwartiertje over het verwisselen van de band en hingen de lekke band netjes terug onder de auto. Ze spraken onderling af en toe een paar woorden waar ik niks van verstond. Tegen mij zeiden ze geen woord. Eigenaardig als je het mij vraagt.

'Wat spreken jullie?'

'Zoeloe.' Aha.

Ik liet na te vragen of ze hun beleid ten opzichte van vreemdelingen sedert mei erg hadden gewijzigd, of dat ze altijd al niet-onderscheidende liefhebbers van de menselijke soort waren geweest. Met Zoeloes die een buitenlander hielpen had ik sinds de rellen van een half jaar geleden geen rekening meer gehouden.

Toen ze klaar waren, gaf ik hun 100 rand. Dat lukte maar nauwelijks, ze liepen alweer weg. Ze bedankten me, maar niet op een uitbundige manier. Misschien was dat hun manier om te zeggen: dat had echt niet gehoeven.

Ik neuriede de hele weg terug naar The Westcliff. Bijna dan. Ik baalde van die band. De oplossing was briljant geweest en ik neem aan dat je met genoegen leest hoe ik, op mijn eerste nieuwe dag in Joburg, door drie Zoeloes uit de penarie ben gehaald. Maar man, wat baalde ik. Het Windhoekdrinken begon die dag vroeg.

's Avonds at ik in restaurant Bellini's, ergens in de wijk Illovo met uitzicht op Alexandra, in gezelschap van Louise en zeven van haar vrienden. Daar had ik Louise om gevraagd – ik wilde lokale mensen leren kennen. Daar kwam niets van terecht.

De vrouw die voor mij de show stal, was Louise. Ik zat aan haar linkerkant, begerig naar elk woord dat ze zei. Ik bestelde hetzelfde als zij: een ossenhaas in mosterdsaus. Ik dronk als zij dronk, ik nam een hap als zij een hap nam.

David, aan mijn rechterkant, was een aardige vent, daar niet van. Zijn vrouw Michelle legde me uit dat het met Zuid-Afrika nooit iets zou worden: 'Er is helemaal niet zoiets als *Proudly South African*, wat het toeristenbureau ook als leuze mag voeren. Het is ieder voor zich, of in elk geval elke bevolkingsgroep voor zichzelf. En alle blanken willen weg.'

Tja, knikte ik, het is me wat. En dan begon ik weer snel met Louise over dingetjes van alledag te klessebessen.

Maar wát deed de hand van Louises andere buurman, een man zonder kin, op haar rechterdij? Zag ik dat eigenlijk goed? Ja, dat zag ik goed, en erger nog: steeds opnieuw kwam die hand tevoorschijn.

Hunter, dat begreep ik niet. Het drong niet tot me door – tot het tot me doordrong dat de kriebel in mijn ingewanden plaats had gemaakt voor woeste razernij.

Nou ja, woest. Nou ja, razernij. Die man zou haar man dan dus wel zijn. Ik sloeg er geen acht op. Ha. Ik deed alsof ik gek was. Negeren is ontkennen, tenslotte.

Tot ik terugkwam in The Westcliff. Ik had er dit keer een roze kamer gekregen, met een rond bed – desalniettemin vormde het een tamelijk sereen geheel.

In dat grote, ronde bed schreef ik een bedankbriefje aan Louise. Ik pakte het rigoureus aan. Ik bedankte haar voor alles, van de autoritjes, het wijn proeven en het bezoek aan haar huis tot het drinken van een glas water op het terras van het hotel. Ik gaf het de volgende ochtend af bij de receptie en reed weg.

Deze reis was in mijn verbeelding een voortzetting van de reis die ik in mei en juni maakte, en dat was uitsluitend en alleen in mijn verbeelding het geval. In werkelijkheid werd het een heel nieuwe toestand, zo had ik gelezen en dat was me verteld. Ik wilde doorgaan zoals ik vier maanden geleden onderweg was geweest, de realiteit schreef iets anders voor. Elders is het anders.

Dat de verschillen per provincie in Zuid-Afrika zo groot zijn als in Europa per land, realiseerde ik me echter pas weer toen ik Gauteng uit reed. Via gebieden vol extensieve veeteelt (je moet speciaal om dorre natuur geven om dat boeiend te vinden), met afslagen naar plaatsjes als Sukkelaar en Winkelhaak, kwam ik bij de grens tussen Gauteng en Mpumalanga. Daar stond bij wijze van welkom een billboard langs de weg. Onder een foto van een aantal gewapende agenten stond in vette letters OBEY THE RULES OR FACE THE FIRE. Wat was dát?

In mei was ik dicht in deze buurt geweest, Mpumalanga had ik destijds van noord naar zuid doorkruist, maar zulke borden had ik niet eerder gezien. *Obey the Rules or Face the Fire?* Ik heb de afgelopen maand aan mensen gevraagd wat daarmee bedoeld kon zijn. Ze keken me aan alsof ik het verzon. Echt niet. Dat ik een nieuw avontuur was begonnen, wist ik, maar dat zelfs provincies veranderd leken, verbaasde me.

Ik reed over de N3 naar het begin van de N2 om die vervolgens helemaal af te rijden tot aan de Kaap. Die route zou me om te beginnen naar KwaZoeloe-Natal brengen, het thuis van de donkerste Zuid-Afrikanen, de Zoeloes.

In Durban woonden veel Indiërs en ik verheugde me daarop, dat was in mijn verbeelding een enclave binnen dit land.

Vandaar zou ik doorrijden naar de Oost-Kaap, naar het gebied dat vroeger een thuisland was geweest onder de naam Transkei. Daar woonden de lichtgekleurde Xhosa.

Dan de toeristische bloemenroute, daarna de Kaap, waar een relatief groot deel van de bevolking wit was.

Deze reis zou ik besluiten in de provincie Noord-Kaap, waar de resterende Khoikhoi en San woonden, die Van Riebeeck Hottentotten en Bosjesmannen had genoemd.

De regenboognatie zou ik dus in al haar gekleurdheid te zien krijgen. Dat de kleuren van die regenboognatie niet bepaald in elkaar overliepen, wist ik, maar voor de animositeit waar ik tegenaan zou lopen, had niemand me gewaarschuwd.

De Nitro was door de firma Dodge 's ochtends bij The Westcliff vervangen door een Journey. Deze auto was weliswaar niks kleiner, maar zag er iets minder opgewonden uit. Hij was zilvergrijs. De motor was een beetje een tegenvaller. Deze 2,7-liter V6 zette heel veel benzine om in heel veel geluid, en presteerde verder weinig. Dat ik in deze auto zo'n vijfendertighonderd kilometer zou gaan toeren: er zijn zaken waar men liever niet te lang bij stilstaat.

Gelukkig was ik gevorderd tot Mpumalanga, sterker: ik was er alweer bijna uit. De dorre velden, een grazig woord als 'weiden' zou men er niet echt voor willen gebruiken, werden stilletjes aan vervangen door groen en bosbouw. Piramides van ontvelde boomstammen lagen aan de zijkanten van de weg. De Dodge gromde erlangs. Het was best een lekker ritje, al bibberde ik nog na van die stoeprand van een dag eerder. Zoals je weet maak ik nimmer brokken. Dat een ongeluk ook mij kon overkomen, had me van mijn stuk gebracht.

Ik reed over Ermelo, de plaats waar men in Amsterdam en Piet Retief met ontzag over sprak. Dat begreep ik toen ik de plaats zag. Ermelo was een welvarende, schone stad al maakte het een provinciaalse, agrarische indruk. Er waren allerhande winkels en uitspanningen, ik zag er dure auto's tanken en rijden, de mensen gedroegen zich er uitgesproken stads.

In Piet Retief, waar ik sliep, kreeg ik een sms.

Ik zal er korte metten mee maken – want ik kan je niet deze hele brief lang blijven vervelen met zulke besognes – Louise en ik sms'ten elkaar elke dag; na een paar dagen begonnen we elke dag te bellen; na een dikke week vroeg ik haar: 'Moet ik niet nog eens terug naar Joburg komen? Voor jou?'

De wereld verrast me steeds weer, en anders ik mezelf wel. Had je twee jaar geleden gezegd dat ik ooit naar Zuid-Afrika zou gaan, had ik je wazig aangekeken. O ja? Had me in januari gevraagd of ik naar Joburg zou gaan, had ik gezegd: ja, omdat ik vind dat het moet voor mijn reis. Nu zat ik in Zuid-Afrika, en om de haverklap spoedde ik me naar Joburg.

'Dat lijkt me wel', had Louise geantwoord. Toen ik in Port Elizabeth was, spraken we definitief af – dat was alsof we afspraken verkering te nemen. Ik boekte mijn terugvlucht om en kocht een binnenlands ticket. Vanaf nu zal ik over Louise en over onze gezelligheid zwijgen. Geluk mag saai zijn, verliefdheid is helemaal de dood in de pot.

In Piet Retief beleefde ik verder niets.

Het was een agrarische gemeenschap. Ik was nog steeds onder de indruk van de lekke band en daardoor een beetje lusteloos. Eigenlijk waren mijn gedachten gewoon elders, je snapt het. Het lokale restaurant sloeg ik voor de verandering over. Tegenover mijn lodge at ik bij de vleesketen Spur een steak met sla. Erbij dronk ik een flesje Savanna Dry-cider. Zuid-Afrikanen zijn dol hun cider, ik vond het muf spul. Toen twee kleuters – van wie de witte ouders apelazarus waren – met hun roze ballonnen op mijn hoofd begonnen te slaan, vroeg ik om de rekening.

Op naar KwaZoeloe-Natal, de een na laatste Zuid-Afrikaanse provincie voor ik in alle provincies zou zijn geweest. Het was een zonnige dag. Over Paulpietersburg en Vryheid reed ik in de Journey (en Louise reed een Conquest, is het leven niet schitterend? O, pardon) naar Gluckstadt.

Dat kwam vooral neer op lange einden rijden over goede wegen waarvandaan helemaal niets opbeurends viel te zien. Er was een berm en dan begonnen velden, weiden, akkers, en zo nu en dan zag ik een aap. Die aap daargelaten, had het overal kunnen zijn. Saai vond ik het niet, verre daarvan, maar dat zat 'm er toch vooral in dat ik wist waar ik was. Het was een beetje een uitgestrekt Brabant, ofzo. Ik bekeek het dashboard van de Dodge, en speelde met een knopje. Waarom leek de buitentemperatuurmeter zo onheilspellend op te lopen? Toen ik vertrok uit Piet Retief had-ie op zes graden Celsius gestaan, inmiddels stond-ie op zesendertig graden. *Ag.* Het was een Amerikaanse auto, het ding zou wel stuk zijn.

Als een fata morgana stond in het totale niets, althans in de trillende lucht ver voor Gluckstadt, een stenen gebouwtje langs de weg. Ik begon de auto vast uit te laten lopen, want wat was dat? Eindelijk was er iets. Dan zou ik het bekijken ook. Op het gebouwtje stond in grote letters BABANANGO BILTONG, en in kleine letters DAGANE FARM. Het winkeltje was geopend bovendien. Ik zette de Dodge stil, trok de sleutel uit het contact en stapte uit.

Whoepa. Daar was die zesendertig graden, en live. Hallo. Was dat niet een beetje overdreven? Ik vroeg het aan de meisjes van de biltongtent. 'Een hittegolf', zei een van hen. 'Morgen gaat het regenen.' Bij wijze van lunch at ik een *steak and kidney pie* en dronk een kop koffie. Toen ik dat ophad, kocht ik een blikje pecannoten, een half pond biltong en droëwors, en een pot piccalilly. Die laatste aankopen deed ik vooral om mijn verblijf er te rekken, het was een tentje zoals men dat in Zuid-Afrika zelden zag, bijna Engels in tuttigheid. Haast had ik niet.

Bij Melmoth was het bloedheet, achtendertig graden. Ik stopte bij de Spar en van een Zoeloemeisje met wel heel stereotiepe dikke lippen kocht ik een paar flesjes water. Ik dronk er twee achter elkaar leeg. Hoe werkte een hittegolf eigenlijk? Stond het vast dat-ie ooit weer zou verdwijnen? Het was om bang van te worden.

De Zoeloes die ik tot nog toe had gezien, bijvoorbeeld bij het verwisselen van mijn band, waren gewoon pikzwart geweest. Hier in het hart van Zoeloeland, al bijna bij Shakaskraal, waren ze omvangrijk en vaak voorzien van geprononceerde lippen. Dat leek me authentiek. Verder deden ze niet echt specifieke Zoeloedingen, zoals de dingen die ik Jacob Zuma op televisie had zien doen. Hem zag ik een paar keer in een tijgervel en op witte Nike's met een korte speer in zijn hand een wilde dans uitvoeren, er luidkeels liederen bij zingend. De Zoeloes in Melmoth reden in een bakkie naar de Spar, kochten een krant en een pak waspoeder, en gingen er van tussen. Onder een bebladerde boom op het dorpsplein zat een Zoeloe te niksen, onder een boom zonder blad zaten twintig Zoeloes te praten. Ik smolt.

Een kilometer of wat voor Eshowe zag ik iets bewegen in de berm. Een aap? Ik remde af.

Aha. Geen aap. Het waren drie naakte Zoeloetjes. Jongetjes van een jaar of dertien, veertien. Helemaal bloot. Het was daar eenenveertig graden, dus naakt zijn was een aardig idee, maar er wrong iets. Waarom, bijvoorbeeld, hadden ze geen kleren aan?

Ze staarden mij minstens even bevreemd aan als ik hen.

Ik vroeg het later aan mensen: was dat gebruikelijk, was dat een ritueel, wat was dat? Ik kreeg geen eensluidend antwoord, alleen tegenvragen. Ja, een ritueel kon het zijn, maar dan hadden hun gezichten op tribale wijze geverfd hebben moeten zijn. Was dat zo? Waren ze dronken geweest? Hadden ze speren bij zich? Gebruikelijk was het niet, benadrukten de mensen. Zoeloes droegen kleren, net als iedereen in Zuid-Afrika. Hoor. Al luisterde hun God naar de fantastische naam Oenkoeloenkoeloe.

De Zoeloes vormen een kwart van Zuid-Afrika's bevolking, en ze zijn daarmee 's lands grootste bevolkingsgroep. Ze zijn niet autochtoon, zoals de lichter gekleurde San, Xhosa en Khoikhoi. Ooit waren ze uit Midden-Afrika naar het zuiden gemigreerd, en op hun nieuwe grondgebied hadden ze zich vol bravoure betoond. De door een televisieserie legendarisch geworden Shaka Zoeloe vormde van verschillende Zoeloeclans in het begin van de negentiende eeuw een heus koninkrijk. De saamhorige Zoeloes gingen later in die eeuw de strijd aan met Boer en Brit. En hoewel ze de grotere veldslagen telkens verloren, behielden ze hun trots, hun eigengereide koppigheid, hun karakter.

Een van de verloren slagen was die bij Bloedrivier, ingegeven door de moord op Voortrekkervoorman Piet Retief. Bij die rivier, die Ncome heet, legden tienduizend Zoeloes het af tegen vierhonderdvierenzestig Voortrekkers. Het resultaat was drieduizend dode Zoeloes (vandaar dat Bloedrivier) en drie gewonde Boeren (onder wie Andries Pretorius, die geraakt werd door een assegaai, een Zoeloespeer).

In mei had iemand tegen me gezegd: 'Ze zijn open en uitgesproken, maar je moet geen ruzie met een Zoeloe krijgen. Zoeloes zijn opvliegend en agressief.' Dat hoorde ik vaker: Zoeloes zijn dappere vechtersbazen, koppige schreeuwlelijken, traditionele stamleden. Overigens maakte dat KwaZoeloe-Natal statistisch niet gevaarlijker dan de andere acht Zuid-Afrikaanse provincies. Er was daar veel criminaliteit, maar dat was overal zo. Al zei diezelfde persoon tegen me: 'Weleens een Indiase boef gezien? Nou dan. Alle criminaliteit in KwaZoeloe-Natal wordt door Zoeloes gepleegd, dus ze zijn in verhouding wel degelijk misdadiger dan de rest van het land.'

Zoeloes zijn met velen, en ze zijn op dit moment de bevolkingsgroep die het meest te zeggen heeft in Zuid-Afrika. Of liever gezegd: de groep die het meest zegt, en die dat doet op luide toon. Zo is Jacob Zuma een Zoeloe. Dat hij door zijn eigen mensen zo wordt bewonderd, zou komen omdat hij een typische Zoeloe is, vertelde Robert le Roux me al in januari op de Kaap: 'Een grote mond vol van grote daden. Woorden, woorden, woorden.' (En vijf à zes vrouwen hebben hielp ook. Dat gaf status.) Wat er klopte van al die verhalen was de vraag, maar dat bescheidenheid geen Zoeloedeugd was, leek vast te staan.

Wat ik zelf meteen van de Zoeloes merkte, was dat ze minder nederig waren dan hun zwarte en gekleurde landgenoten. Ik werd sir noch master genoemd, en sire was er al helemaal niet bij. Ze deden eigenlijk heel normaal, dus. Ze gingen even gewoon als geëmancipeerd hun eigen gang.

Ik sliep in Salt Rock, een dorpje aan de Indische Oceaan, vlak bij Ballito. Ik wandelde er rond, ik bestudeerde een bord waarop stond dat men na betaling van een klein bedrag een dagvergunning kon verkrijgen om naar hartelust oesters, krabben, kreeften, mosselen en alikruiken te rapen, ik nam een duik in zee, ik vroeg jochies tussen de rotsen wat ze zochten. 'Krabjes,' zeiden ze, 'maar we gooien ze terug.' Zag ik eruit als een geheim agent van de visserijpolitie?

Het beste restaurant van Ballito had evengoed het slechtste restaurant van Ballito kunnen zijn. Al Pescatore, pal aan de Indische Oceaan, serveerde mosselen die zo droog waren als watten. Ik dronk daar aanvankelijk een glas Durbanville Hills Sauvignon Blanc 2008 bij (die kreeg een eenvoudige 7) maar toen ik één mossel ophad, bestelde ik meteen een hele fles – ik was bang dat ik zou stikken. Hoe had iemand in de keuken dat voor elkaar gebokst? Jongetjes op het strand hadden aan het eind van de middag schaaldieren geraapt, en vijftig meter verderop kookte een kok er alle zee en smaak uit.

Die avond nam ik het ervan. Ik ging terug naar mijn b&b en daar zat ik ver tot na middernacht op mijn balkon, in het ruisende gedender van de Indische Oceaan. Ik maakte aantekeningen, ik probeerde na te denken. Vandaag had ik behalve blote Zoeloes her en der Indiërs gezien: ik was niet ver weg meer van Durban.

Durban zou mijn derde uithoek van Zuid-Afrika zijn en ik verheugde me erop. Iedereen wist dat Durban volslagen anders was dan de rest van dit land. Zoals dat heet, dat was een tevreden stemmend idee. Ik was ver weg, maar ik kwam nog eens ergens.

’s Ochtends zat ik te ontbijten met uitzicht op de oceaan toen de b&b-eigenaar aanschoof. Drie turven hoog, korte broek, knalgele Crocs, mok koffie in zijn hand. Of ik me bewust was van alle wilde dieren die rondom zijn b&b huisden. Als ik oplette, kon ik zo een baviaan zien. Of een slang. Op het grasveldje zag ik zijn twee hondjes elkaar in de haren vliegen, anders zag ik niets. Ik wendde mijn hoofd in de richting van de Indische Oceaan. Die bewoog. Er bewoog nog iets, ín de oceaan. Ik herkende het niet maar ik zag het wel. Ik wees, de man op de Crocs keek mee. ‘Dolfijnen’, zei hij. ‘Dat is niet alledaags in dit jaargetijde. U hebt geluk.’

Ik vertelde hem over mijn geluk in het Krugerpark. Hij haalde een dik fotoboek tevoorschijn waarin ik alle wilde dieren van Zuid-Afrika kon zien. Nu ik er toch was, keek ik liever naar de dolfijnen – of althans naar hun bewegingen die de zee deden rimpelen. Ze veroorzaakten wel heel grote golven, hoeveel dolfijnen waren dat wel niet? Ik vroeg het aan de Crocsman.

‘Dat zijn geen dolfijnen’, zei hij, zijn ogen vernauwend. ‘Dat is een walvis die baart, volgens mij.’ Hij liet door een van de dienstmeisjes een verrekijker brengen. ‘Jazeker, ze zoekt een ondiepe plek.’

‘Waarom ondiep?’

‘Omdat de baby’s anders meteen na hun geboorte kunnen verdrinken. Het zijn zoogdieren, weet u.’ Ik stond paf. Het was tegen negenen en ik had weleens een aardige zonsopgang bij het ontbijt gehad – maar dit? ‘De baai hier is erg ondiep, dus ze weet goed wat ze doet. Ze cirkelt rond tot ze het ondiepste plekje heeft gevonden, kijk maar.’ Inderdaad: de walvis zwom verder onze kant op. ‘Ze is enorm. Zestig ton, zou ik denken.’

Gedurende mijn ontbijt van ananas, aardbeien en perziken zag ik een walvismoeder op zoek naar een kribbe.

Ik was naar Ballito gekomen om mensen te ontmoeten die ik eerder in Zuid-Afrika had ontmoet: Jude en Robert Walsh hadden in de Rovostrein gezeten. Dat ze niet bepaald in een zielig vakantiedorpje woonden, had ik vermoed. Mensen bij wie ik onderweg naar Ballito had geïnformeerd, zeiden me dat dat dorp misschien het mooiste en rijkste Zuid-Afrikaanse plaatsje aan de kust van de Indische Oceaan was.

De Walshjes woonden buiten Ballito, in een enclave die Sheffield Beach heet. Er stonden geen verbodsborden, er waren geen slagbomen of afzettingen. Alle huizen hadden gewoon een hek of een muur; het had veel weg van een rijk kustplaatsje elders op de wereld. Het enclavegehalte zat 'm erin dat ik, zoekend en stilstaand aan de straatkant, binnen een paar minuten tot drie keer toe door passerende bewoners werd gevraagd of ik kon vinden wat ik zocht. Konden ze me misschien helpen? Dat was sociale controle, wellicht aangelengd met een tikkie verveling, maar hier onbespied blijven leek onmogelijk. Dat zal niet ieders smaak zijn, noch is het de mijne, maar voor minder prikkeldraad en minder gewapende wachters viel ook iets te zeggen.

Op een plattegrond had ik gezien, nadat ik Jude had gebeld om hun adres te krijgen, dat ze aan het einde van de weg woonden. Hun villa bleek de laatste te zijn, net onder de top van de hoogste heuvel. Was Robert wellicht de rijkste man van de Dolphin Coast?

Hun huis, had Jude gezegd, was gebouwd in Toscaanse stijl. Welja, joh. Het is jammer dat ik er geen foto van heb. Je zou je rot lachen, en vele Toscanen met je. Het was een landhuis met Dorische zuilen en twee onttakelde Volkswagen Kevers voor de deur.

Jude was even knap en bescheiden en lief als ze in de trein en in Matjiesfontein was geweest. De situatie was nu anders. In die trein was iedereen gelijk geweest, steenrijk en onder elkaar. Ineens stond ik in haar hal, ik kwam poolshoogte nemen. Dat was raar. De stemming bleef raar. Jude serveerde *melktert*, Afrikaanse melktaart, en behoorlijk vieze koffie. Daar zaten we dan. Het had een leuk idee geleken. Wat nu? Waar was Robert?

Robert had er in de trein kennelijk op zijn paasbest uitgezien. In zijn eigen huis liep hij er nonchalant bij. Hij droeg een joggingbroek tot net onder de knie, slippers, en een verwassen T-shirt. Hij zag eruit alsof hij net uit bed kwam. Hij keek eens wat naar de oceaan, informeerde naar de toestand van Fortis en ABN Amro, en verontschuldigde zich toen. 'De markten zijn open', zei hij. Het was tien uur 's ochtends. Weg was-ie.

Handelen was zijn werk. Ik had hem graag willen zien zitten achter de beeldschermen in zijn kamer. Maar hij was zo resoluut weggewaggeld dat ik beduusd verder at van de melktert. Ik dronk de koffie. Ik keek naar de beeldschone Jude. En toen, nauwelijks veertig minuten nadat ik had aangebeld, stapte ik op.

Wat je zegt: dit bezoek was een omweg van driehonderd kilometer dik waard geweest.

Zonder dralen reed ik de Dodge naar Durban. Het was een kilometer of tachtig over de N2, rechtdoor. De weg naar het guesthouse was eenvoudig te vinden: de stad in, twee keer rechts, de weg omhoog de heuvel op, en ik was er.

Goble Palms stond op de hoek van Windermere Road en Goble Road, alleen hadden die beide straten, net als vrijwel alle andere straten in Durban, nieuwe namen gekregen: de Windermere- en Goblekruising heette nu de kruising van Lilian Ngoyi Road en Smiso Nkwanyana Road. In tegenstelling tot andere steden had de gemeente Durban de zaken niet halfbakken aangepakt. De bordjes met de oude namen op een witte achtergrond waren met rood doorgestreept, eronder hingen de nieuwe bordjes: zwarte letters op een gele achtergrond.

Goble Palms was een fijn onderkomen. Vanaf het terras had ik uitzicht op de Indische Oceaan. Liggend op mijn bed zag ik een aap. Ik bleef een paar dagen in Durban, en die aap kwam vaker voorbij. Of het was een andere aap, dat kan ook. Misschien stikte het in het centrum van Durban wel van de apen.

Op de ochtend van mijn vertrek stond ik bij de garage. Op het dak zat een aap. Dezelfde aap, gokte ik, die ik vanuit mijn raam had gezien, of in elk geval een aap van dezelfde soort. Wat voor aap was dat? Ik vroeg het aan Vincent, het manusje-van-alles dat mijn koffer in de Dodge tilde. 'Gewoon een aap', zei hij. Ik keek hem aan. Peinzend zei Vincent: 'Een grote aap.'

Vincent droeg een naamplaatje waarop MANAGER stond. Zijn baas, Lionel Gafney, refereerde aan Vincent als *'my guy'*. Vincent was een meter vijftig, droeg veel te wijde kleren en was goedlachs. Hij was een Zoeloe. Vincent zal me lang heugen. Op een ochtend wilde ik de Dodge de poort uit rijden, toen de poort geen sjoege gaf. Vincent duwde weliswaar steeds harder op de afstandsbediening, de poort gaf geen krimp. Daarop verscheen Lionel, die Vincent vroeg of-ie al een andere afstandsbediening had geprobeerd, misschien was het batterijtje leeg.

'Nee', zei Vincent.

'Maar waarom niet?' vroeg Lionel.

Vincent keek me hulpeloos aan. 'Omdat ik daar niet aan heb gedacht', zei hij met een lachje – een soort betrapt lachje, een o-daar-hebben-we-mij-weer-in-de-bochtlachje.

Durban, hoewel daar geografisch een en ander op af te dingen en tegenin te brengen valt, beschouwde ik als mijn derde uithoek van Zuid-Afrika. Na Kaapstad, Messina-Musina en Durban restte me vanaf dat moment nog één hoek. Dat was de Noord-Kaap bij Namibië, vanuit KwaZoeloe-Natal gezien diagonaal aan de andere kant van het land.

Durban was vanzelfsprekend een van de steden waar in 2010 zou worden gevoetbald, al was de stad er bekaaid afgekomen. Waar de andere grote steden acht of negen of tien wedstrijden hadden toebedeeld gekregen, zouden er in het Durbanse Moses Mabhidastadion maar zes wedstrijden worden gespeeld. Ik reed een paar keer langs het stadion in aanbouw; het lag aan de oceaan en het zal er, met ruimte voor zeventigduizend mensen en twee elliptische bogen die honderd meter boven het veld komen te hangen, spectaculair uit gaan zien.

In Durban voetbalde men graag en redelijk goed. De eredivisieclubs Amazulu, Golden Arrows en Thanda Royal Zulu spelen er. Volgens een Indische taxichauffeur, genaamd Morgan, was golf echter een veel betere sport. Voetbal, dat was saai, dat moest ik toch weten als ik uit Nederland kwam, want daar voetbalde iedereen. Al die ophef om dat WK, nou nou. Golfde hij zelf? Jazeker, al had hij maar één golfstok. Hij spaarde driftig voor een tweede, waarvan hij vermoedde dat die zijn spel ten goede zou komen.

De Windermere Road liep vanuit de chique wijk Morningside rechtdoor, helemaal naar de binnenstad. Dat leek me een mooi, stug eind. Ik nam me voor de hele stad te voet te doorkruisen, de markt te bezoeken waar, zo was me verteld, apenkoppen tussen de slavinken en de hamburgers zouden liggen, een kop koffie te drinken in een Vida e Caffè en te zien hoe de Indiërs Durban domineerden.

Mijn plan mislukte op haast al die fronten.

De wandeling volbracht ik, al werd het warmer en heter en liep ik een kilometer of tien. De markt vond ik, ik hoefde maar op de herrie af te gaan. Elke aardappelverkoper had een gettoblaster aan luidsprekers gekoppeld en trok daarmee veel belangstelling van de winkelende Zoeloes. Ik zag nul Indiërs op die markt.

Wat er op die markt ook werd verkocht, het waren geen apenhersens, bavianenvoeten of slangentestosteron. Wel verlengsnoeren, slippers, stekkerdozen, siervelgen, dvd's, vruchten, besteksets, kruiden (waaronder het hoog opgetaste *Killing Powder: Mother-in-Law Exterminator*), petjes, sokken, band en garen, springbokhuiden, en heel veel hangsloten. Zo veel hangsloten dat ik in de verleiding kwam: een goed hangslot, kwam dat niet altijd van pas?

Mijn wandeling was opwindend geweest. Ik liep van de Indische Oceaan naar de Baai van Natal, van een rijke, rustige buurt naar het drukke centrum, vanuit stilte ging ik op in geschreeuw. De grens werd gemarkeerd door een braakliggend veld halverwege waarop een zwarte een stapel autobanden stond op te stoken. Met mijn zakdoek voor mond en neus wandelde ik zo snel mogelijk door.

Doordat de hele weg bergafwaarts liep, kreeg mijn wandeling iets weg van een lancering. Ik vond die tocht zo magnifiek omdat iedereen tegen me zou hebben gezegd: dat kan niet, dat mag niet, doe dat niet want dat overleef je niet. Het was zo on-Zuid-Afrikaans als ik het kon bedenken. Juist in dit land waar niemand van mijn huidskleur wandelde, maakte ik een voettocht van drie, vier uur, dwars door een grote stad.

Ik genoot er niet van omdat het zo onverstandig was. Wie weet had ik gewoon geluk. Ik genoot ervan omdat niemand anders het deed.

Met kleine straatjes, steegjes haast, die werden afgewisseld door brede avenues was het Central Business District van Durban net een oud stuk van Manhattan. Als men niet goed keek. Wie wel goed keek, zag de neringdrijvende Indiërs en zwarten in hun miniwinkeltjes (ik vroeg me af hoeveel vergieten een mens in zijn leven nodig heeft), die zag een beetje haveloosheid (die soms alleen maar verfloosheid was), een luttel gebrek aan orde (of wellicht aan westerse logica). Dat maakte het centrum van Durban geschikt voor mij: het was niet te klein, het was te belopen, het was zo afwisselend en zo kleurrijk als de wereld kan zijn.

Het was zo veel exotischer, zo veel minder Europees dan Joburg en Kaapstad en zelfs Pretoria waren geweest dat ik in Durban steeds besefte me op vreemde grond te bevinden. In de andere grote Zuid-Afrikaanse steden had ik me in meer of mindere mate op mijn gemak gevoeld, ik begreep die steden – ik begreep althans hoe ze werkten.

Durban was veel verder van mijn huis verwijderd. Omdat de stad netjes was neergelegd op een Engels stratenplan kon men zich op het eerste gezicht vergissen, maar hier was een Aziatisch-Afrikaanse dynamiek aan het werk. De markt vol Zoeloes, het centrum met steegjes en tokootjes, en dan het grote, koloniale Britse plein met het stadhuis, het postkantoor, het stadsmuseum. Het was echt net New York City. Het was koloniaal Albion, al zag ik Afrika evengoed om me heen.

Mijn wandeling slaagde, mijn opzet mislukte. Ik vond apenkop noch Vida e Caffè, en de Zoeloes domineerden de stad visueel veel meer dan de Indiërs dat deden. Wat dat laatste betreft realiseerde ik me dat de Indiërs – zoals altijd en overal – hun eigen, minder zichtbare gemeenschap moesten hebben gevormd. De Indiase methode, noemt V.S. Naipaul het: je verdient aan anderen, je spendeert het bij je eigen mensen.

Ik at in mijn eigen, rijke buurt aan de voor Zuid-Afrikaanse begrippen beregezellige Florida Road. Aan die straat zaten allerhande eet- en drinkgelegenheden; ik koos Society, een restaurant zo hip dat ik er amper naar binnen durfde te stappen. Ik liep in mijn Afrikakloffie, in Society was men zo feestelijk gekleed dat ik verwachtte dat Mandela elk moment kon binnenstappen. Wit zijn hielp, zoals wit zijn in Zuid-Afrika vaak hielp. Een witte man werd ondanks diens vage kledingkeuze met alle egards behandeld, en als het duidelijk was dat hij uit een ver land kwam, met name het beroemde antiapartheidsland Nederland, begon het rennen en vliegen pas echt. Plus het stellen van steeds diezelfde vragen: aha, Amsterdam? De rest kun je zelf verzinnen.

Het goot. Dat was begonnen tijdens mijn groene sla en een tonijnfilet, en dat hield niet op. In de bar van Society, die zo pompeus was vormgegeven dat ik me zo klein mogelijk maakte, dronk ik koffie tot ik ervan begon te trillen, zodat ik er een brandy van KWV uit Paarl bij bestelde. Een half uur later goot het nog, en vroeg de zwarte man die bij de deur had gestaan of hij me onder een paraplu terug naar de Dodge zou mogen brengen. Ik waarschuwde hem: dat was een paar honderd meter gaans. Geen probleem. Hij hield de kleine paraplu boven mijn hoofd. Goed, hij droeg een alpinopet, maar dan nog. Er zijn pasja's geweest die zich minder zorgzaamheid hebben laten aanleunen.

Op mijn tweede dag in Durban reed ik naar de Golden Mile – die ruim vier kilometer lang is. Die mijl ligt aan de oceaan. Aan de strandkant was een toeristische snuisterijenmarkt gaande met honderd kraampjes, honderden meters lang. Ik kocht een vijzel.

Die kant van de Golden Mile werd door politie beveiligd alsof de goudvoorraad van heel Zuid-Afrika er lag, agenten patrouilleerden in auto's, per fiets en te voet, ze stonden aan de straat en zaten in een politiecontainer, en dat terwijl er nauwelijks strandgasten waren. Durban, zoveel werd me duidelijk, wilde het niet laten gebeuren dat toeristen aan zee werden overvallen.

Er was hard gewerkt om de Golden Mile tot de Golden Mile te maken. Aan de landkant stonden grote, hoge hotels en appartementengebouwen, het een nog smakelozer dan het ander. Er waren speeltuinen, er lag een groot, leeg zwembad, en aan het eind van de promenade stond uShaka Marine World, een aquarium waarin evenveel vissoorten zwommen als in het Malawimeer. Dat las ik op een bord. Ondanks de tips die ik van Lionel Gafney en in de bar van Society had gekregen ('Dat mag u niet missen'), voelde ik niet de aandrang er een kijkje te gaan nemen.

Onder een van die hotels at ik op een terras een uitgehold, half casinobrood gevuld met rundercurry, een *bunny chow*. Die mix van Engeland en India was een typische specialiteit van Durban. De receptuur klonk zo simpel dat ik me het gerecht voorstelde als een zeldzame lekkernij; het was zo laf en klef uitgevoerd dat ik de helft niet opat. Louise zei me 's avonds: 'Dat is niet representatief. Ik heb een keer een heel lekkere bunny chow gegeten.'

'En die was wel representatief?'

'Nee, maar dat bewijst dat de jouwe het niet was.'

Dat lokale eten moest beter kunnen. Om de hoek van het guesthouse had ik een Indiaas restaurant gezien – EXQUISE BEREIDINGEN meldde een bord in de tuin. Ik deduceerde: dit etablissement, gevestigd in de voornaamste buurt van de stad waar de meeste Indiërs buiten India woonden, moest een waar masalawalhalla zijn.

Erg druk was het die avond niet in Indian Connection. De

wijn die ik koos was op, en alle andere wijn van de wijnkaart was ook op, zodat ik met een derderangsbaggerriesling voor mijn neus kwam te zitten.

Ik bestelde een portie rogan josh, lamsvlees in uiensaus. Daar zat ik dan. Bij elke Indiër waar ook ter wereld zou het even lekker zijn geweest. De kunst aan de muren was te koop. Eén blik erop maakte duidelijk dat er geen kopers zouden komen.

De Indiase ober zocht werk, vertelde hij. 'U hebt toch werk?' vroeg ik.

'Echt werk. Niet als ober.' Hij spoog er net niet bij op de grond. Voorheen had hij iets technisch gedaan; als ik me niet vergis was hij computerreparateur geweest. Dat ik een sigaret opstak, maakte dat hij aan mijn tafeltje kwam zitten roken. Waar zocht hij werk? 'Dat maakt niet uit. In Amsterdam?'

'Niet hier?'

'Liever niet. Wij worden hier gediscrimineerd.' Indiërs die gediscrimineerd werden in Durban? Door wie? 'Door iedereen. We zijn niet zwart, we zijn niet wit, we worden gezien als een uitheemse stam die het liefst onder elkaar is.' De regering deed niets voor de Indiërs, vond hij. 'Alle programma's om mensen aan werk te helpen, zijn niet bedoeld voor Indiers. Black Economic Empowerment is juist het alibi om ons uit te sluiten.'

Dat kon best waar zijn, het was tenslotte ook waar geweest voor de Chinezen – totdat de Chinezen zwarten werden, eerder dit jaar.

'Is iedereen in dit land racistisch?' vroeg ik hem. Dat was nogal bruut gesteld, maar wat moest ik? De een na de ander, kleur na kleur, zeurde over de andere bevolkingsgroepen. Ik hoefde maar een vraag te stellen, of me eigenlijk alleen maar te introduceren en na een paar minuten begonnen de praatjes. In januari had ik er op de Kaap om gelachen, inmiddels vond ik het hinderlijk. Ze kwamen van ver, racisme was hen met de paplepel ingegoten, maar voor een Europeaan was dat doorlopende, onderlinge gekissebis verbazingwekkend. Ik had verwacht dat de witten niet populair zouden zijn, maar daar hoorde ik nooit iemand over.

'Als de Zuid-Afrikanen de apartheid niet hadden uitgevonden, zouden ze dat alsnog doen', zei de ober. 'Het is het verleden, denk ik. De mensen zijn hier zo gewend geweest de verschillen te zien en binnen hun eigen groep te leven, dat we Zuid-Afrika nog steeds niet als een geheel kunnen zien. We kennen de anderen slecht, en dat leidt tot angst.'

Daar had hij zonder twijfel gelijk in. Zuid-Afrika interesseerde hem niet, zei hij. 'Het wordt niks, niet meer tijdens mijn leven. Is er veel werk in Nederland?'

Bij de kroeg op de hoek was de deur op slot. Waarom zaten er dan allemaal mensen binnen? Ik klopte aan, een klant deed open. De deur werd achter me afgesloten. Of het deurbeleid was of misdaadpreventie, of allebei – niemand legde iets uit, terwijl ik toch meteen de volle aandacht van de tien bezoekers trok.

Er stond een meisje in een fleecetrui achter de bar – dit was een Afrikaner bar vol rooinekken. Durban was gekleurd, maar in dit café was iedereen witter dan ik.

Ik bestelde een Windhoekie van de tap. De Afrikaners waren van het type *wel klagen, niks doen*. Hun litanieën varieerden van mopperend tot zuur. Het was allemaal de schuld van de zwarten, en als Jacob Zuma aan de macht kwam, dan was het beter om weg te wezen. De blanken zouden onteigend worden, het Zim-scenario lag op de loer. 'Jacob Zuma is een soort Mugabe in de dop?' vroeg ik. Ik had het niet treffender kunnen zeggen, vond deze goegemeente.

Aan de kopse kant van de bar zat een oudere, gelooide

man. Kort en krachtig, ondanks zijn leeftijd, het voorkomen van een buitenmens. Hij had zich gedeisd gehouden, maar toen ik terugkwam van de wc stelde hij zich aan me voor.

Hij was gedurende zijn werkzame leven paramilitair geweest, als scherpschutter was hij ingezet bij rellen in de townships. Hij vertelde dat vol trots – en hij was pessimistisch over het huidige Zuid-Afrika. 'We gaan eraan', zei hij. 'Tot 1990 was alles duidelijk en overzichtelijk. We hadden het goed. Zuid-Afrika was een mooi land, wat het buitenland ook van ons vond. Er was geen criminaliteit. Moet je nu zien hoe we afglijden. We waren een stukje Europa in Afrika, en nu zijn we een stukje Afrika in Afrika. En je weet hoe het met Afrika gaat. Altijd slecht, en dan nog slechter. Zwarten kunnen geen landen besturen.'

Na nog een glas bier genoot hij op luide toon na van zijn eertijdse kundigheid, de scherpschutterij. Dat waren de dagen geweest! Hij riep hoe prachtig het was geweest om de kaffer met slechts één kogel om te kunnen leggen. 'Recht door het hoofd,' zei hij, 'pijnloos.' Daar had hij eer in gesteld.

Op aanraden van Lionel Gafney reed ik de N3 op, het land in.

Mijn bezwaar tegen kusten, al klinkt de Indische Oceaan tropisch en prachtig, is dat kust altijd onvervreemdbaar kust blijft. De oceaan had ik gezien, en ik had gezien dat de Indische Oceaankust geen uitzondering was op alle andere kusten ter wereld – zee en toerisme. Ja, zul je denken, maar je laatste avond in Durban dan? Nou, zeg ik: dat had niks met de kust te maken, dat was de stad. Op de kaart zag ik dat als ik direct door naar het zuiden zou zijn gereden, me nog een paar honderd kilometer aan toeristische lintbebouwing stond te wachten. In het binnenland hoopte ik typischer Zuid-Afrikaanse toestanden te treffen.

Door hoosbuien en dichte mist reed ik naar Pietermaritzburg. Vanaf de N3 zag ik een tafelberg die Tafelberg heette (ik zag althans het bord dat naar die berg wees) en een heleboel andere, kleinere tafelbergen.

In Pietermaritzburg kocht ik bij een stoplicht de plaatselijke krant, *The Natal Witness – Covering* KZN *from the Beach to the Berg*. Ik mocht ook KZN zeggen, de afkorting van KwaZoeloe-Natal; ik was er inmiddels een poosje.

Op de sportpagina las ik dat de eredivisieclub Maritzburg United met de Amerikaanse keeper Hunter Gilstrap speelde, en verder een pan-Afrikaans assortiment aan spelers had: een Mozambikaan, een Guineeër, een Ghanees, een Ivoorkusteling, een Swazi, een Namibiër en een Congolees. Het probleem bestond eruit dat de trainer te veel buitenlanders in de selectie had, aangezien Zuid-Afrikaanse clubs maximaal vijf buitenlanders mogen opstellen.

Pietermaritzburg was de zwartste stad die ik tot dusver had gezien. Niet alleen was iedereen er zwart, iedereen was er Heel Erg Zwart. Pietermaritzburg deed me denken aan Pietersburg-Polokwane, echter in een grotere, drukkere, zwartere en vooral veel nattere uitvoering. Het regende pijpestelen. Het was dertien graden. Ik was in de subtropische provincie KZN en het was bijna zomer.

In die regen had ik de N103 richting Mooirivier niet snel gevonden. Ik wilde binnendoor rijden richting de uKhahlamba ofwel de zuidelijke Drakensbergen, op de grens met Lesotho. Onderweg langs de N103 zou ik dan, ter hoogte van Lidgetton, de plaats passeren waar Mandela in 1962 was gearresteerd. Daar zou vast een fijn monument staan.

Het monument bestond, maar mooi was het niet. Het was een heuphoog bakstenen gevalletje, waaraan twee bakstenen ontbraken. Mandela had het in 1996 persoonlijk onthuld. Sindsdien was de belangstelling kennelijk getaand. Het benieuwde me hoeveel animo er bestond voor een Mandela-monument dat diep in de provincie lag, zodat mijn idee was om daar te posten tot ik afgelost zou worden. De kou en de miezel dreven me eerst de Dodge in, en al snel de weg op. In een half uurtje was er niet één auto gepasseerd.

Ik reed in de richting van Nottingham Road toen ik bij Balgowan een bordje zag staan naar Caversham Mill – kennelijk een uitspanning in het bos. Daar had ik oren naar. Na mijn stadse dagen in Durban viel ik te porren voor iets anders, iets landelijks. Landelijkheid was niet de hele reden dat ik stilte zocht. Ik wilde stilte omdat ik moe was geworden van de racistische praatjes. Ik was er zelfs een beetje huiverig voor geraakt: als ik met iemand praatte, probeerde ik het onderwerp te vermijden. Dat lukte soms beter dan andere keren. Toen ik 's avonds aan een witte man vertelde dat de prentbriefkaarten die ik in januari had gepost nooit waren aangekomen, zei hij – weliswaar lachend: 'Natuurlijk niet. De postbeambten zijn zwart en stoken 's avonds de post van witten op. Wraak vanwege de apartheid, snapt u.'

Na een paar kilometer over een gravelweg werd mijn wens door een vriendelijke vrouw op slippers vervuld. Ik kreeg Mncane Cottage toegewezen. Door de tuin stapten eendachtigen, in de bomen zaten grote vogels die 'banaan' riepen. In de namiddag hing in de tuin de lome, zoete geur van frangipani en jasmijn.

Aan het eind van de tuin lag een afgrond. Daarin kwamen, zo'n honderd meter diep, de Lions River en de Impafana River samen. Zo'n diepe bedding leek wat overdreven. 's Avonds bij het eten vertelde de uitbaatster me dat ik dat verkeerd zag. Water vanuit de Drakensbergen had nog maar een paar jaar geleden haar tuin onder water gezet. Dat ik lamskoteletten at, zul je verder wel geloven, sla echter vooral acht op Meerlust-wijn. Ik dronk de zogeheten Red van 2002, en die krijgt een 8,5.

Mncane Cottage was voorzien van een televisie en een houtkachel. Beter kon niet, leek me, want ik wist wat er komen ging. Bafana Bafana zou tegen het tweede elftal van Ghana spelen in het mij bekende stadion van Bloem, het Free State Stadium. Dat beloofde wat.

Bafana Bafana had op dekselse wijze twee wedstrijden achtereen gewonnen (van Malawi en Equatoriaal-Guinee, lach niet) en mocht het nationale elftal vanavond weer winnen, werd die zegereeks tot een recordzegereeks.

Ik gooide een blok hout op het vuur en installeerde me op de bank. Windhoekie erbij? Windhoekie erbij. En hoewel twee lichtmasten halverwege de tweede helft uitvielen door een onvoorzien stukje load shedding, en hoewel Bafana Bafana eerst een doelpunt tegen kreeg, won de ploeg met 2-1. Het niveau, Hunter, was bespottelijk.

De Durbanse krant *The Mercury* vond de prestatie van Bafana Bafana de volgende dag 'bemoedigend', en dat was het ook. De krant vond verder dat Zuid-Afrika een rasecht derdewereldland aan het worden was. Load shedding tijdens een interland? Wat zou de FIFA daarvan vinden? Flauwe grappen over zwarten in het donker wilde de dienstdoende verslaggever – zelf zwart – zijn lezers besparen, maar de laatste twintig minuten van de wedstrijd waren 'niet makkelijk' te volgen geweest.

Omringd door de geur van een dovend haardvuur, de stilte van het bos, het gekwetter van de vogels en de donkerte van de buien, sliep ik als een kind – dwars door het ontbijt heen.

Eenmaal onderweg passeerde ik al snel Nottingham Road.

Dat was een modderig oord met een slagerij, een drankwinkel, een benzinestation en een Spar, dat zich nooit had weten te ontwikkelen tot veel meer dan een halteplaats.

Zwarten stonden op de stoep voor de slijterij te kletsen, een blonde vrouw liet bij de Engenpomp haar Porsche Cayenne volgooien. Toen ik de Spar in liep regende het nog, toen ik er een kwartier later uitkwam, sloeg er stoom van de Dodge en scheen de zon. Ik zette een doosje perziken achter in de auto.

Omdat deze streek, de Midlands, vrij toeristisch is, heeft dit oordje een microbrouwerij, The Nottingham Road Brewing Company. Dat brouwerijtje ligt op het terrein van het Rawdons Hotel. Ik draaide de oprijlaan in, vanaf het grasveld werd ik toegezwaaid door vijf zwarte tuinmannen in blauwe ketelpakken. Ik had berehonger. De microgebrouwen *pale ale* was niet echt lekker, maar het voordeel was dat het bier de grondsmaak van de forel effectief neutraliseerde.

Van de rit richting Lesotho had ik me iets anders voorgesteld. Ik wilde een lus maken, Transkei binnenrijden en dan terug naar de kust. Dat was een goed idee. Op zich. Helaas was de weg zelf erg beroerd. Die was onverhard over een afstand van vijfenzestig à zeventig kilometer. Niet onverhard op een idyllische wijze, nee, onverhard met grote, dikke, scherpgerande keien midden op de weg. Gaten als kraters in die weg. In de dwarste liepen sleuven als greppels.

Dat vond de Dodge niet leuk. En ik ook niet. Hoelang die weg was, wist ik van tevoren niet. Na drie kwartier stond er een bordje waaruit ik opmaakte dat die ellende nog vijftig kilometer zou gaan duren. Ik had er toen twintig, misschien vijfentwintig kilometer opzitten. Dus reed ik door. De omweg was lang, en ver, en bood evenmin een asfaltgarantie.

In een dal pauzeerde ik. Ik rookte een sigaret, ik bestudeerde het zwerk. Wat kan men doen? Er was daar niets. O, toch.

Er kwam een auto aan. De man vroeg me of hij me helpen kon: had ik pech? Het was daar krek Sheffield Beach, bij Ballito, al was men daar in de eerste plaats op zijn hoede geweest, en leek dit gebaar op ware behulpzaamheid. En nog was het spektakel niet over. De lucht was blauw, en toch kwam er een heel harde rommel uit. En nog een. Onweer. Vlug sprong ik in de auto en foeterend ploeterend reed ik verder.

Vanaf dat moment kostte het me nog anderhalf uur om Himeville te bereiken, waar de weg verhard was. Ik had de kriebels van dat lange pad gekregen. Bij de Himeville Arms ('Backpackers welkom') stond een Rolls-Royce voor de deur. Dat was op die plaats, zeker gezien waar ik vandaan kwam, best onverwacht. In de Himeville Arms probeerde ik een kop koffie los te krijgen. De barvrouw stond achter een mooie oude espressomachine, dat gaf hoop. De koffie maakte ze met heet water en een schep Nescafé.

Vlakbij lag Underberg, dat de uitvalsbasis voor trips door de Sanipas naar Lesotho was. Ik vond onderdak op de zuivelboerderij van Jeannine Bonsma, vijf kilometer buiten het dorp. Goed bed, lekker stil, uitzicht op de Drakensbergen. Dreigende donderwolken erboven; rukwinden sloegen tegen de ramen van mijn kamer. En koud, makker. Kóúd. Het vroor 's nachts.

Dat weet ik omdat ik rijp op de boomtakken zag toen ik 's avonds laat bij de zuivelboerderij aankwam, nadat ik in Underberg had gegeten. Bij restaurant Pimento was het pizza-avond en hoewel de 'RSA Pizza' met biltong met avocado me echt eens iets anders leek, bestelde ik een sappige ossenhaas.

Ik bestelde aanvankelijk even helemaal niks, want de stroom viel uit. Alweer load shedding? In Joburg was me op de mouw gespeld dat er nergens in het land meer elektriciteitsonderbrekingen waren – en al zeker niet 's avonds. 'Nee, dat is het ook niet,' zei de leuke barvrouw, 'er is vast ergens een elektriciteitspaal omgewaaid. Die storm, hè. Het verbaast me dat we zo lang stroom hebben gehad, eigenlijk, zelfs toen het sneeuwde hadden we stroom. Dit kan best een tijdje gaan duren.'

Dat viel mee. Een half uurtje later ging eerst de televisie aan, toen begonnen de normale lampen te branden, daarna flikkerden de bierneons tot ze straalden.

Daar was ik blij om; ik had een oud exemplaar van *The Weekend Witness* zitten lezen op het moment dat het licht uitging. In die krant stond een artikel over de salarisverhoging voor Zuid-Afrikaanse leiders. Dat geloofde ik allemaal wel, het was een apologie die de inflatie als oorzaak van alles aanvoerde, tot ik bij de tabel aankwam die de 'traditionele leiders' behandelde. Vanaf 2009 kregen koningen 768.080 rand en gepensioneerde koningen 144.189 rand (ter vergelijking: president Motlante – straks Jacob Zuma – krijgt volgend jaar 2,1 miljoen rand).

Drie zwarte, heel jonge ingenieurs zaten aan de bar te bekvechten met een witte man die beweerde ook ingenieur te zijn. De drie jongemannen bedachten een manier waarop de Sanipas naar Lesotho kon worden verhard, de witte man beweerde dat zulks nimmer zou lukken. 'Te steil.' De discussie liep vrij hoog op. Ik volgde het als buitenstaander, half verscholen achter mijn krant – ik was benieuwd hoe dit af zou lopen zonder inmenging van een buitenlander (dan was het gesprek ogenblikkelijk over Amsterdam gegaan). Wat me aan het gesprek opviel, was dat de drie jongemannen compleet geëmancipeerd waren. Ze hadden niks schuchters, en wimpelden de argumenten van de Afrikaner af als 'ouderwetse kletskoek'.

Ze deden dat stijlvol, zonder een onheus argument te gebruiken, en overtuigend bovendien. Zo'n gesprek had ik niet eerder gehoord. Een Afrikaner die met drie Afrikanen ruziede over een vrij willekeurig onderwerp, in een bar. Het intrigeerde me – wit en zwart zaten om te beginnen al niet zo vaak samen in een café. De jongemannen wonnen de woordenstrijd op hun sloffen, ze hadden gewoon gelijk.

Ten langen leste keek de Afrikaner mijn kant op en zei: 'Bent u toerist? Wilt u morgen met mij gaan vliegvissen?'

Even later passeerde het drietal me toen ik buiten een sigaret stond te roken. Een van hen zei tegen me: 'Ik wed dat hij helemaal geen ingenieur is.'

Underberg was een prima dorp. Ik bleef er een dag hangen, en niet om te vliegvissen. Door het toerisme was er een handvol lunchgelegenheden, ik bracht was naar de wasserette, ik bekeek het assortiment van de begrafenisondernemer, ik las kranten, ik postte prentbriefkaarten – wat niet al. Overdag was het zonnig, de lucht was lekker schoon na het onweer. Last van een verstopte neus zou men hier in geen geval snel krijgen, in geen velden of wegen stond industrie of iets op industrie gelijkends. Landbouw en veeteelt was wat de klok sloeg.

In de frisse lucht las ik de kranten. Het grote onderwerp was die dagen dat het ANC bezig was om uit elkaar te vallen. De afscheidingspartij kwam voort uit de stammenstrijd tussen president Mbeki en Jacob Zuma. Er viel veel op president Mbeki aan te merken en er viel veel op Jacob Zuma aan te merken. Men zou ernaar kunnen neigen Jacob Zuma het voordeel van de twijfel te geven: Mbeki was louter een erfopvolger die bovendien weinig had gepresteerd. Maar Zuma was een populistische boef waar velen schrik van hadden.

Het ANC gilde moord en brand toen de tweespalt begon. Dat kon helemaal niet, dat was een schandaal, zo was men niet getrouwd. Toen gebeurde er iets geks.

Mosiuoa Lekota, die minister van Defensie was geweest onder president Mbeki, begon met de nieuwe beweging, die later Congress of the People zou gaan heten – COPE. De premier van Gauteng, Mbhazima Shilowa, nam ontslag om zich bij Lekota te voegen, en ook andere hooggeplaatste ANC'ers namen ontslag en sloten zich bij Lekota aan. 'Vijf uit de toptachtig zijn al overgelopen. Wie volgt?' schreef een krant. Zij wilden een moderne, democratische, niet-corrupte opvolger van het ANC beginnen. Hun voorbeeld en leidraad was de derde weg.

Ze hadden geen andere keuze dan ontslag te nemen, want lagergeplaatste overlopers werden ontslagen – het ANC bepaalde wie waar wat mocht doen. Dat deze ex-ANC'ers deden wat ze deden, betekende heel wat. Ze waren klaarblijkelijk geen volbloed baantjesjagers, het was hen om iets anders te doen.

Zo zag men het gebeuren: Lekota en de zijnen verwierven snel sympathie. Dat ze stromannen van Mbeki waren geweest, deed niet langer ter zake. Ze waren dapper genoeg om de brui aan het ANC te geven. Dat ze de handschoen opnamen tegen Jacob Zuma speelde evenmin in hun nadeel. Jacob Zuma had door leider van het ANC te worden, de reactionaire achterban in zijn schoot geworpen gekregen, maar een allemansvriend was hij bepaald niet.

In een andere krant las ik, op een Underbergs terras achter een espressootje gezeten, dat in Nelspruit witte ondernemers door het gemeentebestuur zouden worden uitgesloten van het inschrijven op gemeentelijke aanbestedingen. Dat was een klein berichtje zonder uitleg. Al was het waar, ik vatte het op als een parabel. Het was de voorbode van de wijze waarop Zoeloe Jacob Zuma straks Zuid-Afrika zou leiden.

Hunter, de mensen hadden me aangehoord. Zozo, was ik hier geweest, daar geweest? Soms was men onder de indruk, soms nam men het voetstoots aan, soms begreep men mijn plannen, soms werd er niet geluisterd. De afgelopen week, echter, was men eensluidend geweest. Per auto, alleen door Transkei, nee, dat was geen goed idee. De optimisten zeiden dat ik er goed zou moeten opletten, de pessimisten noemden het te gevaarlijk. Daar gingen we weer. Gelukkig had ik geen keuze.

Transkei heette geen Transkei meer. Het was een thuisland geweest gedurende de apartheid, sindsdien was het deel van de provincie Oost-Kaap. Het was het land van de Xhosa. Zowel Mandela, diens beste vriend Oliver Tambo, Walter Sisulu, ex-president Mbeki als Steve Biko, de ex van Mamphela Ramphele, kwamen er vandaan.

Door die geschiedenis was de Oost-Kaap armer dan de rest van Zuid-Afrika gebleven. Als thuislanden hadden Transkei en het belendende Ciskei wel enige autonomie gehad maar vooral werd er weinig geïnvesteerd (zeg maar niets), overdreven vruchtbaar was het er niet, en geen ander land erkende de thuislanden. Wit Zuid-Afrika wist wel wat het weggaf.

Oost-Kaap was, kortom, een armetierige boel en waar armoede is, liep een witte in een Dodge gevaar.

Ik had geen keus, ik wilde erheen, het lag op mijn route.

Daarbij werd ik er niet banger op. Misschien had ik telkens geluk gehad, dat kan best. Zolang me niks overkwam, voelde ik me steeds veiliger. Het leek wel of ik in Louis Trichardt woonde: je buren zijn doodgeschoten, als jezelf leeft, ben je veilig geweest. Het was een drogredenering, ik weet het. Wat kon mij dat schelen? Zelfvertrouwen is een uitstekend defensiemechanisme.

Vanuit Underberg reed ik honderdvijftig kilometer lang over de R617 richting Kokstad. Ik zag nergens veel van, behalve van mist. Toen ik rond koffietijd in Kokstad aankwam, was het kil in een waterig zonnetje. Aan de doorgaande weg hield ik halt bij een koffietentje. Een zeer lief type zette een bakje voor me van Segafredobonen, en toen nog een. Ik at er een reep lokale noga bij. Aan de wand hing een tegeltje met de tekst: HETZIJ DAN DAT GIJLIEDEN EET, HETZIJ DAT GIJ DRINKT, HETZIJ DAT GIJ IETS ANDERS DOET, DOET HET AL TER ERE GODS. I KORINTHIËRS 10:31.

Kokstad lag op de grens met de Oost-Kaap. Dat was mijn laatste provincie – de andere acht had ik aangedaan.

Alles veranderde prompt. De bakkies en busjes werden armoediger, de weg werd beter (dat vond ik logisch: de onderbedeelden hadden van Mandela als eersten een verbetering van de infrastructuur gekregen), de villa's en huizen werden huisjes en hutjes en even later werden de huisjes en hutjes rondavels (voor je het opzoekt, al sliep ik al in Phalaborwa in een rondavel, Van Dale verklaart rondavel als 'ronde kafferhut').

De zwarten in de Oost-Kaap waren heel anders zwart dan in KwaZoeloe-Natal. Ze waren bijna wit. En klein! Men ziet het toch. Ze deden ook heel andere dingen. De zwarten in KZN waren achter in bakkies of in taxibusjes op weg naar hun werk geweest, de Xhosa lagen in de berm. Of ze lagen te wachten op een lift of dat ze lagen omdat ze moe waren, ik kan het je niet vertellen. Sommigen waren zeker moe, want ze sliepen. Men pakte zich goed in: mutsen, capuchons, jassen en dekens. Vergis je niet, ik reed van het hoogland naar de kust, de zomer naderde – en de temperatuurmeter gaf een graad of twaalf, dertien aan. Ik droeg de hele dag een trui.

Ik reed alle tweehonderd kilometers naar Port St. Johns binnendoor, eerst de R617, daarna over de R61, via Flagstaff en Lusikisiki.

Dat Flagstaff was me wat. Het was er mistig, acht graden en een drukte van jewelste. Ineens bevond ik me, midden in Flagstaff, in een opstopping. Het hele centrumpje zat verstopt door bakkies met levende schapen en geiten; er waren zeer vele voetgangers. Een Chinese supermarkt was de enige winkel waarvan ik begreep wat er werd verkocht. Andere winkels hadden geen uithangborden, geen etalages. Goed, er was een Pep, maar ik had nog airtime.

Ik was de enige witte en de Dodge was de enige Dodge. De mensen hadden het koud, ze zaten onder het stof, uit de mist doken ze op als geesten. Sommigen hadden hun gezicht, tribaal als je het mij vraagt, wit geverfd. Tegen de kou droeg men zo veel mogelijk lagen kleding over elkaar, waardoor het leek of iedereen waggelde. Een vrouw gehuld in een deken rook aan het achterste van een geit die in een bakkie stond.

Dit was het Afrika dat ik uit documentaires kende. Bij wijze van spreken. Elke dag een nieuw avontuur, Hunter. Gisteren had ik uitzicht gehad op de bergen van Lesotho, een paar dagen eerder ontmoette ik een bejaarde scherpschutter in Durban, en net daarvoor had ik de rijkste man van Ballito in zijn joggingbroek gezien.

Dit Afrika had ik in Zuid-Afrika niet eerder gezien. De verschillen die ik tot die dag had gezien, waren niet klein geweest. Van de townships bij Kaapstad tot de duurste wijk van Joburg: dat was wennen geweest. Dit was een totaal ander kopje thee. Dit was een land binnen een land; zoals het dat was geweest als thuisland. Het leek niet eens op de rest van Zuid-Afrika. Maar het was er wel en het was een avontuur zoals ik me avonturen had gewenst.

De Oost-Kaap had een eigen karakter. Dat hadden alle

Zuid-Afrikaanse provincies gehad: men zou Vrijstaat niet verwarren met Limpopo, en Limpopo (met de mango's) heus niet met Mpumalanga (Amsterdam en het Krugerpark), Gauteng niet met wat ook ter wereld en West-Kaap was alleen door Kaapstad niet met iets anders te verwarren, KwaZoeloe-Natal was zwart en Indiaas, de delfstoffenprovincie Noordwest werd onderschat, Noord-Kaap was ietwat aan de grote kant (en daar had ik nog bijna niks van gezien). Maar zo eigen als de bermslapers, de rondavels en de mist van Oost-Kaap had ik op dit moment in mijn tocht niets meer verwacht. Het leven ging hier zijn eigen gang en ik had er niets mee uit te staan.

Ik raakte er opgewonden van. Wat te doen? Ik sukkelde door. Geen idee hebben is ook een idee, zou jij zeggen.

Ik reed de R61 af, en gaandeweg brak de zon door. In de berm lagen de mensen, soms te slapen, soms alleen, soms in groepjes. Soms waren het jongemannen, soms een oudere vrouw. Ik zag meer bermliggers dan hectometerpaaltjes, en die eersten bleven me verbazen.

Zo kwam ik terug bij de Indische Oceaan, in het oord Port St. Johns. Rommelig is het woord niet voor het onderkomen centrumpje van Port St. Johns, dat een paar straatjes besloeg. Het bestond uit een open markthal, gecombineerd met een caravansloperij. Iedereen in de straatjes leek iets te verkopen, en wie niks verkocht, hing op een braakliggend veldje rond een stuk of wat caravans in halfgesloopte staat. Of wacht eens even. Woonden er mensen in die brikken? Ja. Er hing was aan een hek.

Op de veranda van een eenvoudig restaurant aan de baai dronk ik een colaatje. In de baai lag een zandbank waarop een platbodem zonder opbouw twintig schoolkindertjes afzette. Ik zag ze in hun uniformpjes naar een landtong aan de overkant lopen, waar ze tussen de bomen verdwenen.

Ik staarde er een best tijdje in, in die oceaan. Wat kan ik ervan zeggen? Het bleef een oceaan. Een zwarte meneer met een kapiteinspet passeerde het terrasje twee keer; hij was een typisch kustverschijnsel als je het mij vraagt. Wat is dat met dorpen aan zee (en met eilanden), dat de mensen er altijd een slag devianter willen zijn dan vastelanders?

Het Spotted Grunter Resort lag aan de Mzimvuburivier, die hier de zee in stroomde. Er werd druk gevist, bootjes meerden aan, harpoenen en hengels werden opgeborgen, de vangst in emmers gesorteerd. De bootjesmensen zetten voet aan wal en liepen naar hun uitgevouwen caravans en tenten. Ik zag dat vanaf mijn balkon gebeuren terwijl ik achter elkaar twee van mijn donkerblauwe, Japanse notitieboekjes volschreef. Ik dronk er een Windhoekie bij. De lucht kleurde van blauw naar oranje naar purper.

De stilte waarmee de Zuid-Afrikaan opereert, is misschien een van de dingen die het minst opvalt aan dit land. Ik schreef je eerder dat de Zuid-Afrikaanse nacht in vergelijking met de dag een lawaaiige boel is. De mensen waren geen schreeuwlelijken. Men praatte rustig en beheerst. Gegil of zelfs luid praten kwam niet voor. Hoorde ik luide stemmen, dan waren dat toeristen geweest: Nederlanders of Duitsers, of anders Australiërs. Die rust werd door elke bevolkingsgroep in acht genomen. Buiten Kaapstad was het me niet gelukt gesprekken af te luisteren van de mensen aan belendende tafeltjes, en dat dat in Kaapstad lukte, kwam alleen omdat de Kaapse binnenstad klein is; vandaar ook dat de cafés en restaurants hutjemutje vol zaten.

Notoire herrieschoppers als kinderen, mensen op sandalen en lui in tenten bezetten de tuin en de oevers van de Spotted Grunter. Het had er de schijn van dat er een gegil en gedoe zou losbreken – de ene braai na de andere werd opgebouwd en aangestoken, wijn werd per doos soldaat gemaakt. Ik liep naar de Dodge en plukte mijn oordoppen uit een tas. Die zou ik zeker nodig hebben. Nou, echt niet. Er werd gebraaid, gedronken en gegeten in stilte. 'Dit is het stilste volk ter wereld', schreef ik in mijn boekje. Ik houd ervan, Hunter.

Andere mensen lastigvallen met je herrie is de modus operandi van de bullebak en de Zuid-Afrikaan had duidelijk besloten zich na de apartheid niet langer dan op basis van strikte noodzakelijkheid in te laten met het leven van de buurman. Overheersing en bemoeizucht waren erg pre-1990.

Ik moest naar een drankwinkel, had een kenner van het genre me geadviseerd (Louise, om precies te zijn). Ik zou me er wild lachen. Grappige types hingen er rond, met hun eigen slijterijhumor. Het zou me benieuwen.

Aangezien er tegenover de Spotted Grunter een *bottle store* was, liep ik daarheen. Die winkels zijn in Zuid-Afrika op banken na – misschien is dat niet waar en is het omgekeerd – het best beveiligd. Er zitten hekken voor de ramen, er staan entreepoortjes, de sleuf naar de kassa is dikwijls lang en omgeven door een muurtje.

De verkoper keek me wazig aan. Wijn? Natuurlijk had hij wijn. Was ik blind? Dure witte? Nou, ik moest zelf maar kijken. Hoe dan, vroeg ik. De wijnvoorraad lag achter zijn rug, achter de kassa. 'O, klimt u maar even op het trappetje, en dan door de klapdeurtjes.'

Ik zocht en ik vond niets. Zoete troep, zure rommel, wijn in karton. Inferieure vonkelwijn, angstaanjagend rood. Ik vond de duurste fles wit, à 32,30 rand, klom terug, en werd bij de kassa aangesproken door een bezopen Zoeloe. Waar kwam ik vandaan? 'O daar! Het land van Heineken!' Hij keurde me meteen goed.

Ik rekende af. De bezopen Zoeloe wilde weten of Schotland dicht in de buurt van Amsterdam ligt. Dat vond ik geen makkelijk te beantwoorden vraag. Ik zei ja. 'Bestaat er dan ook Amsterdamse whisky?' Nou nee, wel gin. Dat vond de man een regelrechte tegenvaller, ik zag het aan hem. Dus ik dronk altijd Heineken? Soms Amstel, zei ik. Zo'n soort conversatie. Wild lachte ik me niet, maar het was eens iets anders.

In het restaurant van de Spotted Grunter bestelde ik de visschotel. In de bar dronk ik een Windhoekie, tot een serveerster in een fleecejas me meetroonde naar een roestvrijstalen warmhoudbak. Een tafel mocht ik zelf uitzoeken, in de bak zat mijn eten. Ik lichtte de deksel op en vond vier kleine kreeften, zes mosselen, twaalf garnalen, acht inktvisringen en, omdat elke dag tenslotte een nieuw avontuur was, drie krabsticks. 'Denkt u dat het genoeg is?' vroeg ik het meisje – ze was op een nabije tafel gaan zitten.

'Ik denk het wel', zei ze zachtjes.

Dat klopte. Wat evenzeer klopte, was de rekening. Die bedroeg 150 rand ofzo, de Windhoek incluis. Ik zocht in de *Daily Dispatch*, de krant van East London, naar de euro-randkoers van vandaag. Die krant was overigens in de jaren zestig geleid door Donald Woods, en onthulde destijds het verhaal achter de moord op Steve Biko. Althans, laat ik het je dan goed vertellen: het was de huidige burgemeester van Kaapstad, Helen Zille, die dat onthulde. Woods nam de foto's in het mortuarium die als bewijs golden, en smeerde 'm om het vege lijf te redden naar Londen.

De rand daalde vlot. Waar ik in januari nog 1 euro voor 10 rand betaalde, was de koers op dat moment, in de derde week van oktober, 1 op 14. Dat was een devaluatie waar de inflatie geen gelijke tred mee hield (die was een procent of 12, 13) zodat Zuid-Afrika voor mij steeds goedkoper werd.

De daling van de rand werd niet direct veroorzaakt door de kredietcrisis. Die had weinig effect op de Zuid-Afrikaanse economie; kredieten waren hier nooit uitbundig verstrekt.

Zijdelings had de val van de rand, op een nogal zure wijze, wel te maken met de economische crisis, las ik elders in de *Dispatch*. De regering van Argentinië had de eigen peso onderuitgehaald door de pensioenfondsen te nationaliseren. Andere, zogeheten vrij-volatiele valuta, zoals de Braziliaanse reaal, de Indiase roepie en de rand werden de dupe en zakten mee met de peso. Beleggers waren bang (daar zijn het beleggers voor, zou jij zeggen, de vuile goedweerliefhebbers) en reageerden verschrikt op elk bericht.

's Ochtends om tien voor half zeven werd ik wakker op de set van *Apocalypse Now*. Wat was dat? Oorlog op zaterdag? Welke invasiemacht had het op Port St. Johns voorzien? Geen, zo zag ik gapend van mijn balkon, het was een Sikorskyhelikopter die aanstalten maakte om op te stijgen van de tegenoverliggende rivieroever. Een driepersoonstoeristenhelikoptertje had ik onderweg her of der gezien; een Sikorsky, dat was iets anders. De rotswanden aan weerszijden van de Mzimvuburivier versterkten het geluid van motor en wieken zodanig dat ik de een na de andere kampeerder even geïrriteerd als geïnteresseerd tevoorschijn zag komen – wat was dát?

Men bekeek het eens, rochelend en schouderophalend, en verdween weer in de tenten en caravannetjes. Maar, ha! Acht minuten later (dat weet ik zo precies omdat ik zat te sms'en: 'De hel is losgebroken in Port St. Johns') verging iedere vorm van communiceren eenieder in de Spotted Grunter toen de helikopter over de helling aan onze kant terug kwam gedaald naar de rivier. Potverdrie, wat een herrie was dat.

De douchecabine in mijn kamer was anders dan anders. Direct boven de waterkraan zat een Bluetooth-mobiel-telefoonding. Dat lijkt me wel wat voor jou, Hunter: mobiel bellen terwijl je je haar wast. Ik ontbeet op mijn balkon met Zuid-Afrikaanse, kleine perziken en twee koppen rooibosthee.

Toen ik om negen uur vertrok, vertelde de eigenares van de Spotted Grunter me dat de Sikorsky een toeristenvluchtje had gemaakt. 'Zo vroeg?' vroeg ik.

Zij zei: 'Zonsopgang, schat. Ben je niet zo matineus?'

De weg naar East London voerde door Umtata – omgedoopt tot Mthatha – en langs Qunu. Voor je denkt dat het anders was: ook langs die snelweg, de N2, lag weleens iemand in de berm. De rondavels in hun pastelkleuren stonden overal. Hier was men keuterboer. Dat had de vroegere thuislandstatus bewerkstelligd. Hier waren geen grote boerderijen of extensieve veehouderijen, hier waren kleine akkertjes, herders met een paar koeien, geiten of schapen, en de bermliggers.

Mthatha was een grote stad die als Umtata hoofdstad was geweest van *bantoestan* – thuisland – Transkei. Ik zag er vooral doorgaande wegen, waarvan de grootste de Nelson Mandela Drive heette.

Het Bunga Building stond aan die weg, op de hoek met Owen Street. Het was een van de drie Mandelamusea in deze buurt, en het grootste. Er zouden vooral cadeaus te zien zijn die Mandela 'namens het Zuid-Afrikaanse volk in ontvangst had genomen', plus een tentoonstelling die Mandela's autobiografie *De lange weg naar de vrijheid* verbeeldde. Parkeerplaatsen waren er genoeg en er stond tot mijn vreugde geen enkele bus. Ik verheugde me op een rustig museum: eindelijk zou ik oog in oog staan met de man die in dit land groter dan de Heer was.

De museumdeur sloot pardoes voor mijn neus. Het was

zaterdagmiddag, half een, legde de portier uit. 'Smeken heeft geen zin?' vroeg ik.

'Nee,' zei hij, 'ik moet naar een begrafenis.' Dat kon kloppen; in Zuid-Afrika vinden begrafenissen doorgaans op zaterdag plaats. En begrafenissen zijn er veel.

Terug in de Dodge, op de N2, besefte ik dat ik het geheime woord van Louise Oakley niet had gebruikt. Eén Mandelaatje en ik had de museumsleutel gekregen. Ik reed door naar Qunu, naar Mandelamuseum nummer twee.

Qunu lag een stukje van de weg. Zag ik daar het museum of was het een klein, luxe busstation? Een jongen met een muts op kwam op de Dodge af. Hier was het museum niet, zei hij. Wat deed hij hier? 'Ik ben de menselijke wegwijzer.' Een meter of driehonderd de heuvel op, na de school rechts, rechtdoor.

'En dat gebouwtje achter u? Wat is dat?'

'O, dat is om aan de mensen te laten zien dat het museum verderop is.'

De ontvangst bij de poort van het museum was zo hartelijk dat men er haast iets achter zou zoeken. Het was een sacrale plek, maar er was een opleidingsinstituut gevestigd, legde de portier uit. 'Dit is toch het museum?' vroeg ik. Ja, dat ook. Het leek op een groot, luxe busstation.

Het duurde even voor de gids verscheen. Hij droeg een rood polootje met daarop het logo van het Kuns-Museum van Polokwane. Daar was ik in mei geweest, haastte ik me aan hem te vertellen. Hij was er niet van onder de indruk, hij begon zijn praatje.

'Hoe noemen we *The Great Man*? We noemen hem Madiba, of Rolihlahla, of Mandela, maar nooit Nelson.' Die Engelse naam had Rolihlahla van zijn lerares op de lagere school willekeurig toebedeeld gekregen en hij had er 'nooit van gehouden'.

Ik vroeg nog eens naar die voornaam van Mandela. Rolihlahla, hóé sprak men dat precies uit? Ro-lig-lag-la, zei de gids. 'Dat betekent lastpost, is het niet grappig?' Ik zei het woord na en kreeg een Afrikaanse handdruk, ja, mijn uitspraak van het Xhosa was werkelijk voortreffelijk.

Mandela had vanaf zijn tweede jaar, vanaf 1920, in Qunu gewoond, toen zijn vader was afgezet als *chief* van Mvezo en de familie was gedwongen te verhuizen. De gids vertelde over een steen waarop Mandela van een hellinkje gleed, over de geit die The Great Man hoedde, over de kerk waar Madiba was gedoopt.

In een van de gebouwtjes was een tijdelijke expositie over Mandela's gevangenschap op Robbeneiland. Wat gebeurde er in de andere gebouwtjes? Voor politici in opleiding waren er conferentiezalen en logeervertrekken. Preluderend op Mandela's overlijden was er een televisiestudiootje gebouwd, zodat er tegen die tijd ogenblikkelijk verslag zou kunnen worden gedaan vanuit zijn plaats van herkomst. 'Het is niet in gebruik,' vertelde de gids, 'Madiba heeft gezegd dat het niet in de Afrikaanse traditie past om te speculeren op iemands dood.' Dus werd het voormalig toekomstige televisiestudiootje gebruikt als rommelhok.

De Robbeneilandexpositie bood rudimentaire informatie over het verblijf van Mandela aldaar. Er was een detail dat ik niet kende: na verzet van de blanke geïnterneerden tegen de aparte keukens op het gevangeniseiland, kregen zwart en wit voortaan hetzelfde eten. De witte gevangenen zouden achteraf wel flink hebben gebaald dat hun opzet was geslaagd, meende de regerende Nasionale Party destijds, want vanaf toen moesten de blanken ook bruine suiker en bruin brood eten.

De gids had op me staan wachten. Mandela woonde hier in Qunu, zijn huis was een extramuseale attractie waar geïnteresseerden een kijkje konden nemen. Dat ging me te ver. Ik was noch voelde me een toerist, maar zelfs mijn boek vond ik als alibi niet sterk genoeg. Om in de Dodge langs het huis van een beroemde gepensioneerde te rijden, ik vond het obsceen en Amerikaans.

Bij het derde museum in Mvezo, waar de grote man was geboren, wat was daar te zien? 'Niet zo veel,' zei de gids, 'de steen waarop Rolihlahla van de heuvel gleed. En het kerkhof waarop Madiba's ouders, zoon en dochter liggen begraven.' Dat was tweeëndertig kilometer gaans over een zandpad. Ik ging de andere kant op.

In Butterworth hield ik halt: honger. Bij een Spar kocht ik een halve liter melk en een vetkoek zo groot als een grapefruit. 'Wie gaat die opeten?' vroeg het kassameisje.

'Ik', zei ik.

'Vreemd', zei zij.

Hoezo dat? 'O, zomaar.'

Toen ik op het parkeerterrein van de vetkoek hapte, stak de parkeerwacht zijn duim op. Binnen een minuut of wat passeerden er achtereenvolgens drie zwarte vrouwen die eerst niet leken te snappen wat ze zagen, me bemoedigend toeknikten, en dan in de lach schoten. Wat was dat? Ik vroeg het aan de laatste vrouw. 'Dat zien we niet vaak.' Wat? Vetkoek? 'Een witte man die een vetkoek eet. Het is echt iets voor zwarte mensen. Vindt u het lekker? Het ís lekker, hè?' Lekker was niet het juiste woord. Vullen deed vetkoek wel.

De lange, nieuwe brug over de Groot-Keirivier vormde mijn letterlijke transkei want transkei betekent 'over de Kei'. Ik was opnieuw op weg naar de kust, dit keer naar East London,

Oos-Londen in het Afrikaans. Over de Buffelsrivier reed ik de stad binnen. Die bleek zo kraakhelder dat het pijn aan mijn ogen deed. Men reed er binnen zoals in alle middelgrote Zuid-Afrikaanse steden: de snelweg voerde er min of meer dwars doorheen.

Verkeerde afslagen hadden me in dit soort steden naar doodlopende wegen, buitenwijken, stuwmeren, townships, naar wat niet al geleid. Dan stond ik daar te koekeloeren, want het was een probleem om de weg te vinden binnen de steden. De bewegwijzering langs de grote wegen was goed en helder, binnen de steden was die minder goed of afwezig. Als ik dan de wijk vond waar ik wilde zijn, raakte ik daar alsnog de kluts kwijt. In mei had ik vertrouwd op het navigatiesysteem van de BMW; ik was verwend geraakt. Ik zocht me om de dag ergens ongans, al vond ik uiteindelijk altijd wat ik had gezocht. Dat laatste mag voor andere mensen een rustgevende gedachte zijn, ik werd halfgek van het idee telkens te moeten zoeken.

Tot de agglomeratie Buffalo City behoren naast Oos-Londen ook King William's Town en Bhisho. Het taalkundig paradijs had ik op de Kaap achter me gelaten, deze combinatie van Hollands, Engels en Afrikaans mocht er zijn. Daarbij verwees King William naar de Duitse keizer Willem – halverwege de negentiende eeuw hadden duizenden Duitsers zich in de omgeving gevestigd. Waarom hadden die drie steden die overkoepelende naam gekregen? Ik vroeg het na en iemand zei 'voor de toeristen'. De stranden waren er breed en lang, de golven trokken surfers.

Oos-Londen was een stad met geld en werkgelegenheid. Dat geld kwam gedeeltelijk van gepensioneerden die in rijenlange bejaardenhuizen aan de kust woonden, in de richting van Beacon Bay. De werkgelegenheid werd gestimuleerd doordat de gemeente Buffalo City aan de rand van de stad een belastingvrije zone had gebouwd.

Daarbij maakte Mercedes-Benz er auto's, en het zal je interesseren dat er in de jaren zestig Formule 1-races in Oos-Londen zijn gehouden. Dat was nu anders. Sterker, het was weliswaar laat in de zaterdagnamiddag, ik had in heel Zuid-Afrika nog geen stad gezien die zo van levendigheid was verstoken als deze. Het centrum was uitgestorven, cafés of restaurants waren er nauwelijks.

Toch was het daar niet altijd zo'n dooie boel, schreef *The Saturday Dispatch*. De krant had in de traditie van Donald Woods een eigen onderzoek op touw gezet naar abortuspillenverkopers in Oxford Street. 'Dr. Khan en zwarte jongemannen in voetbalshirts' dreven daar een handel in obscure pillen die 'vaginaal of oraal' dienden te worden ingenomen. Voor 500 rand ontweek men het ziekenhuis en zou een 'onzichtbare abortus' plaatsvinden. Dus niet. In twee weken hadden eenenvijftig jonge vrouwen zich na het innemen van de drie pilletjes in lokale ziekenhuizen gemeld. Ze leden onder helse pijnen, bloedingen uit alle denkbare lichaamsopeningen, en waren allemaal nog altijd zwanger. De politie voelde zich niet geroepen iets te ondernemen: de vrouwen durfden geen aangifte te doen. Een arts lichtte toe het zover kon komen. Het was hetzelfde verhaal als ik eerder hoorde. De hoofdoorzaak was schaamte. De vrouwen waren jong en ongetrouwd, de verwekkers waren oudere, getrouwde mannen die hun schuld afkochten met een mobiele telefoon.

Het centrum van Oos-Londen op zaterdagmiddag was saai, het Blue Lagoon Hotel in buitenwijk Beacon Bay was een stuk saaier. In het Sunset Restaurant namen gezinnen hun opa's en oma's mee uit eten. Het eten stond op een buffet.

Eerlijk is eerlijk: het eten stond weliswaar op een buffet,

maar het smaakte goed. Zo goed, dat ik twee keer garnalen opschepte. Aan het buffetmeisje vroeg ik of ze dacht dat ik daar heel dik van zou worden.

'U bent heel mager.'

'Nee. Dank u, maar dat is niet zo.'

'Naar mijn smaak wel. Ik zeg altijd: een dikke vent, een dikke portemonnee.' Laat dat meisje zeventien zijn geweest, hooguit achttien.

Eerlijk is eerlijk, twee: de zonsondergang achter de Nahoonlagune was een spektakelstuk. Ik wist niet goed wat ik ermee aan moest, zo solo. Natuurlijk sms'te en belde ik, maar de zon leek er voor mij alleen onder te gaan.

Na dertig garnalen sliep ik, voor de zoveelste keer, rotsvast bij het geruis van de Indische Oceaan.

De weekkrant *Mail & Guardian* zette op een rij hoe de situatie rond het ANC en de nieuwe partij van Shilowa en Lekota (inmiddels uiteraard afgekort, het duo werd 'Shikota' genoemd) zich per provincie ontwikkelde. Dat werkte verhelderend. In zeven van de negen provincies maakten zich substantiële groepen los van het ANC. Alleen in KwaZoeloe-Natal en Mpumalanga was er geen noemenswaardig intra-ANC-verzet; dat waren de bolwerken van Jacob Zuma.

Shikota leek een factor van belang te worden.

Door Commercial Road, Cambridge Street en Fleet Street reed ik Oos-Londen uit, en waar Fleet Street veranderde in Settlers Way en even later in de doorgaande R72, begon een monotoon, kilometerslang lint van autohandels, autofabrieken, autoverfraaiers, accuzaken, bandenwinkels en garages. Het had wel wat weg van de Zambeziweg in Pretoria. Alleen had ik daar in een file gestaan en was ik hier zowat de enige op straat.

Dit deel van de Oost-Kaapse kustweg was een hindernisparcours. Ik stokte bij drie wegopbrekingen met wachttijden van twintig minuten – daar was maar één baan begaanbaar, een bordje gaf de maximale wachttijd aan – en bij een wachtstop voor een Totalpompstation. Daar stond ik een half uur stil. *Ag*, de zon scheen en het was vijfentwintig graden. Soms wachtte ik tegen de Dodge geleund, een sigaretje rokend.

De stroomonderbreking in Port Alfred duurde van vijf uur 's ochtends tot zeven uur 's avonds. Dat was pas load shedding! Alleen was het geen load shedding, het was onderhoud. Rosie, van mijn b&b, vertelde het lachend. Zou ze vast wat bier of wijn in de vriezer leggen? Ja, die zat zo vol geklonterd met ijs dat de drank gedurende de dag best koel zou raken.

Deze Rosie was zo wellevend en uitbundig dat ik aan haar vroeg of ze 's avonds samen met me wilde eten op het terras, dat uitzicht gaf op Port Alfred en de Indische Oceaan. Ik kon dat doen, ik was de enige gast. Ik had genoeg van dat alleen eten, van dat gezit en gehang in restaurants en van steeds weer die menukaarten met dezelfde gerechten. Ik sprong in de Dodge en reed de hangbrug over. Het verkeerslicht, in Zuid-Afrika *robot* genoemd, werkte door de stroomuitval niet; pylonen waarschuwden automobilisten dat ze de enige echte kruising van Port Alfred naderden. Ik parkeerde in het centrum.

Het winkelcentrum van Port Alfred lag – vreemd genoeg, of in elk geval opvallend genoeg – in het centrum van Port Alfred. Het was geen mall. Er waren mooie winkels, een reisbureau, en aggregaten maakten kabaal teneinde airco's, ijskasten, betaalautomaten en verlichting aan de gang te houden.

In een halfverduisterde Pick n Pay deed ik boodschappen voor twee. Zou ze koude kip met mayonaise lekker vinden? Een tomaat? Lokale camembert? Chips met biltongsmaak? (Nee, Hunter, helaas, die bestaan vreemd genoeg niet.) Ik kocht alleen etenswaren die we koud zouden kunnen eten. Rosie had gezegd dat de stroom om vijf uur zou herstarten, de vrouw van de kiosk zei zeven uur. Ik nam geen risico.

Bij de slijterij vond ik goede wijn. Zou ze rode of witte wijn willen? (Ik kocht het allebei.) Ik vond het gezellig om inkopen te doen, het was alsof ik iemand te eten kreeg.

De middag verstreek in stilte. Nergens bromde iets, niets sloeg aan, en de zwembadschoonmaker deed het werk van Kreepy Krauly met de hand.

Vanaf het terras staarde ik naar de brug in de verte, waarover wat auto's reden, te ver weg om ze te kunnen horen. Ik realiseerde me de hulpeloosheid van een wereld zonder stroom. De Zuid-Afrikanen konden het aan – ze hadden de internationale boycot overleefd door inventiviteit en gemarchandeer, dan was een generatortje opstarten om stroomuitval op te vangen klein bier. De Zuid-Afrikaan heeft altijd een tweede plan, is inventief – de Boeren stonden zich daarop zelfs voor: *''n Boer maak 'n plan.'*

Net toen ik dacht dat het wel heel stil werd denderde een tientonsvrachtwagen, remmend op de motor en langgerekt toeterend, over de brug. 'Ha,' riep ik tegen niemand, 'actie!'

Samen met Rosie zag ik om drie minuten over zeven vanaf het terras hoe de lichtjes in Port Alfred aansprongen, gedoseerd, bijna een voor een, heel voorzichtig. Hier een paar, dan daar. Waarom gaat dat zo langzaam, vroeg ik aan haar. 'Omdat anders de lampen en de apparaten doorbranden', zei ze. 'Ze voeren de stroom langzaam op.'

Hoewel Port Alfred twee eeuwen oud was, had ik er 's middags amper iets ouds ontdekt. Rosie legde uit: Port Alfred was een vakantieoord en een gepensioneerdennederzetting. 'Zie je al die grijze huizen,' en ze wees naar wat een heel nieuwe wijk leek, 'dat zijn allemaal buitenhuizen. De mensen wonen daar niet echt. In de winter brandt er 's avonds bijna geen licht.' Ik had het kunnen weten, die uitstekend gesorteerde slijter, die mooie supermarkt, de luxe koffiebarretjes – dat was zo uitzonderlijk dat dit nooit een doorsneeplaats had kunnen zijn.

Rosie bleek een uitstekende disgenoot. Ze dronk als een rooinek ('vooruit dan, nog een glaasje', daarna was de beer los. Overigens: we dronken KWV Sauvignon Blanc van 2008, best lekker, maar door voortschrijdend inzicht slechts een 6,5). Ze bleef rustig en geïnteresseerd, at alle waren met smaak, praatte honderduit, lachte, maakte grapjes, en vertelde me over haar leven.

Dat was me het leven wel. Ze was een economische vluchteling, ze was geboren in Kenia. Veel Afrikanen zijn naar Zuid-Afrika gekomen om geld te verdienen. Sinds de afschaffing van de apartheid is Zuid-Afrika de financiële magneet van het continent.

Rosie had een kind, was niet getrouwd, en haar kind, dat drie jaar was, woonde bij haar zus in Nairobi. Het begon als het verhaal van Lili uit Zambia, maar voor Rosie leek de wereld zonniger. Haar doel, vertelde ze, was om een eigen b&b te beginnen, haar kind over te laten komen en een betrouwbare man te vinden.

Dat ze uit Kenia kwam, verraste me. Ik had gehoopt eindelijk eens met een zwarte Zuid-Afrikaan aan tafel te zitten. Ik had het kunnen weten (al draai ik de bewijslast nu om): de gemiddelde zwarte Zuid-Afrikaan leende zich daar niet voor. Die was te bescheiden, nog te geconditioneerd door de apartheid om op gelijkwaardige basis met een witte om te gaan. En de witte was een beetje bang van de zwarte, van diens toorn, zodat men niet zo snel een zwarte aan de dis noodde. Dat klinkt allemaal nogal boud, dat besef ik, en het is een generalisatie, maar evenzeer was het voor het grootste deel van het land simpelweg de waarheid. Overal gold: zwart bij zwart en wit bij wit. Het was zelden dat ik twee of meer rassen aan een tafel had zien zitten. En als ik het zag, viel het me altijd op – terwijl zoiets me thuis volgens mij nooit opvalt.

Rosie ontroerde me. Het lef om van je eigen land, helemaal alleen, naar een ander, ver land te vertrekken – ik was ervan onder de indruk. Ze had op school Engels leren spreken, maar haar moedertaal, Swahili, werd in Zuid-Afrika niet gesproken. En in dit gedeelte van de Oost-Kaap was Afrikaans alweer gangbaar, en dat sprak ze niet. Ik bedoel: ze was heus ver van huis.

Waarom had ze een kind? Het was het type vraag dat ik niet snel aan iemand stelde, en dat viel me op. 'Dat is wat we doen', zei ze. 'Jong kinderen krijgen. We gaan jong dood, dus we moeten jong kinderen krijgen.' Die cirkelredenering besloot ik niet te moeten willen doorbreken. Wie was de vader? 'Een man die ik niet meer zie.'

Jouw vraag zal zijn: en was ze even mooi als Lili? Voor liefhebbers van het genre zeker, ze was heel knap. Daarbij at ze puur voor haar eigen plezier met me, er was geen sprake van een potentiële transactie. Ze zocht een man – liefst niet zwart. Maar mijn hart was elders.

Tegen negenen zei Rosie, stralend: 'Zo dadelijk krijg je een cadeau.' Hunter, mijn verjaardag naderde, het zou stug zijn als ze dat wist (je zou kunnen denken: gebeurde het Dylan niet eens dat hij op zijn verjaardag in Napels spontaan door zijn hotelpersoneel op zang en dans, chocolade en ananas werd vergast? Jazeker gebeurde me dat, maar in Italië wordt men zeer secuur in hotels ingeschreven. Zo was daar mijn verjaardag ontdekt. In Zuid-Afrika had ik alleen in de allerduurste hotels een paspoort of betaalkaart moeten laten zien bij de balie. De Zuid-Afrikaanse politie leek er terecht geen enkel belang aan te hechten om te weten waar exact toeristen, de minst criminele groep mensen ooit ergens aanwezig, uithingen).

Het cadeau was een echte verrassing: de brug over de Kowierivier gaf om negen uur een lichtshow. Als je de kermis van 1973 in Hilvarenbeek hebt meegemaakt, dan geloofde je dit ook wel. Het was Rosies enthousiasme dat mij enthousiast maakte. 'Mensen komen van ver om dit te zien', zei ze. 'Het is net Las Vegas, denk ik.' We stonden op van tafel, klonken met onze glazen en keken ruim een half uur naar geknipper van blauwe, groene, witte, gele, rode en paarse lampen. Hoe infantiel het ook was, samen genoten we ervan. Ik rukte een fles Sauvignon Blanc 2007 van Neil Ellis open (een regelrechte 9+) en tot elf uur dronken we wijn, aten er een stukje camembert bij en praatten. Ik vertelde haar iets wat ik nooit aan iemand had verteld – nou, ik vertelde het eerder dezer dagen aan Louise Oakley.

Het was gezellig, het was vertrouwd, en het tijdens een reis mee te maken betekende alles voor me. Zuid-Afrika bracht me in beweging.

'Morgen ben ik vrij,' zei Rosie, 'maar ik kom je uitwuiven.'

'Nee,' zei ik, 'slaap jij uit, ik vertrek vroeg.'

Dat Port Elizabeth altijd door iedereen PE wordt genoemd was me al duidelijk voor ik uit Amsterdam vertrok. Dus ik begon meteen te PE'en, daar hoefde ik er niet eerst voor te slapen.

Daarbij zou ik in PE jarig worden. Jarig worden is niet zo'n kunst, maar als men solo aan de andere kant van de wereld zit, kan men er een ietsje sentimenteel van raken.

Ik was binnendoor gereden, over Alexandria, Colchester ('de wereldhoofdstad van de cichorei') en Coega.

De honderdzestig kilometer voerde me door velden waarin soms een zwarte in een korenblauw ketelpak aan het werk was, altijd alleen. De boerderijen stonden te ver van de weg om ze te kunnen zien, maar soms, plompverloren, zag ik een stuk of vier, vijf eenvormige, stenen arbeidershuisjes aan een zandpad staan. Bermliggen kwam hier niet langer voor. Ik naderde een ander gebied: de West-Kaap, waar mijn reis in januari was begonnen.

De toeristische, populaire bloemenroute begon in deze buurt. Af en toe zag ik een bloem, vooral zag ik dat de wegbermen meticuleus werden schoongehouden door zwarten, die via knijparmen vuilniszakken vulden. Waar die lui vandaan kwamen en heen gingen had ik in KZN gezien: 's ochtends in de vroegte werden ze door een bakkie afgezet en tegen een uur of vier 's middags werden ze door een bakkie opgepikt.

PE hield het midden tussen Durban (dat echter groter, zwarter en chaotischer was geweest) en Oos-Londen (dat kleiner, geriatrischer en netter was geweest). De overeenkomst zat 'm in de kust, de Indische Oceaan, de boulevardhotels. Ik was het grondig met mezelf eens, rijdend in de Dodge: zo'n kust bleef altijd vooral kust, en erger nog: ik had nog een kilometer of achthonderdeenennegentig aan kustweg te gaan voordat ik in Kaapstad zou aankomen (dat dan weer niet zo'n typische kuststad is, maar veeleer een stad die terloops aan zee ligt).

Over de Govan Mbeki Ryweg reed ik langs zee naar mijn b&b, dat in de buitenwijk Summerstrand lag. Mijn reis door Zuid-Afrika was meer de moeite waard geworden omdat het me er niet om ging een bestemming te bereiken, maar evenmin om onderweg te zijn, het ging me er eenvoudigweg om er te zijn. Elke stad, elk dorp achtte ik evengoed als elke andere stad of elk ander dorp. Alleen waren sommige steden of dorpen wat meer of minder naar mijn smaak. Uit Orania was ik gevlucht, van Joburg was ik gaan houden omdat het zo ongeliefd was, Kaapstad was prachtig en handig en het was er lekker weer – maar hé, al die toeristen. Amsterdam stal mijn hart, maar ik woonde al in Amsterdam. Ik zou liever in het Mpumalangese Ermelo wonen dan in de Nederlandse naamgever. Zou ik tuk zijn op wilde dieren, zou ik me meteen in Phalaborwa bij de Bertensjes melden. Dacht ik aan de Vrijstaat, dan zag ik beelden in de prachtigste kleuren voor me, en de vriendelijkste mensen, met daaroverheen levensgroot een vraag geprojecteerd: hoe kom ik hier weg? Het lag me veel te centraal tussen de duizenden vierkante kilometers aan akkers. Het klinkt sentimenteel en dat is het ook, maar al die plaatsen waren me even lief omdat ze in Zuid-Afrika lagen.

Met PE wist ik me geen raad. Het miezerde er, het was er fris, ik wandelde naar een mall die zo keurig was dat het gemiddelde ziekenhuis gezelliger is. Wat te doen? Ik had geen idee, ik had hulp nodig.

Die hulp kreeg ik. Louise Oakley stuurde me naar 'een vriend', die vriend kwam uit een vergadering gerend – wat was dat voor een vreemde kerel die ineens in zijn kantoor opdaagde, op voorspraak van iemand die, zo bleek, hij zich nauwelijks kon herinneren – en dirigeerde me naar de haven, om zich terug te reppen naar zijn vergadering. In de haven zat een restaurant op een gekke plek, ik moest maar gaan kijken, het kon niet missen.

Uit balorigheid reed ik de Dodge eerst eens het centrum van PE in ('doe het niet', hoefde men niet meer te zeggen, ik hoorde de waarschuwing wel, maar hield me doof).

In verband met 2010 werd er in PE – dat als Nelson Mandela Bay zal worden gepropageerd, laat je niet misleiden – druk gebouwd, gegraven en gesloopt. Op de plek waar de Govan Mbeki Ryweg via een dubbel viaduct de straat naar het centrum kruist, hesen kranen blokken beton de lucht in, groeven mannen gaten en toeterden automobilisten er lustig op los. Het was er, anders gezegd, een zootje.

In de opgebroken maar niet afgesloten centrale winkelstraat, Russell Street als ik me niet vergis, zaten drie Peps. Het zag er precies zo gevaarlijk uit als Zuid-Afrikaanse binnensteden er in televisiedocumentaires uitzien. Zwervers hingen in lompen tegen muren, daklozen duwden hun bezittingen voort in winkelwagentjes, dronkelappen zakten tijdens het oversteken door hun benen, armelui bekeken de Dodge alsof ze 'm wilden opeten, moekes schommelden bepakt over de stoepen, oude mannen hielden hun hand op. Een paar klerken, wat schoolmeisjes en een handvol winkelende passanten deden weinig af aan dat beeld van haveloosheid. Iedereen was zwart.

Ik parkeerde de Dodge, klikte 'm dicht en stapte stevig door naar de dichtstbijzijnde Pep. Dat was wellicht vijftig meter; ik kreeg twee keer dagga aangeboden en één keer iets wat ik niet verstond.

In de Pep was ontzetting mijn deel. In geen enkele stad of dorp was het normaal geweest om als witte tussen de jonge moeders en omaatjes in de rij voor de kassa aan te sluiten. Hier vielen monden open. Men staarde. Gezoek in rekken werd gestaakt. Ik kende de Pep, voor mij was het dagelijkse kost. Daarin stond ik alleen. Van de weeromstuit vergat de man voor me, die voor 15 rand airtime kocht, zijn grote, volgestouwde boodschappentas. Ik pakte dat ding op, snelde hem ermee achterna, en overhandigde het aan hem op de stoep. Nog verbouwereerder dan eerder, prevelde hij: 'Dank u, sir. Dank u.' Hij schudde mijn hand op de Zuid-Afrikaanse wijze. De mensen op straat keken naar ons. De apartheid was voorbij, maar de zwarten leken het overdreven te vinden dat witten met hun boodschappen begonnen te zeulen.

Binnen bij de kassa was ik nog steeds aan de beurt. Ik kocht mijn 180 rand airtime en slenterde terug naar de Dodge. Bij het achteruitsteken, die opgebroken straat op vanuit een parkeerhaven, reed ik tegen een politiebumper aan. Nog voor ik uit kon stappen, verschenen uit beide raampjes opgestoken duimen. Ik had er nog steeds niet geslapen, maar nu mocht ik toch echt wel PE zeggen.

Het vinden van restaurant The Oystercatcher in de haven was inderdaad een koud kunstje, het restaurant bereiken was vers twee.

De haven sloot om zes uur. Bij de slagboom stond een vrouw in uniform. Ze noteerde mijn kenteken, schreef mijn naam over van mijn rijbewijs, inspecteerde de spullen op de achterbank en in de achterbak, ik diende een formulier te tekenen en ze deelde me mee dat ik onder geen beding foto's mocht maken.

De hoek om en ik was bij het restaurant. Dat was precies het soort gelegenheid dat men in Zuid-Afrika nooit trof. Restaurants zaten in winkelcentra en in chique buitenwijken, niet op industriële locaties. Van mijn tafeltje in The Oystercatcher keek ik rechtstreeks een visserhaven vol kotters in. Mijn telefonische reservering bleek redelijk zinloos te zijn geweest: ik was de enige gast.

De fles Fairview Sauvignon Blanc 2008 kreeg een 8-. Ik bestelde zes oesters uit Knysna en een gegrilde *kingklip* – een kabeljauwachtige vis die in het Nederlands leng heet. Ik kan er hele verhandelingen over houden, maar ik verveelde me dood. Ik at met lange tanden, rookte tussen de oesters en de leng een sigaret – wat deed ik eraan. Die verdomde kust.

Je kunt zeggen: man, trek het land in. Dat ging niet, dan

was ik zo de Karoo in gestoven. Ik was veroordeeld tot de kust, maar de kust trok zich van mij niets aan. *Ag*, wat zou het? Het zou de verjaardagsmelancholie wel zijn.

Bij mijn ontbijt wisten de kranten niet waar ze het zoeken moesten. Ze waren vorige week opgeschrikt door de val van de rand, deze week leek het dat de gevolgen van de economische crisis voor Zuid-Afrika mee zouden vallen. De rand was weinig waard, de inflatie hoog, maar Zuid-Afrika's banken waren solide. 'Goed nieuws bedreigt Zuid-Afrika', schreef een vrolijke verslaggever.

De beurzen en daarmee de westerse wereld stortten in elkaar; ik maakte me zorgen waar ik 's avonds zou eten, en hoe laat ik dat zou doen.

Ik las verder in de kranten. *The Herald, Edition Garden Route* meldde op de voorpagina dat Nhlanhla Nene, de voorzitter van de parlementaire commissie van Financiën, tijdens een televisie-interview door zijn stoel was gezakt. Het bericht was voorzien van een foto waarop 's mans hoofd verbaasd uit beeld zakte. Hoewel Nene toegaf 'aan de gezette kant' te zijn (hij leek moddervet op de foto), gaf hij de stoelpoot de schuld maar zou hij 'geen klacht tegen SABC indienen'. De journalist was sportief genoeg om te melden dat Nene 'de media' verantwoordelijk hield voor 'de negatieve mediagevolgen' van zijn val.

Aan het strand zat een gekke hoer op een muurtje. Ze dreigde jongetjes die haar uitlachten met stenen te bekogelen en bood passanten haar lichaam voor 30 rand te huur aan. Dat was weer eens wat anders. Want, spijtig genoeg voor Paul Theroux, kon ik niet vaststellen dat Zuid-Afrika een land vol hoeren was. Sterker nog: nadat ik in handen van Lili was gevallen, had ik geen hoer meer gezien. Bordelen: nul. Eén seksshop, in de Kaapstadse Langstraat. Alleen de kranten stonden vol met eenkolomsadvertenties van allerhande hoertjes in alle mogelijke kleuren. (Overigens was dit land zonder hoeren ook een land zonder kapstokken. Gedurende al mijn maanden in Zuid-Afrika zag ik twee kapstokken: een in de Polo Lounge van The Westcliff, en een in de etalage van een witgoedwinkel in de Kaapstadse Kloofstraat.)

Ik maakte een lange wandeling over en langs het strand. De sfeer was er meer ontspannen dan de sfeer aan de Golden Mile in Durban was geweest. Hier stond minder van die hoge betonbouw, er surveilleerde minder politie en er liepen veel joggers – zwart en wit door elkaar. Dat het zo alledaags was dat het overal op de wereld had kunnen zijn, maakte het voor Zuid-Afrikaanse begrippen bijzonder.

Ook in het Bluewaters Café, waar ik een Windhoekie dronk, zat zwart en wit door elkaar, al was het niet aan dezelfde tafels. De bediening was eveneens gemengd van kleur; ik noteerde dat in mijn notitieboekje terwijl de gekke hoer krijsend in het strandzand plaste.

Om mijn nakende verjaardag op te luisteren, at ik in het beste restaurant van de stad. In Ginger, aan de Marine Drive, bestelde ik een fles van de voornaam klinkende Meerlust Rubicon 1996 (zijn simpele broer dronk ik in Balgowan, deze verdiende een 9+). De ober vroeg of hij de wijn zou decanteren. Ik verslikte me bijna in mijn amuse. Officieel bevond ik me in de Oost-Kaap, de gebruiken begonnen behoorlijk West-Kaaps aan te doen.

Om me heen zat een eclectische mix van Zuid-Afrikanen: witte vriendinnenstellen, een paar Black Diamonds (ofwel *buppies: black urban professionals*), een groepje dat een verjaardag vierde. Ik at gedroogde tonijn met avocadosalade en sesamdressing, daarna lamsrib met aardappelpuree. Helemaal senang zat ik daar niet, ik was onrustig en vroeg me doorlopend af wat ik deed aan die kust, maar de beste maaltijd in weken was het wel.

's Middags had ik een uur zitten praten met de dochter van de b&b-baas. 'Hoe oud word je dan?' vroeg ze, 'wacht, laat me raden. Zesentwintig?' Hunter, werd me daar het hof gemaakt? Nee, dat niet. Ze was reeds verloofd.

Ze vertelde me dat ze tot haar twaalfde geen woord anders dan Afrikaans had gesproken. Maar haar vriend was een rooinek, zodat ze tenzij ze met haar ouders praatte vrijwel nooit meer Afrikaans sprak. Dat speet haar: 'Het is een mooie taal.'

De ochtend van mijn vertrek fuifde ze me. Ik kreeg een punt chocoladetaart en een glas vonkelwijn bij mijn ontbijt. Ze serveerde me terwijl ze, zo vals dat het opzettelijk leek, 'Happy Birthday' zong.

'Ik ben bang dat ik slecht nieuws heb', zei ze meteen daarna. Ik dacht dat ze een grapje maakte. Het regende, maar ik zag overigens geen enkele reden tot bezorgdheid. 'Er zijn rellen op de N2.' Ik zette mijn vonkelwijn neer.

Rellen? Wat voor rellen? Ik had mijn portie rellen in mei wel gehad, het leek me overdreven om opnieuw te belanden in moord en doodslag. 'Taxichauffeurs houden het verkeer tegen en er wordt geweld gebruikt. De politie doet niks.'

Taxichauffeurs zijn de bestuurders van kleine, vijftien- tot twintigpersoonsbusjes die doorgaans voor eigen rekening rijden en op agressieve wijze aan klantenwerving doen. Ze toeteren naar voetgangers, ze stoppen op elke denkbare plaats, ze rijden nooit verder voordat hun busje stampvol is. Hun rijstijl was verschrikkelijk: hard, zigzaggend, nietsontziend.

Problemen met de chauffeurs waren niet nieuw. De regering had bedacht dat het met het oog op 2010 beter zou zijn de gammele busjes – 'taxi's' – van de weg te halen. Busjes zouden er blijven, het was de enige manier voor mensen uit de townships om naar hun werk in de betere buurten te komen. De busjes moesten aan eisen gaan voldoen, en daar werd terdege op gecontroleerd. In 2007 waren er elfduizend verkeersdoden gevallen die gerelateerd waren aan ongelukken met busjes en dat was een getal waar de FIFA diep van begon te zuchten.

De chauffeurs, die zichzelf met trots 'de cowboys van de wegen' noemden, kwamen in opstand. De regeringsmaatregelen waren te snel gekomen, te rigide ingevoerd en werden te secuur nageleefd. Hier en daar waren die taxiopstanden uit de hand gelopen, had ik in de kranten gelezen. Dan werd het knokken, stenen gooien, dingen in brand steken en het overige verkeer zo veel mogelijk hinderen.

Ik was niet bang voor een file; het zou na de file op de Zambeziweg pas de tweede zijn die ik tijdens mijn reis zou meemaken. Maar ik had niet veel trek om nóg een Dodge gebutst terug te brengen bij Dodge.

Ik schrok een beetje van haar mededeling. Het regende en ik had geen zin om op mijn verjaardag in PE vast te zitten in een grauwe bui. Clifford, de b&b-baas, stelde me gerust toen ik afrekende. Welnee, er was niks aan de hand – ik moest gewoon de N2 nemen en het zou hem verwonderen als ik iets zou zien van de relletjes. Hij had er vanochtend last van gehad omdat zijn personeel niet op tijd was verschenen. Rebellerende taxichauffeurs hebben geen tijd om mensen rond te rijden, tenslotte. Daarom had Clifford zijn mensen zelf opgehaald – 'als ik dat heb overleefd, overleef jij je rit naar Knysna ook wel.' Hoe sprak hij die plaatsnaam uit? '*Nice-na*', herhaalde hij. Vandaar dat de mensen zo onbegrijpend hadden gekeken als ik 'knisna' had gezegd.

Ik nam de N2 en ik merkte inderdaad nergens iets van.

Terwijl ik nergens iets van merkte, bedacht ik opnieuw hoe angstig de Zuid-Afrikaan was. Zo'n meisje van vijfentwintig dat bij het minste of geringste mij – haar gast – de stuipen op het lijf jaagde, ik vond het zielig voor haar. Het was tekenend voor het land en de witte mensen in dit land. Ze waren als de dood dat hun iets zou overkomen. Als hun buren al niet waren omgelegd, lazen ze dagelijks de verhalen in de kranten, ze kenden de misdaadstatistieken uit hun hoofd. En het zou allemaal veel erger worden, zeiden sommigen. Dale Thomas had me gezegd dat wat erg had kunnen zijn, rimpelloos voorbij was getrokken, maar Dale Thomas was een optimist. Zelfs een gulle, blije vrouw als Louise Oakley wilde uitwijken naar een zielloos land als Australië. Daar schrok ik van.

Ik zag de muren en het scheermesjesdraad, ik las de kranten en luisterde naar mensen, en ik dacht elke avond in bed opnieuw: hoe kan ik me hier zo rap mogelijk vestigen? Het scheelde dat ik me niet elke avond hoefde te verschansen – dat werd namens mij gedaan – en dat ik geen hek hoefde te laten aanleggen, geen portier met een pistool hoefde te betalen, mijn personeel niet uit een township hoefde te halen als er kwaaie taxichauffeurs met stenen gooiden. Maar toch. Ik voelde iets anders dan waarvoor de feiten me waarschuwden.

Plettenbergbaai ligt op tweehonderdtwaalf kilometer van PE en, vanuit het oosten gezien, op tweeëndertig kilometer voor Knysna. Ik dronk er tegen het middaguur een kopje koffie. En nog een. Ik was jarig, het was prachtig weer met zonneschijn en een beetje wind, en Plettenbergbaai was me aangeraden door Joburgers die er steevast vakantie vierden. De koers van de rand, de ligging van hun land en het Zuid-Afrikaanse prijspeil maakten het alleen voor de superrijke Zuid-Afrikanen mogelijk om naar Europa te reizen. Dus brachten welgestelde Joburgers hun vakanties door in Kaapstad, aan de kust van KwaZoeloe-Natal of in Plettenbergbaai.

Ik kon zien waarom Plettenbergbaai zo populair was. Het stadje lag vrij hoog en daardoor was het uitzicht over de baai grandioos. De weg naar de brede stranden was even steil als keurig. Plettenbergbaai was zeker een luxueuze badplaats, maar had niets benauwds. Ik dronk nog een verjaardagskoffie, bestelde er een muffin bij, ik vond het een prachtplek.

Dat lag met Knysna nogal anders.

Jarig zijn in Knysna was ongeveer even leuk als jarig zijn in een tandartsstoel. Deze plaats was door een reistijdschrift uitgeroepen tot de beste vakantiebestemming ter wereld, en ik vroeg me gedurende mijn verblijf van twee etmalen ongeveer elk kwartier af hoe dat zo kon zijn gekomen. Knysna was een vakantiekolonie voor rijken, er was een winkelcentrum aan een lagune, men kon er boottochtjes maken en eten in vele restaurants.

Maar waar was de lol? Was er iets verrassends? Het was er best mooi, maar niks waar Plettenbergbaai of Beacon Bay niet tegenop kon.

Leslie Pieters reed me in zijn Mercedes-coupé naar Thesen Island. Dat was een zwaarbeveiligd, door een lange dijk met Knysna verbonden eiland. Pieters was een plaatselijke restaurantmagnaat die mij, op voorspraak van Louise Oakley, het leven in Knysna zou laten zien. Dat lukte op zich prima. Alleen was er gewoon niet zo veel leven in Knysna.

Zelf woonde Pieters, geboren in Congo, in een kast van een huis op Thesen Island. Hij groette de bewaking aan het eind van de dijk, de slagboom ging omhoog en toen zei Pieters: 'Hier was je anders nooit gekomen.' De eenvormigheid van het eiland joeg me de stuipen op het lijf. Alle huizen waren er wittig of grijzig. Thesen werd al vijf jaar bewoond, een normale boom stond er niet. Ik stelde me voor dat het bomenplantplan was afgewezen door de bewonerscommissie met als reden dat bomen Thesen Island zo'n rommelig beeld zouden geven. Op een enkele tuinman na zag ik niemand die zich buiten ophield.

Hoeveel mensen woonden op Thesen? Duizend, zei Pieters.

'En in heel Knysna?'

'Tien- tot vijftienduizend. Maar die hebben niet allemaal koopkracht.'

'Wat erg.'

'En dan hebben we nog de mensen zonder koopkracht. Dat zijn er ongeveer honderdvijftigduizend.' Dat waren de mensen die in de omringende townships woonden.

'Niemand op Thesen doet zijn deur op slot', zei Pieters. 'Dat is nergens voor nodig. Dit is de veiligste plek van Zuid-Afrika.' Dat zou wel kloppen; als je er niet woonde, bleef de slagboom gesloten, en om via een landingsoperatie de lagune en Thesen te enteren, leek zelfs voor doorgewinterde Zuid-Afrikaanse boeven een brug te ver.

We stapten Pieters' huis binnen. Ik heb in mijn leven foto's in interieurtijdschriften gezien die minder opgeruimd waren dan het huis van Leslie Pieters. Het is dat zijn zoon met natte haren van de trap kwam, anders was ik altijd blijven denken dat Pieters me een toonzaal had laten zien. Zo denk ik trouwens terug aan heel Thesen: het was dusdanig kunstmatig dat het moeilijk valt voor te stellen dat er daadwerkelijk mensen woonden, lachten, leefden. De prijs van veiligheid in Knysna bestond uit het vermijden van iedere vorm van rommeligheid.

Daar was die keuze opnieuw: of je verschanste jezelf en je gezin tegen de Zuid-Afrikaanse werkelijkheid, of je emigreerde. Ik mocht dan niet overvallen en beroofd zijn geraakt, het was voor niemand die ik dit jaar ontmoette een afweging om ongeharnast in dit land te wonen. De indruk die dat op me naliet, was er een van onmatige angst, bijna onberedeneerd. Deze mensen wisten ook dat 90 of 95 procent van de criminaliteit binnen de townships plaatsvond. Ik bleef me cynisch afvragen hoe noodzakelijk al die beveiliging nou eigenlijk was. En toch, en toch. Ik had makkelijk praten, dat besefte ik. Zolang mijzelf niks overkwam, was het moeilijk om me de schrik voor te stellen wanneer dat wel zou gebeuren. Misschien zou ik daarna ook het eerste het beste vliegtuig naar huis nemen.

Pieters reed naar zijn restaurants. Hij liet me oesters uit de lagune proeven, zo groot als een mannenhand, die vlezig en vol van smaak waren, en kleinere oesters uit zee die ziltiger waren. Knysna was een oesterdorp, vertelde hij, om er meteen achteraan te vertellen dat vrijwel alle oesters er kweekoesters waren.

Lush was het chicste van zijn vijf restaurants. 's Avonds moest ik er eten, daar was geen discussie over mogelijk. Aangezien ik anders in een soortgelijke tent zou hebben gegeten, stribbelde ik niet tegen. Het gaf me een huiselijk gevoel om op mijn verjaardag te worden gefêteerd, al was het door vreemden.

In Lush werd ik om zeven uur ontvangen alsof ik niet alleen jarig was, maar een geliefde popster bovendien. WELCOME DYLAN, stond er op de omslag van het menu, en binnenin stond HAPPY BIRTHDAY DYLAN. De maître d', Katie Barratt, raakte zo opgetogen over mijn aanwezigheid dat ik er opgelaten van werd, en uiteindelijk een fooi gaf die zo groot was dat ik er evengoed de maaltijd van had kunnen betalen.

Zo vierde ik mijn Zuid-Afrikaanse verjaardag in een designrestaurant vol enorme vazen en kroonluchters, met een fles pinotage 2004 van Thelema (een 6,5; ik heb het niet op pinotage, al is het Zuid-Afrika's enige eigen druif), een hertenfilet voor mijn neus en uitzicht op de donkere stilte van de lagune van Knysna. Ik voelde me enigszins ontheemd.

Bij mijn terugkomst in de b&b, waar ik op verzoek mijn paspoort had afgegeven, vond ik in mijn kamer een bos bloemen, een chocoladetaart, hartige muffins en kaasstengels. Klaarblijkelijk hechtte de Zuid-Afrikaan aan verjaardagen, in elk geval meer dan ikzelf.

Twee dagen later reed ik van Knysna naar Kaap Agulhas. Hunter, in Knysna hangen was een landerige bedoening, maar wie lang onderweg is, moet de was doen, aantekenen waar hij is geweest en wat hij heeft beleefd, en een plan maken voor de rest van zijn reis.

De zogeheten bloemenroute, die van PE naar de Kaap voert, is wellicht de meest toeristische route van Zuid-Afrika. Maar in het dorp Riversdale vond ik geen koffiehuis (ik had er makkelijk een tractor, een dorsvlegel of een mooie partij zaden kunnen kopen), pas in het dertig kilometer verderop gelegen Heidelberg (dat even ruraal was als Riversdale) vond ik wel een koffiehuis.

WELKOM IN HEIDELBERG, stond er op een bord bij de ingang van het dorp. De plaats lag aan de Duivenhoksrivier, die zo was genoemd omdat er zo veel duiven rondvlogen toen de plek eind zeventiende eeuw door Izaak Schryver werd gezien. In de tuin van het koffiehuis zat ik omringd door sierkippen, tortelduiven, twee papegaaien en allerhande klein, bontgekleurd gevogelte.

Tweehonderd meter achter de tuin lag een stadionnetje dat bestond uit één tribune. De tribune zat afgeladen vol met honderden kinderen en op het veld liep nog een kind of honderd rond. De serveerster grinnikte. 'Een hoop kabaal in een dorp als dit, vindt u niet?' Het was sportdag, vertelde ze, van 'de enige gekleurde school van Heidelberg'. Hoezo, gekleurd, vroeg ik, wat bedoelde ze daarmee?

'Dat er bijna geen witte kinderen op zitten.' Ze lachte erbij alsof ze een pikant mopje had verteld. Waar waren de witte kinderen dan? De mensen die ik in Heidelberg had gezien, waren op de serveerster zelf en de sportende kinderen na namelijk allemaal wit geweest. 'Die hebben een andere school. Dat is altijd zo geweest en het is eigenlijk nooit veranderd.'

Dat stelde me gerust. Wat ik bedoel, is dat ik moe werd van het gepraat over de regenboognatie en de gelijke kansen voor iedereen. Gelijke kansen werden door het Black Economic Empowermentprogramma, de BEE, eenvoudigweg gelogenstraft; in mei was gebleken op wat voor gelijkwaardige basis immigranten tegemoet werden getreden door Zoeloes: de hens erin.

De witten en de Indiërs en mijn Kaapse chauffeur Robert le Roux klaagden steen en been dat ze werden achtergesteld, en eindelijk vond ik in het plattelandsdorp Heidelberg een zwart iemand die me spontaan vertelde dat segregatie tot het leven van alledag behoorde. Ik kreeg er een zie-je-welgevoel van: iedereen wist dat de zwarten het land inmiddels domineerden, maar niemand wilde het echt hardop zeggen – die arme zwarten waren tenslotte al zo lang geknecht geweest.

Dat was uiteraard zo, maar door het schuldgevoel dat de witten hadden en de onrechtvaardigheid die de gekleurde mensen voelden, was Zuid-Afrika op een nieuwe manier gesegregeerd geraakt. Er hardop over praten deed men amper, alleen onder elkaar, en fluisterend in cafés, en nu deze vrouw dus ook. Wat me tevreden stemde, was dat een lid van elke bevolkingsgroep tegenover mij had toegegeven dat Zuid-Afrika geen gelijke kansen aan iedereen bood. En dat de laatste om het toe te geven een zwarte was, vond ik helemaal passen bij de huidige politiek van het land – de zwarten waren, in theorie althans, momenteel het best af (in de praktijk, zoals je wel duidelijk zal zijn, waren mensen met geld het best af, en dat waren vooral witten).

Over Kaap Agulhas vertelde ik je al eens. Wie op een landkaart kijkt, ziet meteen dat Agulhas zuidelijker ligt dan Kaap de Goede Hoop. Ze strijden erom welke Kaap de Atlantische en de Indische Oceaan scheidt, een strijd die Kaap de Goede Hoop doorgaans wint.

Ik vond het een lastige kwestie. Als het zo zou zijn dat oceanen worden gescheiden door het verst uitstekende punt van een continent, dan zou Agulhas winnen. Maar waarom zou dat zo zijn? Die oceanen hadden zichzelf niet bedacht (zal ik maar zeggen). De verdeling was mensenwerk geweest en als mensen (lees: Van Riebeecks bazen) besloten dat de scheiding der oceanen elders lag, dus niet op het zuidelijkste punt maar op een ander, willekeurig punt of op het verméénde zuidelijkste punt, wat zij maar wilden, dan was dat dus zo. Daar hadden die oceanen of dat zuidelijkste punt niks mee te maken. Maar inderdaad netelig, Hunter, wat je zegt, want het zou natuurlijk wel chiquer zijn als het echte zuidelijkste punt de oceanen zou scheiden.

Bredasdorp ligt een kilometer of vijftig boven Agulhas en dat leek me een perfect stadje om 1. niet aan de kust te hoeven zijn en 2. wel in een uurtje bij Afrika's zuidelijkste punt te raken.

De naam geeft het niet weg: Bredasdorp was een beetje een stadje, al was het een klein stadje. Ik vond het er bijzonder leuk. Net buiten het centrum lag een winkelcentrum waar ik inkopen kon doen, het was er zanderig maar heel schoon, wit en zwart liep door elkaar, neringdoenden waren wit en zwart, iedereen deed heel normaal en geëmancipeerd.

Op een stoep stonden zwarten te babbelen die niet opzij sprongen toen ze mij zagen naderen. Het was net mijn eigen Amsterdam: de stoep was van de mondige mensen die er al stonden en nooit van wijken zouden weten. Het was heel anders dan het Mpumalangese Amsterdam, waar de schuchtere zwarten niet eens op de stoep durfden te lopen.

Elke tweede winkel in Bredasdorp verkocht zelfgemaakte chutneys en jams. Voor Hans de Ridder, die ik over een paar dagen zou gaan opzoeken, kocht ik een potje *waatlemoen & pynappeljam* en een potje *agurkiekonfyt*. Dat had voeten in de aarde: de verkoopster zat gehurkt de vloer te schrobben en dronk er al doende een flesje cider bij. 'Ik stoor toch niet tijdens de borrel?' vroeg ik, waarop ze me aankeek alsof ik geen dommere vraag had kunnen stellen. Voor Dale kocht ik bij een slijterij witte wijn uit deze buurten, van wijnmakers als First Sighting, Black Oystercatcher en Quoin Rock.

En wee mij als het niet waar is: het lokale museum was open. Je weet dat museumdirecties een wereldomspannend complot hebben gesmeed om mij buiten hun deuren te houden – als ik een museum nader, gaat de deur op slot. Zo niet in Bredasdorp. Na betaling van 15 rand was ik van harte welkom in het Skeepswrakmuseum.

Er was helemaal niets te zien.

Oude flessen, een aambeeld (sinds wanneer spoelen díé aan?), een half roer, een mastodont van een boegbeeld en ellenlange lijsten van schepen die ergens voor de West-Kaapse kust waren vergaan. De naam van het museum was het mooist aan het museum.

Na die aanvankelijke deceptie slenterde ik door de museumtuin. Op een schuur zag ik een bordje hangen. Of ik de deur na bezichtiging wilde sluiten, anders poepten duiven de auto's zo onder. In die schuur trof ik een brandweerwagen, drie koetsen, twee auto's en twee lijkwagens aan. Ik vond die lijkwagens eng zoals ik alles wat met de dood te maken heeft griezelig vind.

Ik klom op de bok van de brandweerauto, echt zo'n mooie knalrooie, met chroom en leer, en besefte pas daarna wat er aan de hand was. Hier zat een man van middelbare leeftijd in het zuidelijkste puntje van Afrika op een antieke brandweerauto. Ik klauterde van de bok af en sloot de schuurdeuren achter me.

Midden op de middag in Bredasdorp. Als men een kanon zou afschieten, zou men zeker niemand raken, de vraag was bovendien of iemand het zou horen. Wat een rust. Ik stak de straten over zonder te kijken of er verkeer aankwam. De lucht was oneindig, aanzienlijk oneindiger dan de normaal al zo oneindige Afrikaanse lucht. Ik had het idee de lucht tot aan de Zuidpool te kunnen zien. Die lucht was bovendien zo schoon dat elke ademteug verfrissend was. In Bredasdorp sliep ik 's nachts als een baby – ja, dank je, inderdaad sliep ik doorgaans uitstekend in Zuid-Afrika en hoe stiller het was, hoe beter ik sliep, jazeker.

Maar ik sliep niet voordat ik had gegeten in het beste restaurant van Bredasdorp, dat tevens een overdekt zwembad bleek. Het restaurant heette Smaak en lag boven een sportschool (vandaar dat zwembad, dat via het atrium direct in verbinding met Smaak stond). Dat ik er springbokcarpaccio en mosselen at, zul je wel geloven, maar ik vraag me af of je gelooft dat het mineraalwater van Voss kwam. Je weet wel, die achterlijk dure designflessen.

Dat sloeg me met stomheid: ik was bijna op de Zuidpool, maar kreeg water van de Noordpool – althans uit Noorwegen. Waarom haalde dit restaurant in Bredasdorp zijn mineraalwater letterlijk van de andere kant van de wereld?

Ik werd er bozig van. In een van de zuidelijkst gelegen restaurants van Afrika dronk ik Noors water. Noors! Daar ging ik met mijn goede gedrag. Maandenlang at en dronk ik zo lokaal mogelijk. Ik studeerde erop om alleen Zuid-Afrikaanse waren te nuttigen en dat was niet moeilijk gebleken. Bijna alle etenswaren die in Zuid-Afrika werden verkocht, waren Zuid-Afrikaans. Nadat ik dat had ontdekt, maakte ik aanzienlijk meer werk van mijn hobby: ik wilde per se regionaal eten.

Stond er in Amsterdam, Mpumalanga, een stuk rund op de kaart, dan vroeg ik of het plaatselijk rund was, at ik slakken in Louis Trichardt, dan moesten en zouden dat slakken uit Limpopo zijn, enzovoorts, en zo verder. Wijn lag minder heikel, die was altijd Zuid-Afrikaans al had ik er schik in gekregen om wijn te drinken die dicht bij de plaats waar ik 'm dronk, druif was geweest. En nu, in een onbewaakt ogenblik, werd ik gefopt in Bredasdorp. Geïmporteerd water zag men in Zuid-Afrika nauwelijks, er bestond eigen bronwater van goede kwaliteit en water importeren leek een kostbare aangelegenheid voor een land met een valuta als de rand.

Dat was buiten de baas van Smaak gerekend. Ik kreeg er zo de ziekte over in dat ik de serveerster vroeg of ze 'gewoon Afrikaans water' had.

'Natuurlijk,' zei ze, 'maar ik dacht: hij komt uit Europa, hij vindt het vast leuk om Europees water te drinken.' Dat zei ze zo onschuldig dat ik de waterkwestie liet rusten – al verloor ik in Bredasdorp mijn onschuld en zou ik nooit meer zomaar een fles mineraalwater in een Zuid-Afrikaans restaurant kunnen bestellen.

Ik las de *Overberg Venster*, en de tweetalige *Suidernuus/Southern Post*. Die krantjes vertelden efficiënt hoe laat de mis begon, en de dienst, en welke plaatselijke sportvereniging een triomfje vierde. De *Hermanus Times* deed aan misdaad. Het openingsverhaal betrof een parelmoerdief die in zijn bakkie dertienhonderd kilo 'perlemoen' had liggen, ter waarde van 1,4 miljoen rand; hij beweerde dat hij dat allemaal persoonlijk uit zee had gestolen.

Zeeoren, waarin parelmoer zich ontwikkelt, groeien aan deze kust vanzelf, maar stropers roven de schelpen als die jong en klein zijn. Dat is verboden. Sportduikers mogen maximaal vier schelpen per dag meenemen, commerciële duikers waren behalve aan een maximaal aantal ook gebonden aan een minimummaat. De diefstallen waren een plaag, vertelde een *constable* aan de krant, hoewel deze dief zelf had verklaard dat hij gewoon grootscheeps te werk was gegaan. Waarschijnlijker was het, zei de agent, dat de dief werkte voor een parelmoermisdaadsyndicaat. Zo veel parelmoer stelen in je eentje, dat leek onmogelijk.

Ik dacht aan een verhaal dat ik had gehoord, over de koperen telefoonleidingen die in Joburg onder de grond vandaan waren gejat. Het opvallende eraan was dat er een hele organisatie achter zat. En opvallender: de koperdiefstallen waren pas aan het licht gekomen toen er op vliegveld Tambo exportvergunningen werden afgegeven voor het koper. Een alerte douanier merkte op dat Zuid-Afrika al tijden helemaal geen actieve kopermijnen meer heeft, dus hoe kon zijn land ineens koper exporteren? Na die ontdekking zat half Joburg een week later zonder telefoon, doordat de dieven de laatste kabels haastig waren komen stelen. Dat had ertoe geleid dat voortaan ook putdeksels door beveiligingsdiensten bewaakt werden.

De illegale parelmoer werd geëxporteerd naar Azië, las ik. Chinezen waren er gek op.

's Ochtends in alle vroegte vertrok ik naar Agulhas. Bij het winkelcentrum van Bredasdorp stond het verkeer vast. Een optocht, buitengewoon sloom op de schaal van langzaam, trok met trom, zang en dans de straat door. Een breed lachende politieagent hield met een slappe hand het verkeer tegen.

Daarna schoot ik op. De weg was recht, aan weerszijden bedekt met stuifzand en verder was er niets. Er zal best extensieve veeteelt hebben plaatsgevonden, maar vee viel niet te bekennen.

De Dodge en ik waren aan elkaar gewend geraakt. De motor gierde als een naaimachine, van de stoel kreeg ik helse rugpijn, alles kraakte en piepte, maar je hecht je toch aan de auto waarmee je een heel land doorkruist.

Mijn intuïtieve keuze om in Bredasdorp te slapen, bleek uitstekend geweest. In Agulhas was niets, op een lintje van kleine en wat grotere bungalowtjes na. Ik reed door het dorpje heen, en daar stopte alles op een parkeerplaats, en met alles bedoel ik letterlijk alles. Dit was het einde van de wereld.

Ik parkeerde, ik stapte uit, ik liep naar een bordje. Nog zestig meter. Volgend bordje: nog veertig meter. En daar was de plaquette. Als u naar links kijkt, ziet u de Indische Oceaan, rechts de Atlantische. 'U bevindt zich op het zuidelijkste punt van Afrika.' Dat tweede was in elk geval waar. Of?

Achter de plaquette lagen allemaal rotsen. Ha, ik zou zuidelijker komen dan het zuidelijkste punt. Dat ging vrij makkelijk. Men moest gewoon een beetje opletten waar men de voeten neerzette, en dan kwam men echt nog zeker vijftig meter zuidelijker. Ah, hier was het zelfs makkelijker lopen, en nee, nu kon ik niet verder meer.

Ik pakte mijn mobiele telefoon en sms'te het nieuws over mijn intense zuidelijkheid naar Louise. Excuus, ik weet dat ik niet meer over haar zou beginnen – maar Hunter, ze was elementair aan het worden; ik vroeg haar elke dag om raad, om tips, om informatie. Wat internet voor jou is, was zij gedurende deze reis voor mij. Ze had me die ochtend nog geinformeerd over de beste fish-and-chipstent in Agulhas; ze kende haar land onnavolgbaar goed.

Maar warempel. Daar verdronk ik bijna in twee oceanen tegelijk. Wat was dat? Nou, dat was vloed en de vloed was verrekt snel geweest. Mijn schoenen en broekspijpen waren nat en om me heen stond overal water. Indiaas water, Atlantisch water, al het water stroomde vrijelijk en eendrachtig; ik maakte me wadend uit de voeten.

'Wat ben ik toch een kluns', schreef ik 's middags in mijn boekje (al waren mijn schoenen alweer droog voordat ik terug was in Bredasdorp).

Bij Agulhas Fish bestelde ik *hake and chips*, en dat was de moeite. Het smaakte me niet zo goed als het smaakte, omdat het pas half elf was. Dat was jammer, maar Louise had opnieuw gelijk gehad.

Een paar honderd meter oostwaards stopte ik bij de vuurtoren van Agulhas, die vanwege zijn ligging tamelijk beroemd is. Zo chagrijnig als de vrouw die daar de kaartjes verkocht, had ik weinig Zuid-Afrikanen meegemaakt. Ze snauwde me toe dat ik in mijn handen mocht wrijven. Vanaf morgen ging de toren dicht vanwege een restauratie. De museumcollectie was al ingepakt, en het waaide te hard om boven op de toren buiten te staan, al mocht ik het proberen. En wel graag het volle pond betalen, en verplicht het gastenboek tekenen. Waaruit bestond mijn geluk precies? Misschien waren gesloten musea geschikter voor mij.

Ik las op een plaquette dat de vuurtorenlamp tot 1905 was gestookt op schapenstaartvet. Toegegeven: dat vond ik een interessant weetje. Daarna beklom ik de vijf vervaarlijk steile trappen, stapte de deur door naar buiten, en belandde bijna opnieuw in beide oceanen. Goeiendag, wat een wind. Ik klom meteen alle trappen terug. Opgelicht, zanderig en verwaaid stapte ik in de Dodge.

Maar de weg terug naar Bredasdorp vond ik heerlijk: ik sliep er in een enorm groot en lekker zacht bed, ik wist dat ik die avond in de Blue Parrot zou eten, het was nog geen middag en ik had alweer een uithoek van Zuid-Afrika gezien. Ik was met minder tevreden geweest.

Dat was buiten een rugbywedstrijd gerekend. De Sharks speelden tegen de Bulls. Anders gezegd: Durban speelde tegen Pretoria. In Mac's Sports Bar op de hoek van mijn b&b werd hartstochtelijk meegeleefd, meegeschreeuwd en meegedronken, en toen de Bulls wonnen, reed de een na de andere dronkeman slippend van de kroeg weg, driftig toeterend, de autoradio luid aan. Hoe zulks? Waarom waren de mensen in de West-Kaap fans van een ploeg uit KwaZoeloe-Natal?

Navraag leerde me dat de Sharks een beetje het Ajax zijn van rugby in Zuid-Afrika: vooral provincialen zijn gek met de ploeg.

In de *Suidernuus* van die dag las ik dat 'een hoge delegatie van FIFA' Agulhas had bezocht (een hoge delegatie van welgeteld één man). Misschien kon een van de landenteams er in 2010 in trainingskamp gaan? Heel ambtelijk Agulhas was uitgerukt om met de bobo uit Zürich te praten – en om te poseren voor de foto in *Suidernuus* natuurlijk. Ik las dat stukje twee keer. Het stond er echt. Net als dat ik echt had gelezen dat Swaziland misschien een ploeg zou gaan ontvangen. Waren deze mensen wel lekker?

Ik vroeg me dat met name af omdat ik Agulhas deze zelfde ochtend had gezien. In Agulhas stond geen echt hotel. Er groeide behalve helmgras geen gras. De plaats bezat geen stadion of tribune, een rudimentair zandveldje was alles wat ik er had gezien. Er woonden drie man en een paardenkop. Het waaide er als een bezetene en Agulhas lag tweehonderddertig kilometer van de dichtstbijzijnde speelstad, Kaapstad. De weg van Agulhas naar de bewoonde wereld was tweebaans en eindeloos.

Wie kon in 's hemelsnaam denken dat het Rusland van Guus Hiddink of wereldkampioen Italië zich in zo'n gat zou verschansen?

In de Blue Parrot, een Kaaps-Hollands, lichtblauw geschilderd huis midden in Bredasdorp mocht ik kiezen. Dicht bij de *mariachi*, of wat verder van hem vandaan. 'Zo ver mogelijk van hem weg', zei ik, waarna ik in een koude, stoffige achterkamer werd neergezet. De man, die ik pas zag toen ik de Blue Parrot verliet, was een ontzaglijk dikke cowboy die onder meer en niet helemaal beroerd Chris Rea's 'The Road to Hell' en Robert Zimmermans 'Knocking on Heaven's Door' had gespeeld.

Op weg naar mijn luxebed wierp ik een blik in Mac's Sports Bar. Ik was enigszins benieuwd of de herrie van die middag het café fysieke schade had berokkend. Tien paar witte ogen keken op van hun cognac-cola en staarden me aan. Het barmeisje droeg een fleecetrui. Dat wist ik nu wel.

Ik was op weg naar Hans en Dale de Ridder in Noordhoek, maar ik was twee dagen te vroeg. Dat vroeg om een tussenstop. Van alle kanten had men me gewaarschuwd voor de plaats Strand: het zou er lelijk zijn. Nou, ik verheugde me op iets lelijks. Ik was al zo vaak lekker gemaakt met de belofte aan moois dat het vooruitzicht van iets lelijks me opbeurde.

De mooie kustplaatsen had ik niet mooi gevonden, maar Strand was inderdaad vrij lelijk. Het was een badplaats zoals Zandvoort. Daar stelde Strand wel iets tegenover. Het was de eerste Zuid-Afrikaanse badplaats waar ik goeddeels normale Zuid-Afrikanen zag. In KwaZoeloe-Natal was iedereen rond

Ballito rijk geweest, in het Oost-Kaapse plaatsje Port Alfred was iedereen wit en bejaard, in het West-Kaapse Knysna had iedereen zich afgezonderd van de wereld. Op de stranden trof ik weleens lokale mosselzoekende jongetjes of wandelende gezinnen, maar lokaal massatoerisme had ik nergens aangetroffen.

Dat was in Strand anders. Hier woonden mensen in zo te zien kleine, krakkemikkige appartementjes aan zee, en de badgasten leken precies het soort mensen dat een normaal, niet-mondain strand waar ook ter wereld zouden kunnen bevolken. Zwart en wit liep door elkaar, en ertussendoor liepen gekleurde mensen. Zij waren in de meerderheid, en dat was in overeenstemming met de demografie van de provincie West-Kaap.

Van mijn hotelletje naar Strand-Centrum was het een half uurtje lopen over de boulevard. De helft van die route werd in beslag genomen door een markt waar uiterst vage prullaria werd verkocht. Glazen met de logo's van automerken, plastic speelgoed (dat giftig leek), nepvoetbalshirts, een divers aanbod van huishoudelijke spullen dat er zonder uitzondering uitzag alsof het zelfs het eerste gebruik niet zou overleven, hotdogs (geen broodjes boerewors, jammer genoeg), siervelgen, pantoffels en slippers. Het was alles en het was, voornamelijk, niets.

Frappant was het gemeentelijke zwembad, dat aan het strand lag en overduidelijk met ambitie was gebouwd – het was een fors gebouw. Een papiertje bij de ingang: GESLOTEN. WATERGEBREK. Men zag de Atlantische Oceaan er op zestig meter vandaan liggen.

In een tentje aan de Kusweg at ik een kipsalade. Als er nog eens een gids over Zuid-Afrikaanse kipsalades dient te worden samengesteld, houd ik me aanbevolen. Omdat de broodcultuur van Zuid-Afrika me slecht was bevallen (het brood was droog en smakeloos), had ik een paar tosti's gegeten. Die waren moddervet, dat beviel me evenmin.

Waarmee dan te lunchen? Ik probeerde eens een kipsalade – hoewel kip in Zuid-Afrika vrij duur is (want kip wordt geïmporteerd uit landen waar wel vogelgriep heerst, zodat de inkoop lekker goedkoop is, maar het blijft import), stond kipsalade overal op de kaart, hetgeen me bespaarde mijn middagmaal keer op keer daadwerkelijk te moeten kiezen, waarna het gekozene onveranderlijk smakeloos bleek – en besloot ik vanaf mijn eerste kipsalade elke middag kipsalade te eten. Dat gezegd hebbende, was mijn kipsalade in Strand weerzinwekkend.

Daar kwam iets bij. Ik vroeg de serveerster vanachter mijn krant (*District Mail/Distrik Pos. The Heartbeat of Helderberg/ Hartklop van die Helderberg*) om kipsalade en een colaatje en dat deed ik in het Engels.

Ogenblikkelijk draaide een vrouw die drie tafeltjes verderop zat zich om en constateerde: 'U bent Nederlander?' Zij was Afrikaner, haar man ook, hun dochter woonde in een oord als Gorinchem of Culemborg of Woudrichem. Daar zou ze ook wel willen wonen, in Nederland.

Ik had er niet om gevraagd aangesproken te worden, ik vermoedde zo'n beetje waar dit gesprek heen zou gaan, en zo besloot ik – heel sportief voor mijn doen – de vrouw op stang te jagen. 'Waarom dan?' vroeg ik. 'Het is hier schitterend, vindt u niet?'

De vrouw en de man verschoten van kleur. 'Vindt u?'

'Ik ben van mijn leven niet in een land geweest als dit. Mooi weer in alle klimaatzones, alle soorten natuur die men zich kan wensen, overal vriendelijke mensen, voor mij een laag prijspeil, iedereen spreekt normale talen, goede wegen en, eh ...'

'Criminaliteit', zei de vrouw, die tabak had van mijn opsomming. Zij wilde iets vertellen, en ik sarde haar.

'Daar heb ik nou helemaal geen last van gehad,' zei ik meteen terug – misschien iets te agressief, 'niets.'

'Mijn zuster is vermoord', zei de man. 'In Johannesburg.'

'Mijn nichtje is verkracht', zei de vrouw. 'Door acht zwarte mannen.'

Aha. 'Tja,' zei ik, 'in dat geval.'

'Wij zouden graag in Nederland willen wonen', zei de vrouw. 'Maar niet in Amsterdam. Wel mooi hoor, maar erg gevaarlijk. We dachten aan de buurt rond Groningen.'

'Waarom doet u dat niet?'

'Nederland is lastig om binnen te komen. Misschien kunnen we naar Australië.'

Lieve help. Ik wist dat het zo werkte, ik had de advertenties in de kranten gezien en de witten erover horen praten, maar voor het eerst doorzag ik hoe het in praktijk werkte. Mensen als deze zagen heus het verschil wel tussen Zuid-Afrika en Australië en ze kozen uit angst en lijfsbehoud voor dat pummelige land dat bovendien zo ver weg lag dat ze hun kinderen weinig meer zouden zien. Dat was niet om de spot mee te drijven, het was zielig. Nee, die passage maakten mensen niet omdat het leuk leek, die maakte men uit lijfsbehoud.

Ik schoof bij hen aan. 'Ik moet zo weg,' zei ik, 'maar even.' Ik liet ze tien minuten klagen, jeremiëren en zeuren en stapte toen op.

Het was schrijnend om dat echtpaar aan te horen, hoewel hun houding tekenend was voor de bange en onzekere witte middenklasse. Zuid-Afrika was een gevangenis voor vrijwel alle bewoners van het land – al vluchtten er nog zo veel Afrikanen vrijwillig naartoe. De witten konden alleen voorzien van een goede opleiding en tegen betaling van veel geld, en met heel veel moeite en met achterlating van alles, emigreren naar grote landen, ver weg. De zwarten konden helemaal geen kant op; ze zaten in de townships en dat was dat.

Voor de bezoeker, en dat veroorzaakte dat schrijnende gevoel, was Zuid-Afrika een half paradijs. Men kon erheen wanneer men wilde, een visum werd gratis bij de grens verstrekt en de bezoeker wachtte een land vol vriendelijkheid, een land met een mild klimaat, met goed en goedkoop eten en drinken, en dan stapte men weer op. Dat verschil was zo groot dat ik de Zuid-Afrikanen bewonderde die het, zelfs als ze er zelf weg wilden, opnamen voor hun land. Ze zaten opgesloten, maar ontvingen de bezoeker met open armen.

Strand beviel me. Het leven van alledag ging er zijn gang. Van alle kustplaatsen die ik had aangedaan, vond ik het daarom in zekere zin de leukste – al was het inderdaad de lelijkste. Strand was zeker niet opgesmukt. Gekken en alcoholisten scharrelden er vrijelijk rond, schoolkindertjes belaagden de ijsjeskast in een 7-Eleven, geen automobilist gaf voetgangers voorrang bij een zebrapad.

In het buurdorp Gordon's Bay haalde ik bij fish-and-chipstent Ooskus een gegrilde grootbek met een portie slappe patat. Ik sprong ermee in de Dodge, en toen ik me had geïnstalleerd in de tuin van mijn hotel, Windhoekie erbij, brandde ik alsnog mijn mond aan de eerste hap.

In Vishoek, op de Kaap, was ik in januari met de forensentrein aangekomen. Dit keer deed ik er iets anders. Ik verruilde de Dodge voor een fonkelende Jeep Cherokee. 'Infernorood', vertelde de man die de auto afleverde. 'Rijdt goed.' En weg was hij, in mijn Dodge.

De Cherokee bleek een prettiger auto dan de Journey was geweest, en vooral een stuk mooier. Dat kwam goed uit en dat kwam van pas, want ik had plannen met de Cherokee. Van de

Kaap, dat zuidelijkste puntje Afrika, zou ik omhoog naar de Namibische grens rijden; een kilometer of zeshonderd. Onderweg zou ik Darling aandoen om Zuid-Afrikaanse humor te beleven, en ik zou halverwege de N7 ergens slapen. Dat de weg naar het verre noorden een uitputtingsslag zou zijn, had ik van de kaart afgelezen. Kaarsrecht en ellenlang – ik hoopte dat de kleur van de infernorode Jeep me uit mijn slaap zou houden.

De stad Springbok, niet ver van de Namibische grens, zou mijn laatste uithoek van Zuid-Afrika zijn, en aanvankelijk was het mijn eindhalte geweest. Zoals je begrijpt ben ik er aangekomen, want ik schrijf je vanuit Springbok. In mijn oorspronkelijke plan had mijn rondje Zuid-Afrika er netter, ronder, soepeler uitgezien. Na deze laatste uithoek zou ik terugrijden naar Kaapstad, nog een keer goed eten en dan op het vliegtuig naar huis stappen.

Mijn nieuwe plan was om eerst terug naar Joburg te vliegen, daar vijf nachten te blijven en pas dan terug te gaan. Maar vooruit, die zes dagen dienden een goed doel.

Ook in Noordhoek begon de zomer. Het terras van Hans en Dale was bevrijd uit de stormriemen waarin het in mei had vastgezeten, hun jacuzzi bubbelde in de zon en Hans bezwoer me een keer of twintig dat ik echtechtecht gebruik moest maken van hun zwembad. De eerste keer bezocht ik Noordhoek in januari, midden in de zomer. In de winter was ik er teruggeweest, de wind sloeg tegen de ruiten. Nu was ik er opnieuw, bijna een jaar na mijn eerste bezoek. Hans en ik spraken af dat ik een paar dagen bij hem en Dale zou blijven logeren.

Het leven van Dale en Hans was veranderd in het afgelopen jaar. Er was weinig vraag naar de filmpjes die Hans van te koop staande huizen maakte. Voor Dale gold mutatis mutandis hetzelfde: de onroerendgoedmarkt lag, als overal ter wereld, nagenoeg op zijn gat. In de Caravelle reden ze over de Kaap naar jaarmarkten en braderieën. Dale verkocht daar zelfgemaakte bodylotion, Hans filmde de markten en hoopte zo opdrachten te verwerven. Ze leken het samen uiterst gezellig te hebben.

Op een ochtend vroeg Hans me of ik mee wilde rijden naar een groothandel om ingrediënten te kopen voor Dales bodylotion. Nadat we groot hadden ingeslagen – de hele Caravelle lag vol met lotions, parfums, honing en weet-ik-wat, belde Dale ons op onze weg terug om te vertellen dat het storm liep bij haar kraam op de markt van Groot Constantia. Moesten we dat niet komen zien? Ja, vond ik. Hans verlegde de koers van de Caravelle.

Bij de ingang naar wijnmakerij Buitenverwachting stelde ik Hans voor om af te slaan. Ik herinnerde me Dales lievelingswijn, de Buiten Blanc. Die kwam hier vandaan, daar kon ik haar een fles van cadeau doen. Om het zelfzuchtiger te stellen: op dat bliksembezoek aan Vergelegen en op een zo kort mogelijk bezoek aan dat hysterische Spier na was ik niet op een wijnboerderij geweest. Plus, wat men zo zag: Constantia was bepaald geen Stellenbosch en zelfs geen Franschhoek. De wijnroute hier had iets knus, iets exclusiefs, iets groens en iets gezelligs – veel meer dan in dat uitgestrekte Stellenbosch trof men hier om de haverklap een dalletje, een heuveltje, een kronkeltje. Ik keek er vol enthousiasme naar. Af en toe riep ik, ik keek er ook van op, 'whoepa'.

'Nu we er toch zijn,' zei Hans op Buitenverwachting, waar honden van menselijk formaat rustig lagen te zonnen en overigens alles op een nomen est omenachtige manier boven verwachting bleek, 'kunnen we beter ook een fles opdrinken.'

Dat had ik niet zien aankomen; Hans dronk toch niet? *Ag,*

zei hij, en *kak!* Een glas dronk hij gerust. Of twee.

De gaarde van de Heer was op Buitenverwachting letterlijk de gaarde van de Heer. Niet eerder in mijn leven bevond ik me ergens waar ik zonder herrie, zonder ellende, met weinig aan mijn hoofd en een koude fles wijn voor me, in goed gezelschap en in een volmaakt klimaat en zonder enige haast op een fijne stoel in sappig gras eenvoudigweg maar wat zat te zitten.

Na een half uurtje kocht ik een potje Cabernet-Sauvignonjam voor Louise. Dat vond ik zo'n geslaagd cadeau dat ik mijn verrassing meteen naar haar sms'te. Hans schoot toegeeflijk in de lach. 'Waar het hart vol van is, lopen de duimen van over', zei hij.

We bleven nog even zitten op Buitenverwachting. Ik voelde de zon, de wind, de wijn en liefde. Het was de middag dat ik ervan overtuigd was dat alles in mijn leven goed zou komen, dat ik me mettertijd in Zuid-Afrika zou vestigen, en dat de wereld en de Heer uiteindelijk mijn kant hadden gekozen.

Dit was het paradijs, zoveel was duidelijk.

Een jaar eerder was ik aangekomen op de Kaap en had me meteen op mijn gemak gevoeld. Inmiddels had ik zo veel mogelijk van Zuid-Afrika gezien en besefte ik hoe goed het leven op de Kaap was, afgezet tegen het leven elders in Zuid-Afrika. Het weer was er het mooist (in KwaZoeloe-Natal kon het van de ene op de andere minuut veertig graden worden en dan zakken naar zes graden, zoals ik had gemerkt), het landschap was er steeds anders en steeds vriendelijk (vergelijk dat met de provincies Noord-Kaap of Vrijstaat: een halfwoestijn en een enorm maïsveld), de wijndruiven die men overal zag gaven het gebied een stijl en een klasse die de rest van het land niet bezat. Men hoeft niet te vergelijken: de Kaap is simpelweg schitterend.

Hans en ik zaten daar zo mooi als mensen kunnen zitten.

Tussen de groene heuvels, in de schaduw van een oude boom, en met maar één zorg aan ons hoofd: we moesten naar Groot Constantia. Misschien kunnen we daar lunchen, stelde ik voor. 'Prima,' zei Hans, 'eten moeten je toch.' De grap bestond erin dat wijngoed Groot Constantia een zeer goed en beroemd restaurant heeft.

Hans en ik groetten Dale bij haar kraam op de overdekte markt. Rijke Kaapse vrouwen deden er hun kerstinkopen.

Ik rende het terras van Simon's op, sprong aan een tafel en bestelde een fles Sauvignon Blanc 2008 van het huis die ik, op die plek en op dat moment, een volle 10 gaf. Ik was een beetje dronken. Ik at er 'zwarte mosselen' bij en vroeg aan Hans waarom hij een pizza had besteld. Gaf dat wel pas in zo'n chique tent, pizza? 'Het chique restaurant is het andere restaurant, Jonkershuis', zei Hans stoïcijns.

Dat vond ik niet erg, ik zat goed. Opnieuw zaten we paradijselijk en de wijn was subliem. Achter elkaar dronk ik de fles leeg.

Later kreeg ik in Joburg van Louise op mijn donder. 'Je hebt de kans laten lopen in Jonkershuis te eten, het beste restaurant van Zuid-Afrika. Niet echt handig, voor iemand die mijn hele land wil ervaren.' Maar ik was halfdronken, zei ik, wist ik veel. 'O, dan is het goed', lachte ze. Zuid-Afrikanen zijn dol op halfdronken mensen, ik beloof het je.

Hunter, en wat ik je bezweer: ga daarheen. Je klaagt er weleens over dat je leven een aaneenschakeling van Saabrijden, borrelen, geld tellen en wachten is (en daaraan twijfel ik geen moment), nou, het leven heeft je iets anders te bieden. Ik zeg het je: als ik reïncarneer, dan wil ik worden herboren als wijnboer in Constantia. Tot die tijd is het voor jou geen slecht idee om er een kijkje te gaan nemen of, nog beter, je er subiet te vestigen.

In januari had ik de Nederlanders die zich op de Kaap hadden gevestigd met argwaan bekeken, hun argumenten niet vertrouwend. Inmiddels had ik daar mijn bekomst van, ik begreep hen volstrekt. Mocht ik de volgende zijn?

Hans' vriend Joe Scheffers, een Kaapstadse persoonlijkheid die ook rondleidingen gaf in het District Six-museum, zong elke maandagavond een mopje jazz in Jazz Club Swingers. Zouden we? De tent lag ergens in de wijk Wetton, in de deelgemeente Wynberg, nogal perifeer. Ik vond alles best; ik was nog steeds een beetje dronken en Hans reed. We arriveerden tegen negenen.

Jazz in Zuid-Afrika bleek de kracht te hebben om jong, oud, arm, rijk, wit, gekleurd, zwart, vrouwen en mannen in één ruimte bijeen te brengen. Over de jazz zelf kan ik je weinig vertellen; het was jazz. De geïmproviseerde nummers vond ik leuker dan het vaste repertoire. Dat laatste was langdradig en had het leuk gedaan als achtergrondmuziek bij een goed gesprek. Door het kabaal konden we dat gesprek helemaal niet voeren en ginnegapte ik tussen de nummers door met Joe en Hans.

's Ochtends maakte ik een wandelingetje door Noordhoek. Miste ik niks? O, jawel.

'Zeg, Hans,' zei ik op zijn terras, 'waar is je Paleis-Soestdijkachtige bewakingshokje eigenlijk gebleven?'

'Dat is weggewaaid,' zei Hans, 'net nadat jij in mei op bezoek was. Het stormde flink die dag.' Ja, dat geloofde ik. Dat hokje was geen fort geweest, maar het had wel iets weg gehad van een stevige blokhut.

'En nu?'

'En nu komen ze het volgende week terugzetten.'

'Na zes maanden?'

Hans vertelde dat het hokje niet direct was teruggeplaatst omdat er gezocht was naar een plaats waar het niet opnieuw zou wegwaaien: '*Ag, kak*, soms gaan de dingen hier niet zo snel.'

Dat was een onderwerp waarover ik weinig klachten had gehad. Afrika als sloom continent was natuurlijk een cliché, en Zuid-Afrika leek alle zeilen te hebben bijgezet om mij nooit dat idee te geven. Er ging weleens wat mis (zo was doorgaans de helft van de spijzen op een menu niet verkrijgbaar), er liep weleens iets minder soepel (als ik de weg vroeg wist niemand ooit waar-ie zich bevond of hoe de straat heette) en ik hoorde dat de ambtenarij vreselijk obstructief en tergend langzaam werkte. Maar doorgaans ging alles vlot, klopten de rekeningen en werd ieder verzoek per ommegaande ingewilligd. Iedereen verscheen op tijd op afspraken. De Zuid-Afrikanen leken me de Duitsers van hun continent.

Hans en ik stapten in de Caravelle voor een ritje.

Ik had gelezen over Houtbaai, nadat Hans me in mei had verteld dat het een van de plaatsen in Zuid-Afrika was waar apartheid nooit een doorslaand succes was geweest. Daarom wilde ik de plaats zien, en het verhaal was stugger dan Hans me het had verteld.

Houtbaai was een linksige kunstkolonie geweest waar 'de meest uitgesproken liberalen' woonden. Gedurende de apartheid riepen de artiesten de onafhankelijkheid van Houtbaai uit. Als de thuislanden los van Zuid-Afrika mochten opereren, waarom Houtbaai dan niet? Het stadje riep zichzelf uit tot republiek en verklaarde 'nooit onder apartheid' tot Zuid-Afrika te zullen behoren.

Bij wijze van verzetsdaad begon Houtbaai paspoorten te drukken en te distribueren. Die paspoorten lagen er nu als souvenirs te koop in een snuisterijenwinkeltje, ze waren mooi gemaakt. Tot ieders verbazing werden die paspoorten destijds door een handvol Afrikaanse landen – die Zuid-Afrika boycotten – nog geaccepteerd ook. Pas toen Mandela tot president werd verkozen, hield de Republiek Houtbaai op te bestaan. De Nasionale Party had het nooit nodig gevonden in te grijpen, het idee was geweest om die paar malloten rustig hun gang te laten gaan.

We reden door de plaats heen, en op een miniem bordje na waarop REPUBLIC OF HOUT BAY stond, deed niets aan activisme denken, en alles aan slaperigheid.

Bij het Chapman's Peak Hotel in Houtbaai at ik een portie inktvisringen. Het hotel had zich de bijnaam *The Calamari Kings* aangemeten en hoewel dat niet onterecht was – betere inktvisringen at ik nimmer – vond ik de dis toch een beetje tegenvallen. Vet. Of misschien overdreef ik mijn fish-and-chipsactiviteiten. We zaten er fantastisch, aan het begin van de Chapman's Peak Drive. Omdat de pas was afgesloten vanwege vallend gesteente, was er nauwelijks verkeer op de weg. Achter de baai zagen we de warme lentezon ondergaan.

Ik sliep nog een nacht bij Hans en Dale.

Ons afscheid voelde tweeslachtig. Binnen een jaar was ik erg op hen gesteld geraakt. Ik was steeds bij hen langsgekomen, ze hadden me alle gastvrijheid en welwillendheid betoond die een reiziger zich kon wensen; 's ochtends reed ik naar het noorden, weg van hen, en ik maakte me zorgen. Wanneer zou ik hen weerzien?

Dat gevoel was me in Zuid-Afrika vaker overvallen. Zo weinig affiniteit als ik in januari had gevoeld toen ik voor het eerst naar de Kaap vloog, zo weinig voorstelling als ik me van het land kon maken, zo veel voelde ik inmiddels voor Zuid-Afrika en sommige van zijn bewoners.

Wat was dat? Ik schreef je al dat ik me kon voorstellen

hoezeer men zich hechtte aan deze grond, aan dit land, aan de eigen plaats van herkomst – maar ik kwam bepaald niet uit Zuid-Afrika en nadat ik deze brief aan jou heb voltooid, zou ik het land kunnen uitbannen uit mijn hoofd. Die vrijblijvendheid leek niet op te gaan.

Je hebt me al een tijdje niet meer gehoord over Odwa Pani en Lili Malenga, maar ik droeg ze bij me. Hans en Dale en Louise: ik zou ze als mijn beste vrienden willen hebben, liefst om de hoek. En al die andere, honderden mensen die ik had ontmoet – hoe was het met hen? Van de biltongmaker uit Piet Retief tot de mangoverkoper in Messina-Musina, van de bandenjongen bij BMW in Nelspruit tot de Tyre Professor in Amsterdam, van de jongeman met *style* in Bloem, de eenzame receptioniste in Bethlehem, natuurlijk Vincent, 'manager' in Durban tot mijn walvisvriend in Salt Rock, de drie Zoeloes uit Joburg en de restaurantmagnaat in Knysna – ik vroeg me af hoe hun dagen verliepen. Ik zal niet beweren dat ik prompt weer negenduizend kilometer zou gaan rijden om het hun stuk voor stuk te vragen, maar het idee over twee weken in mijn eigen Amsterdam terug te komen en niet in hun nabijheid te zijn, vond ik een uiterst onaantrekkelijk idee. Ik zat midden in Zuid-Afrika, zij waren er ook en zo was het prima; het idee hen nooit meer te zien vond ik haast onverdraaglijk.

Ik had bevroed noch vermoed dat het zo zou kunnen lopen, dat ik deze empathie voor dit land zou kunnen voelen. In alle ernst had ik me maandenlang afgevraagd of ik racist was. Het antwoord is nee. Ik was met mijn neus op Zuid-Afrikaanse feiten gedrukt. Ik had het schisma telkens aan den lijve ondervonden en zo was ik aan het twijfelen gebracht. Maar nee, racistisch was ik niet. Wel was ik het Zuid-Afrikaanse verschil tussen wit en zwart en Indiaas en gekleurd gaan zien.

Terug op de Kaap, de afgelopen dagen, merkte ik dat ik me anders was gaan gedragen. Ik was makkelijker geworden, opener, ik knoopte met jan en alleman een praatje aan. Mijn racisme was puur Zuid-Afrikaans racisme, een type racisme dat niet zozeer veroordeelt, maar op een felrealistische manier verschillen tussen bevolkingsgroepen onderkent. Dat is natuurlijk helemaal geen racisme, alleen had het daar de schijn van voor een Nederlander die opgevoed is met het idee dat iedereen volstrekt en geheel gelijk is.

Doordat ik de realiteit had gezien was ik me in Zuid-Afrika steeds vertrouwder gaan voelen. Ik begreep de angst, ik begreep het wantrouwen en de onthechtheid; anderzijds begreep ik de liefde voor het land en het gevoel dat Zuid-Afrika in potentie het beste land ter wereld is. Ik besprak dat gevoel met teleurgestelde Zuid-Afrikanen die mijn sympathie voor hun land evenzeer begrepen als hun eigen deceptie en nooit zeurden – dat waren de mensen geweest die altijd voorkomend bleven en me thuis uitnodigden. Zij hadden een kleine twintig jaar geleden de ommekeer meegemaakt, en inmiddels beseften ze dat gedurende hun levens in Zuid-Afrika niet de egalitaire samenleving zou ontstaan waarop ze in het begin van de jaren negentig hadden gehoopt. Dat ik hen begreep, en dat zij begrepen wat ik in hun land zag, maakte Zuid-Afrika een beetje – een heel klein beetje – mijn land.

Hans wees me de weg, ik vertrok. Het moet er goed hebben uitgezien. Die infernorode Cherokee, ik in mijn Afrikaanse *style*, mijn hoofd en armen gezond bruin geworden. Ja, ik voelde weemoed, maar de andere kant van het verhaal was dat ik enorme trek had in mijn laatste etappe.

Sinds ik de expositie in Qunu had gezien, was ik geïnteresseerder geraakt in de bizarre halfslachtigheid van de Nasionale Party. Enerzijds werden zwarte ANC'ers op Robbeneiland op kinderlijke wijze vernederd door hen bruine suiker en volkorenbrood te laten eten, anderzijds mochten liberale witten een eigen republiek uitroepen.

Er was één liberale witte geweest die grappen had mogen maken over apartheid. Naar de man die dat had gepresteerd, was ik op weg. Hij zetelde in Darling. Iedereen kende Pieter-Dirk Uys, iedereen vond hem fantastisch, dapper en hilarisch. Uys had televisieprogramma's gepresenteerd, hij schreef columns, en hij trad drie tot vijf keer per week op in Darling. Uys was zonder concurrentie Zuid-Afrika's beroemdste conferencier.

Darling ligt niet ver van Noordhoek, een kilometer of honderdtien noordwaarts. Ik reed er in de Cherokee in twee uur heen en vond ter plekke een echt en aardig dorp. Ik had er zin in zoals ik elke dag zin in de dingen had gehad (behalve misschien aan de Indiase Oceaankust). Ik gooide mijn Franse, leren tas op bed, stak mijn Japanse, donkerblauwe notitieboekje in mijn achterzak en wandelde het dorp in.

De baas van het Darling Café had een manier om schulden te innen die ik nooit eerder zag. Op zijn ruiten had hij postertjes geplakt met daarop de namen van zijn schuldenaars, plus de bedragen die ze hem moesten betalen: '1244 rand. Betaal jou skuld, Lucky.'

Het halve dorp – zo niet het hele dorp minus Lucky – floreerde bij de gratie van Evita Bezuidenhout, het bekendste alter ego van Pieter-Dirk Uys. Darling had aanzienlijk meer eetgelegenheden en b&b's dan men zou verwachten. Uys had zich met zijn theater, twee restaurants, een beeldenparkje en een nijverheidsmarkt gevestigd op het terrein en in de gebouwen van het oude station van Darling. Het geheel stond bekend als Evita se Perron.

Tijdens de apartheid had Uys naam gemaakt. Zijn cabaret werd, terwijl hij niet-aflatend en lachend kritiek leverde op de Zuid-Afrikaanse regering, nooit verboden of gecensureerd. Dat schreef men toe aan de invloed van een aantal belangrijke leden van de Nasionale Party, die het stiekem met Uys eens waren: zo kon het niet voortduren. Men zou ook kunnen zeggen dat Uys het ventiel was van een samenleving onder hoge druk. Uys stak de draak met de regels en de regering, maar maakte evengoed gehakt van de witte, zogeheten liberaal-democraten. Zo was een van zijn personages een rijke, joodse vrouw die opmerkte: 'Er zijn twee dingen mis met Zuid-Afrika: de apartheid en de zwarte mensen.'

In zijn hoedanigheid van Evita had Uys een week eerder een politieke partij opgericht; Evita's People's Party (EPP). Mensen aan wie ik vertelde dat ik naar Darling ging, hadden me daar meermalen op gewezen, zelf had ik het in de weekkrant *Mail & Guardian* gelezen, die fungeerde als Uys' spreekgestoelte. Wat wilde Evita (en ter verduidelijking: Evita praat over zichzelf in de derde persoon enkelvoud)?

1. Woorden én daden. Evita belooft niet haar mond te houden.
2. ANC staat tegenwoordig voor 'A Nice Cheque'. Evita zal het ANC aan een nog beter imago helpen.
3. Crèches in bejaardenhuizen. Dan hebben de oudjes wat omhanden.
4. Alle SUV-eigenaars moeten twee keer meer wegenbelasting betalen dan mensen met normale personenauto's. Vrouwen onder de zestig kilo met een SUV betalen vier keer zo veel.
5. Alle stadions van 2010 worden afgebroken en herbouwd op de vliegvelden. Op deze manier houdt Evita haar land vrij van plundering, verkrachting en doodslag.

Er waren mensen die dat plan serieus namen. 'Hij heeft altijd iets in de politiek willen doen', zeiden zij. Juist. En ik win volgend jaar de Nobelprijs voor de Literatuur.

Voor de show begon – ik was aan de vroege kant – praatte ik bij een vuurkorf met de Zimbabwaan Joshua. Op het Evita se Perronterrein vlocht en verkocht hij diertjes en schoenen van ijzerdraad. 'Ik ben acht jaar geleden uit Zim gevlucht omdat het er zo slecht ging, maar vreemd genoeg gaat het er nog steeds slechter, en slechter. Je denkt steeds: erger kan het niet. En dan wordt het niet nog een beetje erger, maar veel, veel erger.'

Hemelsbreed kon men in Zuid-Afrika niet verder van Zim zijn verwijderd, ik zag nog altijd dat gele, oude Datsunnetje en die enge, zwarte Hummers voor me. Slecht? Erg? Zim was hard bezig de hel op aarde te worden. Joshua kreeg gelijk. Nu ik je dit schrijf, ongeveer een week later, is er cholera uitgebroken in Harare. Cholera, associeer jij dat met iets anders dan de allerduisterste Middeleeuwen?

De show duurde een goed uur en was een aaneenschakeling van sketches, verkleedpartijen en een president Mbeki-buikspreekpop. Omdat ik zo lang in Zuid-Afrika was en me door middel van kranten en het SABC-journaal op de hoogte had gehouden, begreep ik driekwart van de grappen. Dat maakt het niet makkelijker om ze na te vertellen. Ik geef je er eentje: 'Gisteren was ik zo opgewonden dat ik elektriciteit had.'

Serieuzer dan de EPP was het plan van Mosiuoa Lekota om een partij te beginnen. Op 1 november vormde de beweging zich tijdens een conferentie in Sandton (je weet het: *suntan*), waarbij vijfduizend mensen aanwezig waren. Dat spektakel zou drie dagen duren, maar werd fluks ingekort tot twee dagen toen al die conferentiegangers nergens slaapplaatsen konden vinden.

Op 16 december 2008 zou de partij definitief moeten worden opgericht. 16 december, dat was de nationale feestdag,

Verzoeningsdag – alsook de dag waarop in 1838 de Voortrekkers de slag bij Bloedrivier wonnen van de Zoeloes.

De naam van de nieuwe partij zou, na veel gesteggel, COPE worden: Congress of the People. Lef had-ie wel, Lekota. Het ANC gooide er op dezelfde dag een bijeenkomst met Jacob Zuma tegenaan, maar COPE ging met de krantenkoppen op de loop.

Opiniepeilingen werden gehouden; het ANC zou nog steeds op driekwart van de stemmen kunnen rekenen. Niks was zeker – de nieuwe partij was er nog niet, Jacob Zuma kon nog steeds worden veroordeeld, de verkiezingen waren nog een half jaar weg.

Lekota zei tijdens mijn laatste dagen in Zuid-Afrika dat hij wilde stoppen met het voortrekken van zwarten. De witten – en daarmee veel geld en behoorlijk wat kennis – ontvluchtten massaal het land en Terror (de bijnaam die hij kreeg door zijn optreden op het voetbalveld) Lekota wilde een nieuw Zuid-Afrika bouwen, een maatschappij die niet op post-apartheidsdiscriminatie maar op gelijkheid was geënt. Dat was eerder gezegd, zeker. Maar er was wel wat nieuws aan de hand.

In Nelspruit kregen witten geen gemeentelijke opdrachten meer, Jacob Zuma zong over zijn machinegeweer als hij weer eens was vrijgesproken en joeg daarmee alle witten de stuipen op het lijf. Vergeet niet dat toen er een paar jaar geleden een nepbericht verscheen over Mandela's dood, het gerucht meteen ging dat die nacht een nacht van lange messen zou worden. De witten zouden de rekening voor de apartheid krijgen gepresenteerd. Als de schrik er voordien nog niet in zat, zat-ie er vanaf die dag zeker wel in. Je kunt een witte Zuid-Afrikaan niet banger krijgen dan hem te vragen wat er zal gebeuren na Mandela's dood.

Zwarten begonnen het dus voor witten op te nemen, redelijk in de geest van Mandela. Ik gaf COPE het voordeel van de twijfel, in elk geval boven Jacob Zuma. Hem vond ik een engerd.

Er bestond een derde macht, en die bestond ogenschijnlijk uit één persoon. Kaapstads burgemeester Helen Zille trachtte dag in, dag uit handhaver van de ratio te zijn, de redelijkheid te verwoorden, en de politieke orde te bewaken. Ze was er niet vies van het ANC te wijzen op ongrondwettelijkheden en onsportief gedrag. In welke hoedanigheid deed ze dat? Als leider van haar partij DA (Democratische Alliance), als burgemeester van Kaapstad, of als de waarheidsvindende journalist die ze ooit was geweest? Helemaal helder was dat doorgaans niet. Haar daadkracht en haar rechtdoorzeehouding vond ik bewonderenswaardig. Zilles DA bestuurde de welvarende West-Kaap en het welvarende Kaapstad vooralsnog, in de rest van Zuid-Afrika was de DA een kleine partij. Nu de splitsing van het ANC nabij was, en er een alternatieve keuze werd geboden, was de vraag hoe Zille en de DA die zouden weerstaan. De redelijkheid van COPE zou meer redelijkheid kunnen oproepen, zodat Zille garen zou kunnen spinnen. Maar als de Kaapse blanken en kleurlingen voor COPE zouden gaan stemmen, zou de DA ongeveer ophouden te bestaan.

Het speet me bij voorbaat dat ik tijdens de verkiezingen niet in Zuid-Afrika zou zijn; dat zou een spannende affaire worden.

De Cherokee deed het prachtig op de N7, de lange weg die helemaal doorliep naar het Namibische Windhoek. Wat was die weg recht, wat was die weg lang, wat was die weg precies wat ik me altijd bij een weg in Zuid-Afrika had voorgesteld. Was het August Willemsen die ooit beweerde dat zee altijd meer zee is dan land land kan zijn? Nou, echt niet. Wat een land. Ik verkneukelde me in mijn grijsleren bestuurdersstoel. Ha. Dit was het. Ik had onderweg soms gedacht dat ik het allemaal had gezien en gedaan en overal was geweest en hier reed ik een totaal ander hoofdstuk binnen.

De mensen veranderden. Ze leken ineens allemaal een halve meter kleiner. (Nóg kleiner? Ja, nóg kleiner.) En een paar tinten lichter. Ze droegen maffe petjes en andere gekke hoofddeksels. Ze leunden tegen en zaten onder boompjes. Niet al te geïnspireerd, zou jij zeggen. Ik raakte wild enthousiast. Louise sms'te vanuit Joburg (ze had jaren gewoond in de Noord-Kaap, in Port Nolloth): 'Grappige chappies.' Dat woord gebruikten wij vroeger voor mafketels.

De weg was lang, de weg was recht. Na drie uur rijden naderde ik Citrusdal, ik zag een bord van Outspan en een bord van Goede Hoop Sitrus en ik dacht: verdomd, Citrusdal, dat klinkt goed. Daar kan ik een groot glas vers sinaasappelsap drinken.

Het kwam erop neer dat ik hout sprokkelde.

Het motto van Patrick's Restaurant was 'A Cut Above the Rest', de serveerster sprak Afrikaans. Engels verstond ze wel, zei ze in het Afrikaans, maar toen ik in het Engels een glas sinaasappelsap bestelde, bleef ze staan. Ik zei het nog eens, ze bleef staan en ze zei niks.

Uit de moeizame conversatie die we daarna voerden, begreep ik dat er geen vers sinaasappelsap was. Geen seizoen, zei ze. Dan maar een Aqua d'Or, bronwater uit Hartebeeskraal bij Paarl. En ik bestelde een bord boerewors, want dat was er wel. Met gebakken eieren erbovenop. De enige andere gasten waren twee Afrikaners, in kaki, met kniekousen en rode koppen. Ik was duidelijk weer boven het boereworsgordijn beland.

De boerewors was best lekker, maar de bruine, Britse saus kwam uit een pakje. Na de wors belde ik naar de Wolfskop Lodge om een slaapplaats te regelen.

De Wolfskopman zei dat hij me een half uur later zou ophalen bij de Toyotagarage. Ik tankte er, rookte een sigaret in de zon, keek om me heen. In Citrusdal heerste rust. Rust. Rust.

De jongeman van Wolfskop reed een bakkie, hij wuifde naar me – kom mee, volg me. Ik reed in de Cherokee achter hem aan, een eind het dorp uit, de heuvels in, linksaf, een automatische poort door, een zandweg bergopwaarts, en hotseknotsend bereikten we een villaatje boven op de hoogste heuvel van Citrusdal. Wat was dat?

Dat was mijn onderkomen: Boeloe. Ik had staan kijken van de luxe in veel b&b's, ik had gezwommen in mijn eigen zwembad in Kaapstad en ik had mijn eigen appartementje in Joburgs beste hotel gehad – maar dít. Een compleet en rustiek villaatje waarvan ik me kon voorstellen dat Ernest Hemingway er een dubbelloops jachtgeweer zou doorladen. Zover als ik kijken kon, kon ik kijken. Geluid was er niet, op een gakkende vogel na die voor de veranda paradeerde. Hij hield het midden tussen een duif en een struisvogel. Het leek alsof de vogel 'banaan' riep, zoals de vogels in Balgowan hadden gedaan.

De enige braai die ik in Zuid-Afrika had meegemaakt, was die in Potch geweest, met Hein Neomagus en de conciërge van de universiteit, ome Jan. Dat was me niet genoeg. Al was het in mijn uppie, en al was het geen zondag en al zou ik er geen drie flessen wijn bij drinken, ik ging zelf braaien.

Ik sprong in de Cherokee, reed de vijf kilometer naar Citrusdal, parkeerde voor de deur van de Spar (gadegeslagen door een chappie of tien) en bedacht bij de vleesafdeling: wat ga ik dan braaien? Geen boerewors, want die had ik al gegeten, en zodoende werd mijn keuze beperkt tot lam of schaap. Met drie lamskoteletten, een guave, een zak hout en voorgesneden sla reed ik het stadje uit.

Ik had blokken hout, maar geen aanmaakhout, zodat ik rondom het huis aan het sprokkelen sloeg. De gakkende vogels keken toe. Takjes, een grote tak, een half bosje, met twee armen vol keerde ik terug naar de braai op mijn veranda, en omdat het hout droog was, brandde mijn braai meteen. De lamskoteletten smaakten naar schaap.

De Wolfskopman had gezegd dat ik 's avonds de deuren niet op slot hoefde te doen. 'Hier is geen criminaliteit', zei hij. Er waren dagen, uren en minuten dat ik dacht Zuid-Afrika te kennen en te begrijpen, en nog steeds waren er na al die maanden evenveel dagen, uren en minuten dat ik niets van dit land begreep. In mijn villaatje met mijn braai vormde ik een even zichtbaar als eenzaam doelwit voor griezelige rovers. Alleen waren er dus geen rovers, in Citrusdal woonden kennelijk louter grappige chappies.

Daar zat ik, op mijn privéheuvel boven Citrusdal. Ik vond het een buitenissige gewaarwording om een uitzicht te hebben van een kilometer of tien ver en tegelijkertijd niets te kunnen zien. Alles was donker, op mijn braai na. Om de tien minuten kwam er een auto het dal in gereden, of doorgereden, heel ver weg, zonder dat ik het bijbehorende geluid hoorde, en zonder dat ik de weg kon zien waarop de auto reed.

's Ochtends ontbeet ik met een kop rooibos en een loei van een *koejawel* – de guave.

Na een stukje over de N7 nam ik de brug over de Olifantsrivier. Bij de dorpsgrens van Clanwilliam werd de weg geblokkeerd door een veldwachter. Hij stak zijn hand op, ik moest stoppen. Hij vroeg me om mijn rijbewijs – 'om mee te beginnen.' In mei was ik nooit aangehouden door de politie, dit was na Joburg de tweede keer dat het me deze maand overkwam.

De agent bekeek mijn Nederlandse rijbewijs, keek naar de kentekenplaten en de belastingsticker op de voorruit, liep om de Cherokee heen en kwam toen bij mijn raampje terug. 'Alles lijkt in orde. Dus u bent toerist in ons land?'

'Jazeker.'

'Dan wens ik u een fijn verblijf in onze prachtige stad.'

Op dat moment vond ik hem een trotse perfectionist. Later bleek alsnog dat hij een chappie was geweest: een Nederlands rijbewijs is niet geldig in Zuid-Afrika.

Clanwilliam was inderdaad een prachtig stadje. De hoofdstraat was zelfs gezellig, met mooie oude huisjes en kerken, allerhande winkeltjes en koffiezaakjes, een Pep waar een kinderdisco aan de gang was en zeer, zeer vele kleine lichte mannen in blauwe ketelpakken.

Het was een kippeneindje geweest vanaf Citrusdal. De enige reden dat ik in Clanwilliam stopte, was medisch. Ik had een zere rug. Een paar dagen eerder had ik mijn nek verrekt en dat was gaan emmeren. Ik kon amper zitten van de pijn, mijn linkerarm trilde en mijn nek draaide niet meer. Op zich zou Clanwilliam dat probleem niet oplossen, maar een goed bed en wat rust wellicht wel.

De Clanwilliam Lodge was een onwaarschijnlijk hotel op die plek, het voorzag in loungebedden aan een groot zwembad, loungebanken in de bar en had zo'n moderne, halfindustriële uitstraling. Bij de receptie hing een massageprijslijst. Een kwartier later lag ik op een tafel en werd mijn rug gemasseerd door een meisje uit Kaapstad. Ze sprak geen Afrikaans toen ze naar de Noord-Kaap was gekomen, na een paar jaar sprak ze het mondjesmaat, vertelde ze. Ze masseerde me desondanks prima.

Ik liep Clanwilliam in, ik wilde in beweging blijven (later op de middag trok ik wat baantjes in het zwembad en de volgende ochtend liet ik me opnieuw masseren, maar de pijn bleef me sarren gedurende de rest van mijn reis).

Een schoen- en kledingwinkel verkocht ludieke petjes: PARIS – NEW YORK – CLANWILLIAM. De Spar was de mooiste en nieuwste Spar die ik tijdens mijn reis zag; het lokale aspect zat 'm er hier in dat de zakken pap er manshoog lagen opgetast. In een volgende winkel kocht ik een pakje biologisch geteelde rooibos van de Oudamboerderij.

Clanwilliam noemde zichzelf de wereldhoofdstad van de rooibos. Dat kon best zo zijn, maar ik vroeg me af waar die rooibos dan werd geteeld. Ik had onderweg geen akkerbouw gezien – zelfs in Citrusdal had ik geen fruitgaarden gezien. Hoe zat dat? 'Hoger in de bergen', zei de vrouw van de winkel, 'en verder oostwaarts zijn de plantages.' Was daar iets te zien voor mij? 'Nee', zei ze resoluut. 'Wij zijn de enige stad in de omgeving, verderop zijn alleen maar grote boerderijen.'

In Restaurant Olifantshuis was een meisjesfeestje gaande. De meisjes zaten aan de tafel naast me, ze waren allemaal wit, dertien en superopgewonden. Ik dronk er een fles van 'de hoogste wijngaard van Zuid-Afrika', de lokale Cederberg Sauvignon Blanc van 2008 (niet slecht, wel non-descript, een 7-). Dat was weer zo'n moment dat ik dacht best veel van het land te hebben gezien: wijn van de zuidelijkste wijngaard had ik gedronken, wijn van de hoogste wijngaard stond op mijn tafel, en morgen zou ik naar mijn vierde en laatste Zuid-Afrikaanse uithoek rijden.

De vader van het feestvarken kwam uit het restaurant naar buiten en sprak de meisjes bestraffend toe – moesten ze echt zo veel lawaai maken? De jarige reageerde: '*Ons es ernstig.*' En daarna renden de meisjes hand in hand rondjes in de tuin van Olifantshuis.

De meisjes spraken een helder Afrikaans dat ik enigszins kon volgen. Toen ik dat ik in mijn notitieblokje noteerde, dacht ik: wacht eens, of heb ik zo veel Afrikaans gelezen en gehoord dat ik het begin te verstaan? Ik was ingenomen met die gedachte, misschien begon mijn gehoor inderdaad te wennen aan het Afrikaanse accent.

En het Engels in deze streek was vertaald Afrikaans. Na het eten bestelde ik een pot thee. De ober zette kop en pot voor me neer en vroeg, uitschenkend: '*Should I put it full?*' Dat leek me vertaald zoals ook een Nederlander het zou hebben kunnen vertalen. Ik gaf hem antwoord in het Afrikaans – ik sprak een paar beleefdheidswoordjes. De ober verdween, waarop het jarige meisje, een schoonheid, zich naar me toedraaide en zei: 'Welke taal spreekt u echt?'

'Nederlands', zei ik.

Dat vonden de meisjes prachtig, alsof ik hen had verklapt een bekende filmacteur te zijn. 'Hij spreekt Nederlands', fluisterden ze tegen elkaar, alsof ik dat niet wist.

Ten noorden van Clanwilliam zag ik aanvankelijk boompjes en struikgewas, na een uur was er weinig begroeiing meer, zeg maar geen, alleen zand en dorre struikjes. Na twee uur rijden kon ik me voorstellen hoe de leegte van Namibië eruit moest zien. Ik was in de buurt van Zim geweest, op de Swazigrens, één pas verwijderd van Lesotho, bij Botswana, en nergens had ik echt de aandrang gevoeld om de grens over te steken. Maar telkens twijfelde ik of ik naar Namibië zou rijden. Dat land, dat pas bestaat sinds 1990, vormde voor mij een exoticum bij uitstek. Dat had te maken met de grootte, de leegheid, de maanachtige verlatenheid, maar bovendien wilde ik dat land zien omdat een volk met een beroerder lot dan het Namibische bijna niet voorstelbaar was. Nadat het land gekolonialiseerd was geweest door de Duitsers (en door wie? Door de vader van Hermann Goering) en de autochtone Herero- en Namabevolking vakkundig was uitgemoord, werd Duits Zuidwest-Afrika door de Volkenbond aan Zuid-Afrika overgedragen, waar even later de apartheid in alle hevigheid losbarstte. Dat was nog eens een gevalletje van de regen in de drup. Maar in Namibië had ik niets te zoeken, en de aarde zou er na de grensovergang niet anders uitzien dan het land er in de Noord-Kaap uitzag. Hoe dat was? Het was niet het midden van niets, dit wás het niets. Het benieuwde me wat Springbok zou voorstellen.

Via het Swartland boven Darling en de Cederbergregio had ik Namakwaland bereikt, het gebied waar de Khoikhoi leefden – de Hottentotten die men geen Hottentotten mocht noemen. In tegenstelling tot wat Adriaan van Dis had beweerd, bestond dat volk in zekere zin nog, hoewel hun raszuiverheid werd betwist. Ze waren goeddeels met de San (de Bosjesmannen) vermengd door huwelijken te sluiten en kinderen te krijgen. De resterende Khoikhoi spraken hun eigen taal niet meer, ze spraken alleen Afrikaans.

Ik had vreselijke verhalen over de Khoikhoi gehoord. Omdat ze een beeld van zichzelf hadden als mensen die niet mee konden komen in de moderne tijd, hadden ze zich verder en verder van de huidige Zuid-Afrikaanse maatschappij afgezonderd. De vrouw van de rooibos had me verteld dat ze drinkend zelfmoord pleegden, rondzwervend, neervallend, overtuigd van hun misplaatstheid. Ik vroeg haar of dat de mensen waren die ik lusteloos onder boompjes had zien staan en zitten. 'Ja, maar dat zijn degenen die ergens op wachten. Een bakkie of een taxi, om te gaan werken. Een groter deel van hen zul je nooit zien. Ze zitten in de wildernis en drinken zich dood.'

Khoikhoi hadden zich nooit gehecht aan grond. Grond was van iedereen. Ze schijnen nooit te hebben begrepen wat Van Riebeeck bedoelde toen hij hun grond wilde hebben – het ging hun voorstellingsvermogen te boven. Ze waren herders van wolloze schapen, en ze vingen vis in zee. Nadat de VOC hen van de Kaap had verdreven, liep hun aantal meteen terug – ook in de zeventiende eeuw hadden ze de wereld al niet meer kunnen bijhouden. Bovendien waren ze geknecht en door dodelijke, Europese epidemieën overvallen.

De San waren iets weerbaarder gebleken dan de Khoikhoi – om het ingewikkelder te maken, hadden de San oorspronkelijk etnisch tot de Khoikhoi behoord, waren het twee aparte volken geworden, die zich eeuwen later weer min of meer verenigden. San jaagden en verzamelden en beoefenden die activiteiten overal, rondtrekkend. Nadat ze zich onder dwang zuidelijker hadden gevestigd, waren ze boeren geworden. Van de San overleefden ook maar weinigen; een schatting is dat er nog honderdduizend San wonen in de West-Kaap, en verder nergens in Zuid-Afrika.

Hoewel de Afrikaanse lucht in de Noord-Kaap eindelozer leek dan overal elders en de uitgestrektheid van het landschap een eeuwigheid beloofde, paste deze streek bij die verdrietige verhalen. De dorre grond, flets gras, amper gewas, de afgevlakte heuvels en de parallelle hemel en aarde: dit was natuur (met een weg erdoorheen). Uitsterven paste uitstekend in deze omgeving, dat kon een leek zien – hoe kunstmatig dat uitsterven ook op gang was gebracht.

Een bord wees naar Moedverloor en naar No Hope, en die laatste plaatsnaam was met wit plakband doorgestreept. Dat was zo troosteloos dat ik ervan in de lach schoot. Ik reed, lachend achter het stuur van de infernorode Cherokee, door dat uitgestorven landschap verder noordwaarts. Als je me zou hebben gezegd dat ik aanstonds een volk of land zou ontdekken, had het me niet verbaasd. Op de weg en een enkel hek na leek alles hier onontgonnen, rauw, oorspronkelijk.

Net toen ik dat dacht, zag ik een cementen, hutachtig gebouw, bij Ratelgat Farm. Het leek erop dat het een Khoi-Sanmuseum zou worden, zoiets dacht ik althans te lezen op een bord. Gisteren heb ik het hier in Springbok nagevraagd: er worden daar huisjes verhuurd aan toeristen en die huisjes zijn gebouwd in de traditie van de Griekwa, het volk dat deze contreien als eerste bewoonde. Ze wonen in de Noord-Kaap en vreemd genoeg ook aan de andere kant van het land, in Kokstad, KwaZoeloe-Natal. Dat ik daar kort tevoren was geweest, gaf me een gevoel van voldoening. Het hele land leren kennen en begrijpen en alles zien was per definitie een onmogelijkheid, maar soms dacht ik dat ik in de buurt kwam.

Het verhaal van de Griekwa was opvallend. Ze hadden zich met de Boeren ingelaten, en de Boeren nagevolgd: ze spraken Afrikaans en waren hervormd of gereformeerd. Nadat de Boeren hun republieken hadden gesticht, waren de Griekwa hun eigen Griekwastaten begonnen. Zij deden wel mee aan moderne tijden, in tegenstelling tot de Khoikhoi. De cementen, augurkvormige ontvangstruimte van het vakantiepark was vooral een herinnering aan hun verleden.

Een springbok zag ik niet in Springbok. Wel stapten in mijn voortuin emoes rond. Op een blad in een struik zag ik een sprinkhaan zitten, ter grootte van een kindervuist, die zo bont gekleurd was dat hij eruitzag alsof-ie carnaval ging vieren. 's Avonds wreven duizenden krekels hun vleugels tegen elkaar.

Ik schreef je dat er in Springbok iets was waar ik geen genoeg van kon krijgen. Dat was niet de krekelherrie, dat waren de sterren aan de hemel.

Hunter: sterren, sterren, sterren, elke avond zo veel sterren, sterren als een spiegelpaleis, sterren als een wand voor me, een wand achter me, als een laag plafond boven me. De eerste avond dacht ik dat ik meer sterren zou zien als ik op mijn rug in het gras van mijn tuintje zou gaan liggen – dat was niet zo. De sterren omringden me. Ze schenen niet alleen massaal, maar ook heel fel en helder en ze leken nauwelijks gegroepeerd, ze waren overal. De sterren leken via alle vijf mijn zintuigen op me af te komen. Het was schitterend.

In het Krugerpark had ik geluk gehad, aan de Indische Oceaan had ik een barende walvis gezien, regelmatig zag ik een aap – dat had ik allemaal nooit voorzien, ik had van tevoren geen rekening gehouden met de natuur van Zuid-Afrika.

Ik was gekomen voor de mensen, voor de Zuid-Afrikaanse maatschappij, omdat ik dacht dat 2008 een belangrijk jaar voor het land zou worden, omdat ik een land wilde leren kennen dat ik totaal niet kende. Ik kreeg meer dan ik had verwacht. Ik maakte vrienden, ik reed door een kleine burgeroorlog, mijn beeld van het land veranderde beetje bij beetje tot ik het land vereerde als een fetisjist en ik zag de natuur. Ik beschouwde de sterren van Springbok als een afscheidscadeau, een bonus, een toegift. Ik kon mijn geluk niet op.

's Avonds heel laat kreeg ik een sms van Louise: 'De sterren van Springbokkie zijn niet slecht, wel?'

Ik bleef een paar dagen in Springbok. Niet omdat ik er iets zocht – maar om je overdag deze brief te schrijven en elke avond, bij wijze van hoofdvoorstelling, uren naar de sterren te kijken. Niet slecht, nee, daar had Louise gelijk in – het was alsof de sterren bij me aan tafel zaten, alsof ze bij de aarde hoorden en dus bij mij.

De natuur was rondom me, ik zei het je al. Als ik 's ochtends douchte, rook ik het ijzer in het water, als ik daarna mijn deuren opende, rook ik de mineralen in de grond, het zand, de planten.

Bij de SuperSpar in Springbok – op de viersprong naar Kaapstad, Namibië, Nababeep en Pofadder – kocht ik *Ons Kontrei – Ons mense se koerant* en *Die Plattelander – Egte nuus vir opregte mense.* Die kranten las ik terwijl ik het dagmenu at dat me werd voorgezet in het restaurant van de Daisy Country Lodge. Pompoensoep, lamsstoofvlees, apfelstrudel. Dat was een fijne, huiselijke maaltijd op de grens met Namibië.

Ik las dat een hond door een bij was gestoken en daar behoorlijk last van had, en dat er een registratiebijeenkomst in het dorp Okiep werd georganiseerd waar jongeren zich konden melden zodat ze zouden kunnen stemmen bij de nakende verkiezingen ('dj Webster draait muziek!'). Die krantjes waren de plaatselijke sufferdjes, ze bestonden bij gratie van de advertenties van gemeenten en lokale neringdoenden.

Bij de strudel bestelde ik een glas dessertwijn, een Simonsig Vin de Liza Late Harvest uit 2006 van Cabernet-Sauvignondruiven (een 8), en ik schreef aan het zwembad, bijgelicht door de sterren, verder aan deze brief.

Overdag waren er geen sterren, zodat ik gisterochtend richting Kleinsee reed. Louise had me gezegd: 'Als je twintig minuten in de richting van de Atlantische Oceaan rijdt, zul je zien dat alles anders is.'

Alweer alles anders? Het was om moe van te worden, maar het was zo. Ik reed Springbok uit, de heuvels in, de heuvels werden bergjes, en al snel was ik totaal alleen. Het was dat ik wist dat de hoofdstad van Namakwaland dichtbij lag, anders had ik me aan het einde van de wereld gewaand.

Na een half uurtje stopte ik de Cherokee bij een uitzichtplek over een vallei. Het leek op Jurassic Park, zo onbezoedeld. Het was er mooi maar mooi alleen was niet genoeg. Ik dronk een flesje water, rookte een sigaret, en alles wat ik zag bewegen terwijl ik daar stond was een cirkelende roofvogel.

Ik reed terug naar Springbokkie. Het was lekker weer, een graad of zesentwintig, ik reed met de raampjes open.

In restaurant Melkboschkuil, op de hoek van de Appie Visserstraat en de Voortrekkerstraat, bestelde ik een kipsalade. De lichtbruine serveerster staarde me wezenloos aan. 'Is het er niet?' vroeg ik – dat gebeurde aan de lopende band, ik had al twee reservegerechten gekozen. Ze zweeg. 'Is er een probleem?' vroeg ik.

Ik wees het gerechtje aan op de kaart, en terwijl ik dat deed, drong tot me door dat zij waarschijnlijk geen woord Engels kon spreken, louter Afrikaans. Daarop gebruikte ik een paar van de woordjes die ik had opgestoken en zeventien minuten later verscheen de kipsalade. '*Baie dankie*', zei ik. Ze zei niets. Het was de beste kipsalade die ik in Zuid-Afrika at. Toen ik een tweede colaatje bestelde, leek ze haar spraakvermogens te hebben herwonnen. In klinkklaar, voor mij volstrekt verstaanbaar Afrikaans zei ze: *'Dis die weer daarvoor.'*

Dat was dat. Aan het einde van de wereld (dat was het natuurlijk wel, ook al zei ik net van niet), in een soort woestijn in Afrika, werd mijn taal welluidender gesproken dan in mijn eigen land.

Hunter, het is vroeg in de ochtend. De sterren zijn onzichtbaar, de krekels houden hun vleugels stil.

Zoals elke ochtend in Afrika werd ik vanochtend om zes uur wakker. Ik opende de deuren naar mijn veranda en rook iets. Wat rook ik? Niet louter grond, plant en zand. Ah, er stonden twee emoes. Ze keken me verward aan, alsof ze me op iets wilden wijzen. Ik stapte in mijn pyjama de veranda op. Ze bleven stokstijf staan. Ik keek rond. Op de reling van de veranda zat een aap. Ik denk een soort baviaan, maar best klein.

Het is veertien graden, de zon loopt nog warm.

Zo dadelijk begin ik aan mijn laatste terugreis – en eerst rijd ik de zeshonderd kilometer terug naar Kaapstad. Is het niet leuk dat deze terugreis ruim een week gaat duren, in plaats van elf eenvoudige vlieguren? De eigenares van de Daisy Country Lodge waarschuwde me tijdens mijn ontbijt: vanwege het popfestival in Koekenaap zal het enorm druk zijn op de N7. File! Meer oponthoud: des te beter. In dat tempo lijk ik nog meer op Jan van Riebeeck.

Hou je taai, mijn vriend.

Dylan

Liefde in tijden van cholera

a/b LH 573, 1 december 2008

Beste Hunter,

Van oponthoud op de N7 was vorige week geen sprake. Vanuit de tegengestelde richting passeerden me af en toe oude auto's met jonge muziekliefhebbers erin, dat wel, maar ik stoomde in één lange, afmattende moeite door naar Kaapstad.

Ik had een appartement gehuurd in Barnet Street, in Gardens. Die buurt ligt om het Mount Nelson Hotel heen, maar vreemd genoeg kende ik het er nauwelijks. Het bleek de leukste buurt van de stad. Louise vertelde aan de telefoon dat ze er had gewoond. 'Waar in dit land heb je eigenlijk niet gewoond?' vroeg ik aan haar.

'Messina-Musina,' zei ze, 'dat is van jou alleen.'

Het appartement was een vondst. Barnet Street was een heel klein, stil, eenrichtingsverkeersstraatje, op een centrale plek – de Kompanjiestuin lag om de hoek. Bovendien had ik twee terrassen van serieus formaat die me uitzicht gaven op de Tafelberg, en als ik naar beneden keek, de straat in, zag ik het beste restaurant van Kaapstad, Aubergine van kok Harald

Bresselschmidt. Je zou zo in Barnet Street willen wonen. En ik ook.

Dit zou mijn laatste Kaapbezoek zijn en het zou de laatste blik zijn die ik op Zuid-Afrika zou werpen – dat was mijn vastomlijnde plan geweest. De cirkel zou rond zijn nadat ik de hele N1, de hele N2, de hele N3 en de hele N4 had afgereden, die lange luxe trein had genomen om dan via de hele N7 opnieuw in de Moederstad te belanden.

Omdat ik mijn plannen twee weken geleden had gewijzigd, zat ik in Kaapstad een beetje verbouwereerd om me heen te kijken. De plannen om de beste wijn van mijn reis op de Kaap op het laatst te drinken, om op mijn laatste Zuid-Afrikaanse avond in het beste restaurant van het land te eten en mijn laatste brief aan jou te hebben voltooid, waren allemaal futiel. Ik ging nog terug naar Joburg, en dat maakte mijn bezoekje aan Kaapstad in zekere zin nutteloos en overbodig.

Daarom lanterfantte ik, wandelde ik in de zon, bezocht musea en vooruit, toch ook maar wat goede restaurants, ik hing op mijn terrassen. Overal waar ik me bevond, werd ik steeds zenuwachtiger voor mijn nieuwe bezoekje aan de hoofdstad van Gauteng – ik was in Kaapstad, maar mijn gedachten waren er nauwelijks.

Dunkley Square lag op veertig meter afstand van mijn appartement, en dat was wel het minst Zuid-Afrikaanse pleintje dat ik in Zuid-Afrika heb gezien. Er zaten een paar weinig ambitieuze kroegjes, een obscuur appartementenhotel, en vooral was het een niet al te drukke parkeerplaats. Dat plein was helemaal naar mijn smaak. Ik dronk er 's ochtends koffie, lunchte er een paar keer en dronk er 's middags een Windhoekie. Tijdens een valavond zag ik een Toyota Prius het pleintje op rijden. Wat me eraan opviel, weet ik niet, maar dat Helen Zille uit die auto stapte, zag ik haarscherp. Ze was net gekozen tot beste burgemeester ter wereld van 2008, ze had een chauffeur, maar beveiligd werd ze niet. Mocht je denken dat ik waanbeelden zag, het kenteken van de auto was CA 1.

Het zal je niet verbazen dat ik op een avond bij Aubergine at. Een schnitzeltje als amuse, konijnsalade vooraf, en als hoofdgerecht asperges uit de Vrijstaat. Ik dronk er een fles Chenin Blanc uit 2005 van Raats bij: een 8,5. Zo goed at ik zelden in dit land, zo origineel nooit.

Net toen ik dacht dat ik zo volledig mogelijk over Zuid-Afrika was geweest als ik had kunnen zijn, werd ik op een belangrijke omissie gewezen.

Ik liep 's ochtends vroeg in het South African Museum, rondavel hier, rondavel daar, tussen honderden schoolkinderen. De witte allemaal schreeuwend en rennend, de zwarte kinderen hand in hand, in een rij. Het verschil tussen wit en zwart was overal in Zuid-Afrika groot geweest, maar zo'n enorme, gapende discrepantie had ik niet eerder gezien.

Dat was niet wat ik had gemist; ik had een diefstal over het hoofd gezien. Ik liep op de afdeling opgezette dieren en dan bedoel ik geen kleine opgezette dieren – al waren er ook pinguïns en apen. Ik bedoel enorme opgezette dieren: nijlpaarden, giraffes, olifanten, buffels, leeuwen, tijgers en een neushoorn. Een neushoorn, maar zonder hoorn. Gestolen, dacht ik, en dat klopte. Alleen was de hoorn niet, zoals ik dacht, gestolen voordat de neushoorn werd gedood, opgezet en geëxposeerd. Op een provisorisch briefje van het museum stond dat de hoorn in de nacht van 15 april 2008 was gestolen, gedurende een inbraak in het museum.

De negentiende-eeuwse *witrenoster* stond er zielig bij, zo zonder zijn hoorn, zijn neus met naald en draad dichtgenaaid. De dieven, zo meldde een artikel uit *Die Burger* dat naast de mededeling van het museum hing, zouden de hoorn vermalen en de pulp willen verkopen in Azië. De legende wilde dat het poeder tegen van alles en nog wat zou helpen – uiteraard in de eerste plaats tegen erectieproblemen. Maar, zo schreef de krant, dat zou de dieven niet glad zitten. In de negentiende eeuw waren de conservatiemethoden nog maar weinig geavanceerd geweest en teneinde motten, wormen en andere azende insecten ervan te weerhouden de hoorn te verteren, waren arsenicum en DDT gebruikt om de hoorn te preserveren. Een Chinees zonder erectie zou er dus weleens een nieuw probleem bij kunnen krijgen.

Buiten het museum, in de Kompanjiestuin, lag Odwa Pani in het gras. Ik herkende hem meteen, en hij mij ook. 'Sir,' riep hij, en kwam in een drafje op me af, 'sir.'

Zoals ik je schreef, had ik er nooit aan getwijfeld dat ik Odwa zou weerzien. Dat-ie daar in het gras zou liggen te luieren, had ik er niet bij bedacht. Moest hij niet voltijds bedelen? 'Ik kon vannacht niet meer naar huis, sir,' zei hij op zijn eigen, beleefde wijze, 'ik was te laat voor het bakkie. Ik heb hier geslapen. Straks komt mijn moeder me ophalen.'

Ik zag mijn kans schoon. 'Mag ik mee?' vroeg ik aan Odwa. Zo had ik het me voorgesteld – mijn eigen, hoogstpersoonlijke townshiptour met mijn eigen Odwa. Odwa keek me met grote ogen aan.

Hij zag er opvallend uitgeslapen en doorvoed uit. Nou is het een beetje gek om aan een Kaaps bedelaartje te vragen waarom hij er zo gezond uitziet, maar ik vroeg het hem wel.

'Sir,' zei Odwa, en zoals altijd fluisterde hij haast, 'ik heb al een paar weken heel veel geluk gehad. Er was een man uit Denemarken die me heel erg aardig vond.' Wat was dat?

Er was geen smerigheid in het spel, vertelde Odwa, de man had hem gewoonweg elke avond voorzien van wat rands en hem de restanten van zijn maaltijden gegeven. 'Lekker, sir.'

Vorige keer had ik Odwa geadviseerd de politiek in te gaan. Maakte hij aanstalten? Nee, vertelde hij. Op school blonk hij uit in het schrijven van verhalen, hij wilde schrijver worden. 'Wil je altijd arm blijven dan?' vroeg ik, en Odwa keek verschrikt op.

'Nee,' zei hij, 'u bent toch ook niet arm? Mag ik uw schoenen hebben?' Dat had hij vorige keer ook gevraagd, en ik was inderdaad van plan hem mijn Afrikaschoeisel te geven.

Op een bankje in de VOC-tuin van Van Riebeeck praatten Odwa en ik een uurtje. Er hing een zweem van oplichting rond mijn jonge vriend. Ergens haperde zijn verhaal, iets klopte er niet, er schortte wat. Maar wat? Zijn verhalen waren te gelikt, al klopten ze van geen kanten. Hij ging elke dag trouw naar school. 'Onderwijs is alles', zei hij, zijn duimen in de lucht stekend. Maar het was een doordeweekse dag en hij lag zojuist nog te dutten in het park. Zijn moeder kwam hem halen, maar ze verscheen niet. Zijn schoenen waren helemaal kapot, maar op de rest van zijn kleding viel niets aan te merken – ik zag er niet noemenswaardig anders uit dan hij (wat kleding betrof).

'Hoe laat gaan we naar Khayelitsha?' vroeg ik, en Odwa keek me verward aan.

'Het Khayelitsha Festival is voorbij, sir', zei hij.

'Dat weet ik, Odwa', zei ik – ik had in de krant gelezen over die drie dagen van zang en dans in het township, die de mensen moest verbroederen. 'Daar kom ik niet voor. Ik wil jouw huis zien.'

'Sir, als mijn moeder komt, wilt u met ons mee?'

'Als dat mag.'

'Sir, zal ik iets te drinken voor ons kopen? Wilt u cola, sir? Net als de vorige keer?'

Met 20 rand in zijn hand verdween Odwa Pani uit mijn leven.

De ochtend daarna reed ik in de Cherokee naar Khayelitsha, dat gedeeltelijk aan zee bleek te liggen. Khayelitsha aan Zee: zou ik een Zuid-Afrikaans ondernemer in de toeristische sector zijn, dan wist ik het wel. Wat nou Bloubergstrand of Camps Bay? Een strand naast een township, dat leek me precies wat moderne toeristen zouden willen. Een shebeentje als strandtent, een paar hutten om in te slapen: verantwoord en toch zonnig.

Ik was niet van plan Odwa te zoeken om mijn 20 rand terug te vorderen; ik wilde Khayelitsha van dichtbij zien. Het was zogezegd het Soweto van Kaapstad, het bekendste en beruchtste township. Het beste dat ik ervan kan zeggen, is dat het gedeelte van Khayelitsha waar ik reed armoediger, hobbeliger en ongezelliger leek dan Crossroads en Mitchell's Plain, de townships waar ik in januari doorheen was gereden op mijn terugweg uit Stellenbosch.

Khayelitsha was het onderwerp van een gelijknamig, in 2007 verschenen boek. Het is geschreven door de Zuid-Afrikaanse journalist Steven Otter. Hij was midden in het township gaan wonen om over het leven ter plekke te schrijven. Een goed idee. Ik kocht het boek, ik las het niet uit. Het was geen onsympathiek boek – zoals de slechte Zuid-Afrikaanse boekjes van Zoeloekrijgers en enge witten – of slecht geschreven, het was vooral een saai bestaan. In Khayelitsha gebeurde van alles, jawel, maar er gebeurden weinig dingen die nergens anders zouden kunnen gebeuren. Gehorig wonen en buren horen copuleren leken me geen extremiteiten die exclusief aan townships of aan Khayelitsha waren voorbehouden.

Was het er gevaarlijk? Het Zuid-Afrikaanse antwoord: nee, want mij is niets overkomen. Mijn eigen antwoord: nee. Van alle misdaad in Zuid-Afrika vindt een absurd hoog percentage in de townships plaats, en daarvan wordt een absurd hoog percentage gepleegd door dronken mensen onderling, in shebeens of in de eigen woning. Wat er dan aan misdaad resteerde, was niet veel meer dan in andere onveilige landen, en zorgde ervoor dat ik in een, weliswaar gecalculeerde, relatieve veiligheid door Khayelitsha kon rijden. Ik nam alleen de hoofdwegen, ik stopte nergens en reed met mijn deuren op slot. Een enkeling stak zijn hand op naar de Cherokee, daar bleef het bij. Heldhaftig was ik niet; maar om laf te zijn, moet je kunnen redeneren.

Niet voldaan maar wel heelhuids keerde ik terug in Barnet Street, waar zwervers het vuilnis van de bewoners nazochten op etenswaren, plastic tasjes en flessen.

Omdat ik op de Kaap was, wilde ik de kans niet laten schieten om een lokale fles wijn te kopen. Dat deed ik bij de leukste wijnzaak van de stad, Vino Pronto, op de hoek van Oranjestraat en Beckham Street. Eigenares Shirley Griffiths maakte dat winkeltje zo leuk. In haar eenmanszaakje versloeg ze met een afwijkend assortiment alle grote slijterijen van Kaapstad. Of ze echt veel van wijn wist, kreeg ik nooit goed in de gaten, maar eigenwijs was ze wel en elke keer als ik een fles bij haar kocht – in mei was ik ook klant bij haar geweest – zei ze bij het afrekenen: hm, daar zou ik nu best een slokje van lusten.

Voor Louise kocht ik een fles vonkelwijn, de High Constantia Clos André, vintage 2006. Shirley zei: 'Daar heb ik elk moment van de dag trek in.'

Hunter, je zou kunnen denken: kreeg hij er nooit genoeg van? Werd het hem niet te lang, te veel, te ver? Was Zuid-Afrika, hoe gemakkelijk hij zich er ook voelde, niet vooral, in de eerste plaats, een buitenland? Nou, nee. Als ik in Zuid-Afrika had moeten blijven wonen, dan zou ik hebben gezegd:

prima. Een dieet van bruin brood en bruine suiker had ik op de koop toe genomen.

Wat dat was? Niet alleen alle redenen die ik je in mijn vorige brieven gaf – het Afrikaans, de mensen, mijn nieuwe vrienden, de souplesse waarmee ik me bewoog. Zuid-Afrika gaf de reiziger een gevoel van vrijheid en van mogelijkheden, precies zoals de Kaapse Nederlanders me in januari hadden verteld. Dat Zuid-Afrika een jong land was – althans in de huidige vorm – hielp daaraan mee, de ruimte hielp, de gastvrijheid en de openhartigheid hielpen. Ook zoiets idioots als Orania gaf me dat idee. Wie iets wilde beginnen, die deed dat.

Ik hoefde niet te blijven, en de mogelijkheid om te blijven kreeg ik evenmin. De ironie school erin dat mijn situatie omgekeerd evenredig was aan die van de witte en zwarte Zuid-Afrikaanse midden- en onderklasse. Zij wilden weg, maar konden niet. Ik zou nog even blijven, maar ik vond het even dat me restte vooraf al te kort.

Ik schrijf je deze brief aan boord van een Lufthansa-747 op weg van Joburg naar Frankfort, op weg naar huis. Zes dagen geleden heb ik de Cherokee naar het vliegveld van Kaapstad gereden om naar Joburg te vliegen. In de vertrekhal telde een elektronisch bord af: 555 DAE TOT AFSKOP.

Met de goedkopestoelenmaatschappij 1Time vloog ik naar Tambo: dat betekende dat ik in een vliegtuig zat dat ouder was dan ikzelf. Onder me zag ik de Karoo. Vanuit de lucht leek dat gebied nog onheilspellend veel droger en verlatener dan ik het in april vanuit de trein had ingeschat.

Hoe oud het vliegtuig ook was en hoe dor de grond onder me, ik was een man met een missie en een man vol opgewonden nervositeit. Ik kon niet verder vooruitkijken dan de komende dagen, ik had geen benul van wat er komen zou en als je me had gezegd dat ik deze nacht ontroostbaar van geluk en van ongeluk aan boord van deze Boeing zou zitten, had ik je uitgelachen. Zuid-Afrika had me optimistisch gemaakt; er was vrijheid en ruimte voor nieuwe plannen. Ik was vastberaden.

Aan boord van vlucht 102 naar Joburg las ik de krant. In Zim waren een maand geleden heel veel nullen van de bankbiljetten geschrapt, nullen die vliegensvlug terugkeerden – de inflatie bedroeg er 231 miljoen procent, en steeg. Dat had iets komisch, hoewel een droevig verhaal tekende hoe het er in de praktijk aan toeging: een vrouw wil een zuigflesje voor haar baby kopen, heeft te weinig geld bij zich omdat het duurder is dan de vorige dag, gaat naar de bank, wacht daar twee uur in de rij, neemt het maximaal toegestane bedrag op en komt er bij terugkeer in de winkel achter dat de prijs van het flesje weer hoger is geworden, waardoor ze terugmoet naar haar bank, waarna de prijs weer meer is gestegen dan haar bank haar liet opnemen – en dat drie keer achtereen.

Serieuzer waren de berichten over de cholera-epidemie. De cholera had zich van Harare uitgespreid over de rest van Zim, en was de Limpopo overgestoken naar Messina-Musina. Mensen werden er in een kamp en in ziekenhuizen in quarantaine gehouden.

Tienduizenden Zims waren ziek, er vielen daar honderden doden. De *Mail & Guardian* die ik op het vliegveld van Kaapstad had gekocht, noemde er zevenhonderdeenendertig. Mugabes regering bagatelliseerde dat cijfer niet, maar wist gelukkig de oorzaak feilloos te duiden: de cholera was door de Engelsen over Zim uitgestort. Ja, joh. Lalaland is er niets bij.

De hoogte van Joburg bleef me benauwen. De Witwatersrand was, waar de stad lag, ruim zeventienhonderd meter hoog. De entree van The Westcliff, op de hogere Westcliff tenslotte, lag alweer tweehonderd meter daarboven, en kamer 106 lag het hoogst, nog eens honderdtien meter de lucht in. Daar sliep ik.

Als ik snel twee trappen opliep, was ik buiten adem, als ik zwom zonk ik na een paar baantjes vanzelf, en door het zuurstofgebrek sliep ik 's nachts matig.

Er werd aan mijn deur geklopt. Dat kon maar één persoon ter wereld zijn, aangezien ik mezelf had ingesloten met het NIET STOREN-bordje om de klink. Zij was het. Perplex en ongemakkelijk keken we elkaar recht aan; haar ogen waren groter en bruiner en vrolijker dan ik me had herinnerd. We zoenden en we hielden elkaar heel lang heel stevig vast. Ik denk dat we allebei een beetje huilden, maar om de ander niet in verlegenheid te brengen, huilden we allebei onzichtbaar. Louise vroeg: 'Weet jij ook niet waar we moeten beginnen?'

Vanaf het terras van kamer 106 zagen we de magentakleurige stad. Door echte liefhebbers werd de stad 'Joees' genoemd – uitgesproken als *jo-ies*, stad van Jo – zo werd ik verder ingewijd door Louise. Joees zag er in dit licht, vanuit deze hoek, welvarend en florerend, goud- en paarskleurig uit.

De hoogte van Joburg zorgde ervoor dat voetbalelftallen trappelden om er tijdens het WK te verblijven. De ijle lucht zou de spelers in de beste conditie brengen, want als ze daarna in de stad zelf, of in Pretoria, Pietersburg-Polokwane, Rustenburg of Nelspruit zouden spelen, zouden ze met grote hoogten te maken krijgen. Mochten ze lager spelen, in Durban, Port Elizabeth of Kaapstad, zou dat de energie van de spelers doen opvlammen.

De Nederlandse voetbalbond, de KNVB, bleek zich te hebben gemeld bij The Westcliff. Louise keek me aan, lachte en zei: 'Ik stel ze me voor zoals ik jou zie, alleen dan nog fitter. Klopt dat een beetje?'

'Ja,' zei ik, 'dat klopt zelfs precies. Ik lijk als twee druppels water op Khalid Boulahrouz.'

'Dan sta ik niet voor mezelf in', zei ze. Ze vertelde me dat de Duitse voetbalbond, de DFB, eveneens naar The Westcliff had gebeld voor volpension. Wat moest ze doen, welke ploeg zou in haar hotel mogen slapen?

'Nou,' zei ik, 'ten eerste: Duitsers komen doorgaans verder dan Nederlanders in voetbaltoernooien, dus dat levert meer op. Ten tweede is hun achterland groter, dus bereik je met Duitse publiciteit meer potentiële toeristen. In mijn eigen belang, ten derde, speelt Boulahrouz in Duitsland, maar voor Nederland. Kortom, ik zeg Duitsland.'

'Duitsland wordt het,' zei ze verbazingwekkend stellig, 'bied jij de Nederlanders je excuses aan?' Hunter, een regelrechte primeur, helemaal alleen voor jou: als Oranje het WK 2010 door slaapgebrek niet wint, is dat geheel en al mijn schuld.

Mijn tweede dag in de stad bezocht ik het Apartheid Museum. Van gezaghebbende musea had Zuid-Afrika er niet veel, en mijn hoop was aldoor op dit museum gevestigd geweest. De naam klonk autoritair en het museum was dat ook. Vijf grote bussen vol zwarte kinderen werden gelost toen ik er aankwam – even later zag ik dat ze door het museum werden gejaagd in zo'n noodtempo dat het me verwonderde dat ze niet over elkaar struikelden. Onderwijs is alles, Odwa had het gezegd, maar om op deze manier een excursie te organiseren, leek me zinloos.

Het Apartheid Museum was, en dat is een echt Zuid-Afrikaans verhaal, gebouwd op het terrein van Gold Reef City, waarin het Gold Reef Casino huisde. Dat was een voorwaarde geweest toen de Zuid-Afrikaanse regering in de jaren negentig casino's had toegestaan: er diende een toeristentrekkend en werkgelegenheidscheppend effect van uit te gaan. Men zou kunnen volhouden dat casino's dat zelf zouden genereren, maar klaarblijkelijk moesten de financiers er iets 'verantwoords' naast zetten. Gold Reef bouwde, voor 80 miljoen harde rands – eind jaren negentig – het Apartheid Museum.

Als ik je schrijf dat er een ingang voor *whites* en een ingang voor *non-whites* was, begrijp je al enigszins welke kant het opging. Het was net een kijk-, speel- en doepaleis. Er was een hoofdexpositie, er waren nevenexposities, gesloten zalen (zo veel gesloten en gebarricadeerde zalen, in feite, dat het hele museum wel gesloten leek) en er waren mini-exposities, en dat alles was uitgesmeerd over allemaal halve en hele verdiepingen en in vage gangen. Ik kon er geen wijs uit worden.

Vooral de begingeschiedenis van de apartheid interesseerde me – dat was voor mijn geboorte geweest, ik wist er weinig van. In een donkere ruimte was die niet chronologisch, maar vooral thematisch aangepakt. De teksten waren wijdlopig, en dan druk ik het zacht uit: wie had hier een half boek tentoon willen stellen? Omdat ik geen idee had waar ik moest beginnen, waar ik kon doorlezen en wat er eigenlijk te lezen viel, was er geen beginnen aan.

In een belendende zaal klom ik in een Casspir, het antigranaatvehikel dat het symbool was geworden van de onderdrukking in de townships door de Nasionale Party. Dan moest je niet aan claustrofobie lijden, zeg. Wat was dat benauwd, de schietgaten noch het dubbele kogelwerende plexiglas van de minieme raampjes bood soelaas. Onderdrukt worden was vast geen lolletje geweest, maar onderdrukken leek me ook geen sinecure.

Het terras van het museum gaf een groots uitzicht over de stad, en over de gigantische, goudkleurige zandhopen die de stad van de Soweto scheidde. Dat zei me meer over apartheid dan het museum, dat veel informatie bood en een heldere uitstraling had, maar in essentie een labyrint was. Hoe mooi het ook lag, hoe mooi het was gebouwd en hoe mooi het er ook uitzag, het was een teleurstelling.

Tussen mijn nachten in kamer 106 van The Westcliff door sliep ik in Clico Guest House, aan Sturdee Avenue in Rosebank. 'Je kunt me niet doorlopend op mijn werk van mijn werk houden', had Louise gezegd en prompt dat onderkomen voor me geregeld. Het was een klein, persoonlijk hotelletje, met Deon Kloete als kok. Hij kookte op een avond een geweldige lamsrib en schonk er een shiraz uit 1997 van l'Ormarins uit Franschhoek bij (gesticht eind zeventiende eeuw en daarmee een van de oudste wijngaarden van het land. Helaas was de wijn ook een beetje oud, vandaar een 8-). We aten die avond met de tuindeuren open, terwijl het goot. Best tropisch. Als het niet zo koud was geweest.

Louise had me in Clico ondergebracht omdat ik dan kon lopen naar de wijken Parktown en Rosebank – dat zou gezelliger voor me zijn als ze geen tijd voor me had. Zo gezegd, zo gedaan: als ze geen tijd voor me had, ging ik uit wandelen. In Joburg zijn weinig afstanden te belopen, eigenlijk is er helemaal niets te belopen, en de ligging van Clico was een uitkomst voor me.

Het regende alle dagen, ik wandelde onder een geleende paraplu naar de Vida e Caffè in Parktown, ik at er een buitenformaat muffin met appel, rozijn en banaan; in de nieuwe tabloid *The Times* las ik dat aidsactivisten ex-president Mbeki en Manto Tshabalala-Msimang wilden aanklagen. Ze verweten het duo 'dood door schuld, meer specifiek: schuld aan de dood van driehonderddertigduizend mensen', omdat ex-president Mbeki en diens minister van Gezondheid die mensen niet bijtijds hadden voorzien van hiv-remmers.

's Middags liep ik onder mijn paraplu naar de Rosebank Mall en kocht er een mooie zomertrui. Het was zomer, maar 's avonds was het koud.

Op vrijdagmiddag hobbelde ik naar galerie Momo aan de 7de Laan, en naar galerie Everard Read in Parktown North. Die laatste galerie deed in niets onder voor een middelklein museum voor moderne kunst, en al was het allemaal geen kunst waar ik bakken vol van in mijn huis zou willen zien, de moeite waard was het wel, en Zuid-Afrikaans was het zeker. Op de parkeerplaats stond een glimmende Bentley.

Op mijn terugweg van de galeries werd ik in de namiddag gepasseerd door de Conquest van mijn geliefde – ik herkende haar auto meteen. Ze remde en door het raam riep ze dat ik moest instappen. Hoe was het mogelijk dat ze me hier vond? 'O, ik voelde dat je hier zou lopen.' Joburg en deze bewoonster verbaasden me steeds weer, inderdaad. Ik stapte in, en toen schoot Louise in de lach. 'Ruan van de receptie bij Clico vertelde me waar je heen was. En dat je hun grote roze paraplu had geleend. Je ziet eruit als een oen.'

Als ik ooit op reis was gegaan om te vinden wat ik thuis niet had (en dat was vanzelfsprekend zo – iedereen verlaat zijn huis tenslotte om iets te vinden wat daar niet is), dan had ik het in Joburg gevonden. Een wandelingetje maken onder een grote roze paraplu en aangehouden worden door een vrouw die als een dolle in een stokoude Conquest door Afrika's gevaarlijkste stad scheurde: dit was mijn perfecte bestaan. Dat had ik gevonden; daar hoefde ik niet meer voor op stap.

Was 2008 dat beslissende jaar voor Zuid-Afrika geweest waar ik het voor had aangezien? Ja: de splitsing van het ANC was er gekomen, de Zoeloewoede van mei had de regenboognatie verdeeld, president Mbeki was afgezet, het WK van 2010 kon het land niet meer ontgaan, de economie had zich sterk getoond tijdens de economische wereldcrisis.

De status van 2008 is evenzogoed betwistbaar.

In 2009 zou het twintig jaar geleden zijn dat F.W. de Klerk aan de macht kwam (en even later de apartheid liet varen) en de belangrijke verkiezingen zouden plaatsvinden. En hoelang zou Mandela nog leven (en zou er een nacht van lange messen volgen)?

De Zuid-Afrikanen zelf zien 2010 als hun jaar van de waarheid – dan kunnen ze de wereld duidelijk maken dat hun land veeleer een westers land is dan een Afrikaans land. En als het WK goed zal verlopen, zal alles goed komen. Voor mij had 2008 de opmaat naar al die dingen gevormd en was het inderdaad een beslissend jaar. Ik verzin dat belangrijke jaar niet zelf, de kranten schreven het: sinds de heroprichting van het land in 1994 had Zuid-Afrika niet zo'n belangrijk jaar beleefd.

Ik checkte uit bij Clico en keerde, wandelend met alleen mijn Franse leren tas, terug naar The Westcliff. Die ochtend meldde de *Saturday Star* dat de Zimse cholera Gauteng had bereikt, maar daar merkte ik in Joburg niks van. In Messina-Musina waren tientallen mensen in ziekenhuizen opgenomen, en drie waren er aan de cholera-epidemie overleden.

Van het purperen uitzicht vanaf het balkon van kamer 106 kreeg ik geen genoeg. 'Maar twee weken geleden was het paarser', zei Louise, die naast me zat. 'Misschien moet je nog eens terugkomen.'

Ze keek naar me terwijl ik haar op het balkon urenlang

voorlas uit Murakami's *Ten zuiden van de grens.* Ik had het boek voor haar in Knysna gekocht – het is het mooiste liefdesverhaal dat ik ken. Af en toe onderbrak ik een zin, keek snel op en soms zag ik haar een traan uit een van haar ogen wegknipperen.

Honger kregen we niet – we informeerden doorlopend of de ander dorst, honger of andere noden had – maar dorst kregen we wel. Ik deed mijn schoenen aan en haalde twee grote glazen sinaasappelsap in de Polo Lounge. Ik las verder voor uit Murakami.

We begrepen dat er geen vragen vielen te beantwoorden, we begonnen niet eens met vragen. We waren zo voorzichtig als mensen met elkaar kunnen zijn.

Onder het terras liep nu en dan een dienstmeisje voorbij, net als in de film. Louise legde dan haar hoofd in mijn schoot om niet te worden gezien. Daarna zoenden we. En ik las voor uit Murakami en zij luisterde. Protagonist Hajime zei: 'Ik houd van je. Dat staat vast. De gevoelens die ik voor je koester laten zich nergens mee vergelijken. Dit is zo bijzonder dat het niet verloren mag gaan. Ik houd echt van je en ik kan niet leven zonder jou. Blijf bij me.'

We dronken de High Constantia Clos André, vintage 2006, een vonkelwijn die beter smaakte dan vrijwel alle champagnes (een 9), alleen hadden we er niks aan. Nog voor de zon zou ondergaan, zouden we afscheid moeten nemen. Maar dat deden we niet. Dat mislukte, zeg maar. Het ging niet. 'Breng me toch maar weg', zei ik, en dat deed ze.

In haar Conquest reden we Jan Smuts Avenue af, naar het centrum, daarna gingen we de N3 op, richting Durban. 'Rijd maar door', zei ik, 'naar Durban. En dan verder. Weg. Door.'

'Ben je uit je boom gevallen?'

'Mijn boom?'

'Zuid-Afrikaanse uitdrukking. Aap. Boom. Ben je mal?'

Ik wees haar de weg. Ze had nooit zelf naar Tambo gereden.

'Ik haat vliegvelden,' had ze gezegd, 'en dat komt omdat ik afscheid nemen haat. Of is het andersom?'

Een onweersbui brak los, pal boven de snelweg. Nergens ter wereld klinkt de bliksem zo luid als boven de Witwatersrand – wellicht door de hoogte. (Ik dacht ook telkens dat daar landen korter zou duren dan op Schiphol landen, maar voor de duur van een landing maakten die twee kilometers hoogte geen enkel verschil.)

Het onweer klonk alsof het in de Conquest zelf donderde. Het bliksemde erbij, en de regen maakte rijden bijna onmogelijk. We zagen niets door de voorruit, maar Louise jakkerde voort met honderdtwintig kilometer per uur, alsof haar linkervoorband níét door een geïmproviseerd plugje op spanning werd gehouden. Het was wellicht geen slecht tijdstip om dood te gaan, en de locatie was zeker in orde, maar zowel tijdstip als locatie waren buitengewoon nat.

Ik wees haar de weg. We moesten de N3 af, de R-weg naar het vliegveld op. Er was nu nog maar één bestemming: O.R. Tambo International Airport.

In de Spur op Tambo dronk zij een flesje appelsap met prik, ik dronk een colaatje. We kusten en ik las haar voor uit Murakami. Achter ons, rondom een tafel, zetten de Spurobers 'Happy Birthday' in. Dat deden ze voor een volwassen vent, op een vliegveld. Ik bleef me verbazen over dit land, tot het laatste moment. In de gevaarlijkste stad van Afrika, op het drukste vliegveld van het continent, zongen obers met overgave een vrolijk liedje voor een jarige job.

Ik schreeuwde de laatste resten Murakami in Louises oor – Hajimes geliefde Shimamoto zei tegen hem: 'Of je neemt me helemaal, of je neemt me helemaal niet. Als het je niet uitmaakt om op dezelfde voet verder te gaan, dan kan het zo verder gaan. Ik weet ook niet hoelang we daar mee door kunnen gaan.'

Het was tijd om aan boord te gaan.

Tijd of geen tijd, ik kon haar niet loslaten. Ik liep met haar terug naar de parkeergarage, we stapten in de Conquest. We zoenden vertwijfeld, even bijgelicht door de lantaarn van een beveiliger, en toen zei ze: 'Ik heb lang genoeg geleefd om te weten dat ik van je houd. Maar lieve Dylan, we hebben geen toekomst. Te moeilijk is te moeilijk. Een man, een kind, tienduizend kilometer. Ik moet in mijn eigen wereld blijven. Blijf jij in jouw eigen wereld.'

Mijn telefoon rinkelde. Op het schermpje zag ik dat het Lili was, het Zambiaans-Kaapse kroeghoertje. Die moest het ook niet van haar timing hebben. Louise en ik zoenden; ik stapte uit.

Zo eindigde mijn reis.

Na 9781 kilometer autorijden, 2060 kilometer over bonkend spoor, zo'n 600 kilometer te voet, een stoet taxi's, 1200 meter in een kabelbaan en twee slagen in de Indische Oceaan zag ik door mijn mistige ogen, in het halfduister van de diepste parkeerkelder van Tambo, mijn voormalige aanstaande in haar Conquest van me wegrijden.

Hunter, mijn vriend, hou je taai.

Dylan

Dylan van Eijkeren bij De Geus

De enige gast

In de winter van 2003-2004 reed Dylan van Eijkeren in zijn donkerblauwe BMW door Duitsland. Zijn doel: het land dat zijn grootouders zo goed kenden, zelf te leren kennen.
In het moderne Duitsland praat Dylan van Eijkeren met hippe kunstenaars, Oost-Duitse zakenlui en nukkige hoteliers, met burgemeesters en met ministers-presidenten.
Hij eet in het Zwarte Woud bij de beste kok ter wereld, en in eeuwenoude Neurenbergse braadworsthuizen. Hij rijdt langs roerloze Pommerse meren en bezoekt het drukste nieuwjaarsfeest van München. Hij koopt een parka in Lutherstadt Wittenberg en loopt in Baden-Baden een ware dictator tegen het lijf.
In 8945 kilometer ziet hij dat Duitsland weer zelfbewust wordt, een sensatie.

Witboi

Elke dag berichten onze kranten over Suriname, Aruba en de Antillen, maar slechts weinig Nederlanders weten werkelijk wat er in onze voormalige koloniën speelt. De enige landgenoten die naar de West reizen, zijn vakantiegangers. Hun verhalen vol zon, zee en strand hadden echter evenzogoed in Lloret de Mar of op Mallorca kunnen plaatsgrijpen. Zo niet in Witboi. Dylan van Eijkeren reisde aan de hand van W.F. Hermans' reisboek *De laatste resten tropisch Nederland* door Suriname en over de Antillen. In *Witboi* werpt hij een nieuw en fris licht op de moeizame relatie tussen Nederland en zijn voormalige koloniën.

Het beste land ter wereld

Voor de derde keer in zijn leven nam Dylan van Eijkeren ontslag om een boek te schrijven. Na eerdere reisboeken over Duitsland en Suriname en de Antillen, vond hij ook dit keer een land dat alles met Nederland te maken heeft: België.
Hij onderzoekt wat België tot België maakt, en ontdekt tijdens zijn reis wat het Grote Probleem van België is, maar concludeert dat het desondanks Het Beste Land Ter Wereld is.

De Johan Cruyff Foundation brengt jeugd in beweging

'Wat kan ík doen om de jeugd in beweging te krijgen?' Het is de vraag die Johan Cruijff ertoe bracht zijn eigen Foundation in het leven te roepen. Daarmee bracht hij twee voorliefdes samen: sport en kinderen. In het bijzonder kinderen met een handicap.

Sinds de start in 1997 is de Johan Cruyff Foundation uitgegroeid tot een organisatie die elke dag opnieuw, jeugd in beweging brengt en houdt. De Foundation doet dat door Cruyff Courts te realiseren (openbare trapveldjes waardoor kinderen hun speelruimte terugkrijgen), door projecten voor kinderen met een handicap te ondersteunen en door het organiseren van unieke sportevenementen. Dit alles gebeurt altijd samen met verenigingen, sportbonden, bedrijven, scholen en overheden, want: *'Alleen kun je niets, je moet het samen doen.' Johan Cruijff, voorzitter*

Naast de activiteiten van de Cruyff Foundation in Nederland hebben wij ook een aantal buitenlandse projecten, onder andere in Afrika, die wij ondersteunen. Belangrijk daarbij voor ons is dat er altijd een connectie bestaat tussen het buitenlandse project en Nederland.

Het eerste project wat wij ondersteunen in Afrika is International Tennis Federation (ITF). De ITF is via de Wheelchair Tennis Silver Fund gericht op de ontwikkeling van duurzaam rolstoeltennis in ontwikkelingslanden, om zo gehandicapte kinderen en volwassenen de mogelijkheden om te geven om een actief en volwaardig leven te leiden. In veel ontwikkelingslanden zijn de sportmogelijkheden voor mensen met een handicap beperkt. De Wheelchair Tennis Silver Fund helpt en ondersteunt minder ontwikkelde landen bij het opzetten van een rolstoeltennisprogramma via de donatie van rolstoelen en andere tennismaterialen.

Hiernaast hebben wij twee Cruyff Courts aangelegd in Afrika, Cruyff Court Elandsdoorn en Cruyff Court Ajax Cape Town.

Elandsdoorn is een township in het district Moutse in de provincie Mpumalanga, Zuid-Afrika. Er heerst grote werkloosheid en dat heeft gevolgen voor alle leeftijdsgroepen. Zo hebben de plaatselijke scholen geen sportfaciliteiten. Daarom is in 2004 daar het eerste buitenlandse Cruyff Court gerealiseerd in samenwerking met Liesje Tempelman van de Elandsdoorn Foundation. Mensen uit het township organiseren hier activiteiten zodat de jeugd de mogelijkheid heeft om te sporten en te spelen.

Het tweede Cruyff Court in Afrika ligt in Kaapstad. In samenwerking met Ajax en Ajax Cape Town is in 2008 het Cruyff Court Ajax Cape Town gerealiseerd in het township Crossroads. Het doel van het Cruyff Court was om iets blijvends in de wijk achter te laten voor de jeugd. Daarnaast organiseert Ajax Cape Town structureel activiteiten op het Cruyff Court om jongeren uit de buurt in beweging te brengen en te houden. Daarnaast verzorgt Ajax Capetown ook andere programma's die binnen hun 'social responsibility program' vallen, die meer gericht zijn op het gebruiken van voetbal als middel, om de jeugd te informeren over hiv/aids en andere zaken.

Wilt u meer weten over de Johan Cruyff Foundation, bezoek dan onze website op www.cruyff-foundation.org.